Oscar scrittori moderni

Rex Stout

NERO WOLFE
CONTRO L'FBI

Traduzione di Laura Grimaldi

OSCAR MONDADORI

© 1965 by Rex Stout
Titolo originale dell'opera: *The Doorbell Rang*
© 1995 Arnoldo Mondadori Editore S.p.A., Milano

I edizione I Classici del Giallo aprile 1965
I edizione Oscar scrittori moderni febbraio 2007

ISBN 978-88-04-56644-1

Questo volume è stato stampato
presso Mondadori Printing S.p.A.
Stabilimento NSM - Cles (TN)
Stampato in Italia. Printed in Italy

Nero Wolfe contro l'FBI

1

Fu il fattore decisivo e tanto vale che cominci col descriverlo: un rettangolino di carta rosa largo sei centimetri e lungo quattordici ordinava alla First National Bank di pagare a Nero Wolfe centomila dollari e zero centesimi. Firmato: Rachel Bruner. Si trovava sulla scrivania di Wolfe, dov'era stato messo dalla signora Bruner, che dopo avercelo deposto era tornata alla poltroncina di pelle rossa.

La Bruner si trovava nello studio da mezz'ora: era arrivata pochi minuti dopo le sei. Poiché la sua segretaria aveva telefonato per fissare un appuntamento solo tre ore prima, non avevo avuto molto tempo per svolgere indagini approfondite, ma quel poco che avevo saputo era stato sufficiente: si trattava della vedova di Lloyd Bruner, unica erede del defunto. Almeno otto dei vari edifici che Bruner le aveva lasciato erano alti più di dodici piani. Uno di questi poteva essere visto da un punto qualsiasi della città: da nord, da est, da sud e da ovest. Non che mi fossi scomodato molto, per raccogliere le notizie in questione: era stato sufficiente fare una telefonata a Lon Cohen, della «Gazette», per chiedergli se aveva qualche notizia inedita su una certa Bruner; poi avevo chiamato un pezzo grosso della nostra banca e Nathaniel Parker, l'avvocato. Ma non avevo ottenuto niente, tranne che, a un certo punto, questo pezzo grosso aveva detto: «Oh, che cosa strana...» e si era interrotto.

Naturalmente, gli avevo chiesto di che cosa si trattasse.

Pausa. «Niente d'importante, credetemi. Solo che il nostro presidente, il signor Abernathy, ha ricevuto un libro dalla signora Bruner...»

«Che tipo di libro?»

«Non... non ricordo. E adesso scusatemi, signor Goodwin, ho molto da fare.»

Perciò, quando era arrivata nella vecchia casa di arenaria della Trentacinquesima Strada e io ero andato ad aprire la porta per introdurla poi nello studio, tutto quello che sapevo di lei era che aveva mandato un libro a un uomo.

Si era sistemata nella poltroncina di pelle rossa, io avevo preso la sua pelliccia – che era quantomeno la gemella dello zibellino che una mia amica aveva pagato diciottomila bigliettoni – l'avevo depositata sul divano e mi ero piazzato alla mia scrivania. Poi mi ero messo a studiare la possibile cliente. Un po' troppo bassa e un po' troppo pienotta, per essere definita elegante, nonostante indossasse un vestito color cognac di Cardin. Anche la faccia era troppo tonda. Ma i suoi occhi non erano niente male. Li fissò su Wolfe e chiese se era necessario che spiegasse chi era.

Wolfe la stava scrutando senza entusiasmo. Il guaio era che, con l'anno appena cominciato, non aveva scuse per rifiutare un lavoro. In novembre e in dicembre, quando il suo imponibile aveva ormai raggiunto una cifra tale che il fisco si sarebbe beccato almeno i tre quarti di qualsiasi nuovo introito, respingere nuovi incarichi diventava praticamente automatico. Ma in gennaio era diverso, e quel giorno era il cinque di gennaio, e quella donna era imbottita di quattrini. A Wolfe tutto questo non andava a genio. «Il signor Goodwin mi ha parlato di voi» disse. «E poi, leggo i giornali.»

Lei fece un cenno d'assenso. «Lo so. So un sacco di cose su di voi. È per questo che sono qui. Voglio che facciate qualcosa che forse nessun altro al mondo potrebbe fare. Leggete anche molti libri, vero? Avete letto quello intitolato *L'FBI che nessuno conosce*?»

«Sì.»

«Vi è piaciuto?»

«Sì.»

«Santo cielo, come siete laconico!»

«Ho risposto alle vostre domande.»

«Questo l'ho capito. Ma posso essere laconica anch'io, quando voglio. Quel libro mi ha colpito straordinariamente. Mi ha colpito al punto che ne ho comperate diecimila copie e le ho spedite in tutto il paese, a persone diverse.»

«Ma guarda.» Wolfe sollevò le sopracciglia di alcuni millimetri.

«Sì. Le ho inviate a membri del governo, alla Corte Suprema di giustizia, ai vari governatori degli Stati, a tutti i senatori e a tutti i deputati, ai direttori di quotidiani e di riviste, ai dirigenti industriali e bancari, alle reti televisive, ai procuratori distrettuali, agli insegnanti e ad altri... Oh, sì, anche ai vari capi della polizia. Devo spiegarvi perché l'ho fatto?»

«Non a me.»

Negli occhi castano scuro della signora si accese un lampo. «Il vostro tono non mi piace. Dovete fare qualcosa, e vi pagherò tutto quello che vorrete. Ma è inutile continuare se... Avete detto che il libro vi è piaciuto. Significa che condividete l'opinione dell'autore sull'FBI?»

«Sì, anche se con alcune lievi riserve.»

«Condividete anche la sua opinione su Edgar Hoover?»

«Sì.»

«Allora non resterete sorpreso, se vi dirò che sono pedinata giorno e notte. Credo che il termine tecnico sia "tallonata". Vengono pedinati anche mio figlio, mia figlia, la mia segretaria e mio fratello. Il mio telefono è controllato, e mio figlio è convinto che anche il suo lo sia... È sposato, vive con la moglie. Alcuni dipendenti della Bruner Corporation sono stati interrogati. La Bruner Corporation occupa due piani del Bruner Building e impiega più di cento dipendenti. Siete sorpreso?»

«No» grugnì Wolfe. «Insieme ai libri avete inviato lettere d'accompagnamento?»

«No, niente lettere. Un biglietto di visita con alcune parole.»

«Siete voi che non dovreste essere sorpresa, allora.»

«Invece lo sono. Lo ero, quanto meno. Non sono un semplice deputato, né un direttore di giornale, né un presentatore televisivo, né un professore universitario, né un impiegato statale che non possa permettersi di perdere il posto. Quel megalomane pensa forse di poter fare del male a *me*?

«Pfui. Ve l'ha già fatto, del male.»

«No. Mi sta semplicemente infastidendo. Alcuni dei miei collaboratori e dei miei amici vengono interrogati... Discretamente, certo, e con scuse scelte accuratamente. È cominciato un paio di settimane fa. Secondo i miei avvocati, con ogni probabilità non potremo fare niente per interrompere la cosa, ma comunque ci stanno studiando sopra. Rappresentano uno dei più importanti e dei migliori studi legali di New York, ma perfino loro hanno paura dell'FBI! Mi hanno disapprovato. Hanno detto che è stato "sconsiderato" e "poco consono", da parte mia, mandare quei libri. Ma a me non importa di quello che dicono. Quando ho letto quel libro ero furiosa. Ho telefonato agli editori, che mi hanno mandato un loro rappresentante, il quale mi ha detto che avevano venduto meno di ventimila copie. In un paese di circa duecento milioni di abitanti, ventisei milioni dei quali hanno votato per Goldwater! Dapprima ho pensato di finanziare una campagna pubblicitaria, ma poi ho deciso che era meglio inviare i libri. Ho ottenuto uno sconto del quaranta per cento sulle copie che ho acquistato.» Strinse i braccioli della sedia. «Ora quell'uomo m'infastidisce, e io voglio impedirglielo. Voglio che voi glielo impediate.»

Wolfe scosse il capo. «Assurdo.»

La signora Bruner afferrò la borsetta, deposta sul ripiano assicurato al bracciolo della poltrona, estrasse il libretto degli assegni e una penna, aprì il libretto e lo posò sul ripiano, poi scrisse, riempiendo con cura prima la matrice. Scriveva con metodo, senza fretta. Staccò l'assegno, si alzò, lo mise sulla scrivania di Wolfe e ritornò alla poltroncina rossa. «Cinquantamila dollari» disse «sono solo un anticipo. Ve lo ripeto: vi darò tutto quello che vorrete.»

Wolfe non degnò l'assegno d'uno sguardo. «Signora, non sono né un taumaturgo né un babbeo. Se è vero che siete pedinata, siete stata pedinata anche fin qui, e il vostro o i vostri pedinatori ne hanno dedotto che siete venuta per assumermi. Con ogni probabilità, c'è già un altro individuo incaricato di sorvegliare questa casa. Ma anche se così non fosse, non appena si renderanno conto che sono stato tanto stupido da accettare il vostro incarico, mi faranno sorvegliare.» Si voltò verso di me. «Archie. Quanti agenti dell'FBI ci sono a New York?»

«Oh...» Strinsi le labbra. «Non lo so. Un paio di centinaia... Vanno e vengono, naturalmente.»

Wolfe riportò lo sguardo sulla signora. «Di agenti ne ho uno solo: il signor Goodwin. Personalmente, non esco mai di casa per lavoro. Sarebbe...»

«Avete anche Saul Panzer, Fred Durkin e Orrie Cather.»

In un altro momento, Wolfe avrebbe reagito nel sentirla spifferare con tanta libertà quei nomi, ma allora non si scompose. «Non chiederei mai a quegli uomini di correre rischi del genere. Né lo chiederei al signor Goodwin. Comunque, sarebbe futile, senza alcuna utilità. Avete detto "voglio impedirglielo". In altri termini, volete costringere l'FBI a smettere d'infastidirvi?»

«Sì.»

«Come?»

«Non lo so.»

«Neanch'io.» Scosse il capo. «No, signora. Ve la siete voluta, e l'avete avuta. Non dico che vi disapprovo perché avete mandato quei libri, ma sono d'accordo con gli avvocati: è stato un gesto sconsiderato. Abbiate pazienza. Non durerà in eterno. Come avete detto voi stessa, non siete un impiegato statale con un posto da perdere. Ma non spedite più libri.»

La signora Bruner si morse le labbra. «Vi credevo un tipo che non ha paura di niente e di nessuno.»

«Paura? Sono capace di tirarmi indietro di fronte alle imprese assurde senza tuttavia indietreggiare fino ai limiti del regno della paura.»

«Ho detto che nessun altro al mondo può aiutarmi.»

«Allora siete nei guai.»

La signora Bruner prese la borsetta, estrasse il libretto degli assegni e la penna, scrisse di nuovo, riempiendo la matrice e poi l'assegno, come prima, poi andò alla scrivania, riprese il primo assegno e lasciò il secondo. Tornò alla poltroncina rossa.

«Questi centomila dollari sono solo un anticipo» disse. «Pagherò tutte le spese. Se risolverete la questione, il vostro onorario verrà aggiunto a questo anticipo. Se fallirete, vi resteranno i centomila dollari.»

Wolfe si chinò per prendere l'assegno, lo studiò attentamente, lo depose di nuovo sulla scrivania, si adagiò contro lo schienale della poltrona e chiuse gli occhi. Conoscendolo come lo conosco, capii che cosa stava pensando. Non al lavoro. Come aveva detto, era assurdo. Pensava ai quattrini. Con centomila dollari in cassa al cinque di gennaio, avrebbe potuto respingere qualsiasi incarico fino alla fine dell'inverno, se non addirittura per tutta la primavera. E avrebbe potuto leggere un centinaio di libri, per non parlare delle migliaia di orchidee che avrebbe coltivato. Un paradiso. Un angolo della bocca ebbe una piccola piega. Per lui, era una risata aperta. Veleggiava fra le nuvole. Lo lasciai fare per mezzo minuto. In fondo, tutti hanno il diritto di sognare. Poi tossicchiai con insistenza.

Aprì gli occhi e si raddrizzò. «Archie? Qualche suggerimento?» E così, era tentato. Capace anche di accettare, sia pure con delle riserve. Ma la cosa non andava assolutamente. Il miglior modo per impedirgli di farlo era di costringere la signora Bruner ad andarsene al più presto.

«No» risposi. «Niente suggerimenti, per il momento. Ma vorrei fare un commento. Avete detto che se la signora viene pedinata, è stata pedinata fin qui. Secondo me, non hanno avuto bisogno di pedinarla: se il suo telefono è veramente controllato, hanno sentito la sua segretaria fissare l'appuntamento.»

Wolfe si accigliò. «E questa casa è ormai sorvegliata.»

«Forse. Magari, però, la cosa non è grave come la signora crede. Non che io pensi che la signora esageri intenzionalmente, ma...»

«Non è mia abitudine esagerare» m'interruppe la signora Bruner.»

«Naturale» dissi rivolto a lei. «Ma» e mi rivolsi a Wolfe, «la gente che non è abituata a venir infastidita si adombra facilmente. Possiamo controllare anche subito la faccenda del pedinamento.»

Mi voltai. «Siete venuta in taxi, signora Bruner?»

«No. Mi aspetta il mio autista.»

«Bene. Vi accompagno fuori e resterò a dare un'occhiata finché non sarete partita.» Mi alzai. «Domani il signor Wolfe vi farà sapere che cosa decide.» Andai verso il divano per prendere lo zibellino.

Funzionò, anche se la cosa non le piacque. Era venuta per assumere Nero Wolfe, e nella speranza di riuscirci si attardò per altri cinque minuti a insistere, ma quando si accorse che l'unico risultato era solo quello di irritarlo, si alzò e mi prese lo zibellino dalle mani. Lo conosceva davvero, Wolfe: sapendo che non gli piaceva dare la mano a nessuno, la signora Bruner non tese la sua, ma quando la seguii fuori della porta d'ingresso mi dette una stretta amichevole, decisa. Evidentemente, pensava che la mia opinione avrebbe avuto il suo peso sulla decisione di Wolfe. C'erano parecchie lastre di ghiaccio, anche se piccole, sui sette gradini che dalla casa di arenaria portavano al marciapiede, e io guidai la signora Bruner fino alla macchina tenendola per il gomito. L'autista aprì la portiera per farla salire. Prima di entrare in macchina, la signora voltò gli occhi castani verso di me e disse: «Grazie, signor Goodwin. Naturalmente, ci sarà anche un assegno per voi. Personale».

L'autista non la toccò. A quanto pareva, la signora preferiva salire in macchina senza aiuti di sorta, perciò non doveva essere il tipo di vedova di mezza età che ama sentirsi sul braccio la stretta della mano di un maschio ben piantato. Quando la signora fu a bordo, l'autista chiuse la portiera, si mise al volante e partì. A una trentina di metri di distanza, in direzione della Nona Avenue, un'automobile accese i fari e il motore, e si mosse. C'erano due uomini, sul sedile anteriore. Rimasi sul marciapiede, sferzato dal gelido

13

vento di gennaio, finché non la vidi svoltare nella Decima Avenue. Era davvero ridicolo, perciò risi e risalii i sette gradini. Tuttavia soffocai l'ilarità prima di entrare nell'atrio.

Wolfe era adagiato contro lo schienale della poltrona, con gli occhi chiusi, ma aveva la bocca stretta, senza pieghe agli angoli. Presi l'assegno e lo studiai. Non ne avevo mai visto uno di centomila dollari tondi, anche se ne avevo visti di più sostanziosi. Lo lasciai cadere sul ripiano, ritornai alla mia scrivania, mi misi a sedere, scrissi il numero di targa della macchina che aveva seguito la signora Bruner, afferrai il telefono, formai un numero e mi misi in contatto con un impiegato dell'amministrazione cittadina al quale una volta avevo fatto un favore grosso come una casa. Quando gli detti il numero della targa, lui rispose che poteva metterci un'ora, prima di darmi l'informazione che volevo, e io dissi che avrei trattenuto il fiato.

Mentre riattaccavo, mi arrivò la voce di Wolfe. «State facendo il buffone, tanto per non cambiare?»

«Nossignore» risposi, girandomi verso di lui. «La signora è tenuta d'occhio davvero. C'erano un paio di tipi, in una macchina, in fondo all'isolato. Hanno acceso i fari appena lei è salita sulla sua Rolls Royce, e quando la Rolls Royce ha imboccato la Decima Avenue le stavano tanto addosso che per poco non la tamponavano. Un pedinamento scoperto, addirittura esagerato. Se la Rolls Royce si ferma all'improvviso, le vanno addosso. La signora è in pericolo.»

«Bah» rispose Wolfe.

«Sissignore. Ma la questione è: chi sono? Se si tratta di privati, magari possiamo anche guadagnarceli, quei centomila dollari. Ma se si tratta di agenti dell'FBI, la signora dovrà sopportare le sue pene. Lo sapremo tra un'oretta.»

Wolfe guardò l'orologio appeso alla parete. Venti minuti alle sette. Spostò gli occhi su di me. «A quest'ora Cohen sarà in redazione?»

«Credo di sì. In genere se ne va verso le sette.»

«Invitatelo a cena.»

Astuto. Se gli avessi fatto presente che era inutile, perché tanto il caso era assurdo, mi avrebbe risposto che senza dubbio mi rendevo conto dell'importanza che aveva per noi mantenere buoni rapporti con la stampa in generale e con Cohen in particolare, e che lui non vedeva Cohen da più di un anno. Il che era vero.

Afferrai il telefono e feci il numero della «Gazette».

2

Alle nove eravamo di ritorno nello studio, Lon nella poltroncina di pelle rossa, Wolfe e io alle nostre scrivanie. Fritz
stava servendo caffè e cognac. L'ora e mezzo trascorsa nella
sala da pranzo, dall'altra parte dell'atrio, era stata piuttosto
salottiera, a base di pasticcio di scampi in salsa "chili", di
arrosto di bue al vino rosso, zucchine con crema agrodolce
e aneto pestato, avocado con crescione e noci della California, il tutto annaffiato da Liederkranz.

La discussione era andata dallo stato dell'Unione allo stato della psiche femminile, dalla filologia al prezzo dei libri.
Ma si era riscaldata solo a proposito della psiche femminile, e Lon l'aveva fatto apposta, a darci dentro, per vedere fino a che punto Wolfe si sarebbe irritato.

Lon bevette un sorso di cognac e guardò l'orologio. «Se
non vi dispiace» disse poi «veniamo al punto. Ho un impegno per le dieci. So che non vi aspettate che paghi per la cena, ma so anche che in genere, quando avete qualcosa da
chiedere o da offrire, fate venire da me Archie, o lo pregate
di darmi un colpo di telefono. Quindi, deve trattarsi di
qualcosa di speciale. Di qualcosa di supremamente speciale, anzi, come questo cognac.»

Wolfe prese dalla sua scrivania un foglietto, lo fissò tetra-
mente e lo depose di nuovo dove l'avevo messo io mezz'ora
prima. La mia cena era stata interrotta dalla telefonata del-
l'impiegato dell'amministrazione civica, che aveva l'infor-

mazione richiesta. Prima di ritornare in sala da pranzo, avevo strappato un foglio dal taccuino, ci avevo scritto sopra FBI e l'avevo lasciato sulla scrivania di Wolfe. La notizia non mi aveva fatto certo aumentare l'appetito. Se la signora Bruner si fosse sbagliata a proposito dell'identità dei suoi pedinatori, avremmo anche potuto risolvere il caso, e io mi sarei visto recapitare un bell'assegno personale. Ma con l'FBI di mezzo...

Wolfe sorseggiò il caffè, posò la tazzina e disse: «Ne ho altre quattordici bottiglie».

«Accidenti!» fece Lon, e annusò il cognac. Strano tipo, Lon. Con quei capelli neri e lisci e la faccia scavata, sembra un tizio qualsiasi. Eppure ha sempre l'aria di essere al posto giusto, sia che si trovi nel suo ufficio al ventesimo piano dell'edificio che ospita la "Gazette", due porte dopo lo studio del direttore, sia che balli con una bella donna al Flamingo, sia che giochi a poker in casa di Saul Panzer. O che annusi cognac vecchio di cinquant'anni.

Gustò una sorsata. «Chiedetemi quello che volete» disse poi. «Senza riserve.»

«In realtà» fece Wolfe «non si tratta di qualcosa di speciale. E certo nulla di supremamente speciale. Prima domanda: sapete se la signora Bruner ha qualche rapporto, o l'ha avuto in tempi sia pure remoti, con il Federal Bureau of Investigation?»

«Certo che lo so. Lo sanno tutti. Ha sventagliato intorno un bel po' di copie del libro di Fred Cook. L'ha mandato anche al nostro direttore e al nostro editore. È diventato una specie di simbolo, quel libro: l'hanno ricevuto solo i pezzi grossi, però. A me non è stato mandato. E a voi?»

«No. Me lo sono comperato. Sapete se il Federal Bureau of Investigation ha intrapreso in proposito una determinata azione? Il nostro è un colloquio privato e confidenziale.»

Lon sorrise. «Altrettanto privata e confidenziale sarebbe un'eventuale azione intrapresa dal Federal Bureau of Investigation. Sarà meglio che vi rivolgiate a J. Edgar Hoover... A meno che non lo sappiate già. Lo sapete?»

«Sì.»

Lon alzò il mento di scatto. «Accidenti! Allora sarà opportuno informare quelli che gli pagano lo stipendio, a Hoover. E cioè i contribuenti.»

Wolfe fece un cenno d'assenso. «Capisco che il vostro punto di vista non possa essere diverso. Voi cercate le informazioni per pubblicarle. Io, invece, almeno in genere, le cerco per il mio interesse privato. Per il momento, però, le cerco solo per capire dove in realtà si trova il mio interesse. Non ho clienti, né impegni, ed è il caso che vi dica subito che se anche dovessi mettermi a lavorare a questa faccenda, con ogni probabilità non potrei mai fornirvi notizie da pubblicare. Se potrò farlo, lo farò, ma dubito che mi sarà possibile. Pensate che io sia in debito nei vostri confronti?»

«No. Fatti i conti, sono io a essere in debito.»

«Bene. Allora continuiamo. Perché la signora Bruner ha mandato quei libri?»

«Non lo so.» Lon bevve un'altra sorsata di cognac e mosse labbra e guance per sciacquarsi la bocca, prima d'inghiottirlo. «Con ogni probabilità perché pensava di compiere un'azione d'interesse pubblico. Anch'io ne ho comperate cinque copie e le ho mandate a persone che secondo me dovrebbero leggerlo, anche se magari non lo faranno mai. Un tipo che conosco ne ha distribuite trenta copie come regalo di Natale.»

«Sapete se la signora Bruner ha dei motivi personali per nutrire del malanimo nei confronti dell'FBI?»

«No.»

«Avete sentito qualche chiacchiera in proposito? Qualche supposizione atta a convalidare l'esistenza di tale malanimo?»

«No. Ma evidentemente voi sì. Sentite, signor Wolfe. Tra me e voi, chi deve seguire la faccenda? Se lo sapessi, potrei anche essere in grado di fornire un paio d'informazioni.»

Wolfe riempì di nuovo la tazza e posò la caffettiera. «Può anche darsi che non venga assunto nessuno. E se dovessi esserlo, forse non verrete mai a sapere da chi. In quanto alle informazioni, so che cosa mi occorre. Mi occorre un elenco di tutti i casi ai quali hanno lavorato di recente gli agenti dell'FBI, o ai quali stanno lavorando, a New York e dintorni. Potete fornirmelo?»

«Neanche per sogno.» E Lon sorrise. «Che mi venga un accidente. Mi sto chiedendo... anche se sembra incredibile... mi sto chiedendo se è possibile che Hoover voglia che vi occupiate della signora Bruner per conto suo. Mica male, come notizia. Ma se...» Strinse gli occhi. «State per ricevere un incarico ufficiale, in questa faccenda?»

«No. Non sono ancora sicuro neppure se accetterò un incarico privato. Sapete come posso fare a procurarmi l'elenco che dicevo?»

«Non potete. Naturalmente alcuni dei casi di cui si occupa l'FBI sono di dominio pubblico, come il furto di gioielli perpetrato ai danni del Museo di Storia e la rapina di quella banca del New Jersey... mezzo milione di dollari in banconote di piccolo taglio. Ma altri sono ben lungi dall'essere pubblici. L'avete pur letto, quel libro. Comunque, circolano sempre delle chiacchiere, a proposito dell'FBI, chiacchiere che abbiamo il divieto di pubblicare. Potrebbero esservi utili?»

«Perché no? Soprattutto se si tratta di qualcosa di poco pulito, di non perfettamente legale. Lo è?»

«Certo. Che divertimento c'è a parlare di qualcosa che non sia poco pulito?» Guardò l'orologio. «Mi restano venti minuti. Se mi date un'altra razione di cognac, se mi promette che la nostra conversazione resterà confidenziale e se siete intenzionato a fare quello che credo, sarò lieto di fornirvi alcune notizie.» Guardò me.

«Avrai bisogno del taccuino, Archie.»

Venti minuti dopo, il suo bicchiere era vuoto di nuovo, io avevo riempito cinque pagine di taccuino e lui se n'era andato. Non riporterò tutti gli appunti trascritti sulle cinque pagine, un po' perché per la maggior parte non furono mai usati, un po' perché molte delle persone coinvolte potrebbero trovare da ridire. Comunque, quando tornai nello studio, dopo aver accompagnato Lon alla porta, pensavo solo a Wolfe, non al taccuino. Possibile che prendesse davvero in considerazione la possibilità di accettare quell'incarico? No. Impossibile. Aveva voluto semplicemente far passare il tempo e provocare in me una determinata reazione. La questione, adesso, era come comportarmi. Senza dubbio, Wolfe si aspettava di vedermi esplodere. Perciò entrai sorridendo, andai a piazzarmi alla scrivania, dissi: «Bello spasso» strappai le cinque pagine del taccuino e le stracciai in due. Stavo per stracciarle in quattro, quando sbraitò: «Fermo!».

Sollevai un sopracciglio, cosa che lui non riesce a fare, e dissi con tono amichevole: «Scusate. Le considerate un souvenir?».

«No.»

«Mi è sfuggito qualcosa?»

«Non credo. È difficile che vi sfugga qualcosa. Una domanda ipotetica: se vi dicessi che ho deciso di tenermi quei centomila dollari, che cosa rispondereste?»

«Quello che avete già detto voi. Assurdo.»

«D'accordo. Ma continuate.»

«Volete sapere tutto quello che risponderei?»

«Sì.»

«Risponderei che dovete abbandonare questa casa e tutto ciò che contiene e andare a vivere in un manicomio, perché evidentemente siete diventato pazzo. A meno che non abbiate intenzione di fregare la signora Bruner e di starvene con le mani in mano.»

«No.»

«Allora siete pazzo. Avete pur letto quel libro. Non potreste neanche cominciare a muovervi. Dovreste mettere le cose in modo da poter dire all'FBI: "Fermi tutti, ci penso io". Ah! Neanche con la bacchetta magica. Significa mettere l'FBI con le spalle al muro, l'FBI con tutta la sua organizzazione. Neanche a pensarci. Ma diciamo per un momento che riusciamo a cominciare, che pigliamo uno di questi casi...» picchiai l'indice sui fogli del taccuino «...e ci mettiamo al lavoro. Sapete che cosa significherebbe? Significherebbe che tutte le volte che metto piede fuori di casa dovrei sprecare il mio tempo a far perdere le tracce ai miei pedinatori, pedinatori di prima classe. Tutte le persone coinvolte nell'affare sarebbero sorvegliate. Il nostro telefono sarebbe controllato. E così gli altri telefoni, come quelli della signorina

Rowan, quello di Saul, di Orrie e di Fred, sia che ci serviamo di loro sia che non ce ne serviamo. E naturalmente il telefono di Parker. L'FBI potrebbe o non potrebbe decidere di scaraventarci sulle spalle un'accusa fasulla. Con ogni probabilità non ne avrebbe bisogno, ma se dovesse arrivarci, state tranquillo che l'accusa reggerebbe. Io dovrei dormire qui nello studio. Le finestre e le porte, anche se munite di lucchetti, sono come cartavelina, per quella gente. Potrebbero censurarci la posta. E non esagero. Non so quante di queste cose farebbero, ma so che "possono" farle tutte. Conoscono tutti i trucchi del mondo, compresi alcuni che non ho nemmeno mai sentito nominare.»

Accavallai le gambe. «Non saliremmo neanche il primo gradino delle scale. Ma ammettiamo per un attimo che riusciamo a salirlo, ammettiamo che riusciamo davvero ad affondare i denti in qualcosa di solido. Allora sì che si muoverebbero! Hanno seimila uomini addestrati, alcuni di questi sono degli esemplari di razza, e trecento milioni di dollari l'anno a cui attingere. Vorrei prendere un dizionario e cercare una parola un po' più forte di "assurdo".»

Mi alzai. «E la Bruner? Non credo che si consideri semplicemente infastidita. Sono pronto a scommettere venti contro uno che ha una fifa del diavolo. Sa di avere qualcosa da nascondere. Se non lei personalmente, suo figlio, o sua figlia, o suo fratello, o magari il defunto marito, e ha paura che questo qualcosa venga a galla. Si rende conto che non la stanno semplicemente sorvegliando, ma che cercano qualcosa di grosso, qualcosa che toglierebbe molto veleno da quel libro. In quanto ai centomila dollari, per lei sono noccioline. E poi, potrà sempre detrarli nella denuncia delle imposte.»

Mi risedetti e accavallai le gambe. «Ecco che cosa risponderei.»

Wolfe grugnì. «L'ultima parte del vostro discorso non è pertinente.»

«Sono spesso impertinente. Mi serve per confondere la gente.»

«E continuate ad agitare le gambe.»

«Anche questo confonde la gente.»

«Pfui. Siete nervoso, e non me ne meraviglio. Pensavo di conoscervi, Archie, ma oggi ho scoperto in voi un nuovo volto.»

«Non è per niente nuovo. Si tratta semplicemente di buon senso.»

«No. Dite pure di cattivo senso. Cattivo senso canino. Continuate ad agitare le gambe perché tra le gambe avete la coda. In altre parole, ecco che cos'avete voluto dire: che mi è stato offerto un incarico con il maggior anticipo che mi sia mai capitato nella mia carriera e senza limiti sulle spese, e dovrei respingerlo. E dovrei respingerlo non perché è un incarico difficile, magari impossibile – ho accettato ben altri incarichi, in vita mia, apparentemente impossibili – ma perché offenderei un certo tipo e la sua organizzazione, e questo certo tipo reagirebbe. Dovrei respingerlo perché non oso accettarlo. Preferirei affrontare qualunque rischio piuttosto...»

«Non ho detto questo!»

«Era implicito. Siete impaurito, invigliacchito. Lo ammetto, ne avete anche la ragione. Lo stesso tremito ha scosso le mani e le voci di personalità ben più in vista di voi. Con ogni probabilità, se si trattasse solo di accettare o di respingere un incarico, tremerei anch'io. Ma non restituirò un assegno di centomila dollari semplicemente perché ho paura di un pallone gonfiato installato su una poltrona. La mia dignità non me lo permetterebbe. Vi consiglio di prendervi un periodo illimitato di riposo. Lo stipendio correrà lo stesso. Posso permettermelo.»

Non accavallavo più le gambe. «Cominciando da ora?»

«Sì.» Era deciso.

«Questi appunti li ho scritti con il mio codice personale. Devo copiarli a macchina?»

«No. Potrebbe coinvolgervi nella faccenda. In caso di bisogno, preferisco interpellare di nuovo il signor Cohen.»

Allacciai le mani dietro la testa e lo fissai. «Ripeto che siete pazzo» dissi. «E nego di aver avuto poco fa la coda tra le gambe: non avrei potuto perché le tenevo accavallate. Sarebbe uno spasso mettermi in disparte e vedere come ve la caverete senza di me, ma dopo tanti anni di convivenza nella stessa barca, sarebbe scorretto lasciarvi affogare da solo. Se mi invigliacchirò lungo la strada, ve lo farò sapere.» Raccolsi i fogli stracciati. «Devo batterli a macchina?»

«No. Quando ne avrò bisogno, me li tradurrete a voce.»

«D'accordo. Un suggerimento: dato che siete in questo stato d'animo, perché non ne approfittate per dichiarare guerra? Basterà che telefoniate alla cliente. Ci ha lasciato il suo numero personale, che naturalmente è controllato. Devo chiamarla?»

«Sì.»

Andai al telefono.

3

Verso mezzanotte andai in cucina per controllare se Fritz aveva messo il catenaccio alla porta di servizio, e rimasi soddisfatto nel vedere che sulla mensola era già pronta una zuppiera di panna per le frittelle di grano saraceno. In un'occasione del genere, dei bei crostini croccanti o dei soffici croissant sarebbero stati fuori posto. Quando, poco dopo le nove del mercoledì mattina discesi le due rampe di scale, sapevo già, dunque, che sarei stato carburato a dovere. Quando entrai in cucina, Fritz alzò la fiamma sotto la griglia. Gli augurai il buongiorno e cavai fuori del frigorifero il mio succo d'arancia. Wolfe, che fa sempre colazione in camera sua, su un vassoio che Fritz gli porta personalmente, era già salito nella serra per il quotidiano incontro di due ore con le orchidee. Come al solito, avevo sentito salire l'ascensore. Quando presi posto al tavolino accanto alla parete, dove faccio in genere colazione, chiesi a Fritz se c'era qualcosa di nuovo.

«Sì» rispose lui «e tocca a voi dirmi di che si tratta.»

«Come, il signor Wolfe non te l'ha detto?»

«No. Ha detto solo che devo tenere porte e finestre sprangate e che devo essere... Che cosa significa "circospetto"?»

«Significa che devi stare attento a quello che fai. Al telefono non devi dire niente che non vorresti vedere pubblicato sui giornali. Quando esci, non fare niente che non vorresti vedere apparire in televisione. Per esempio, le ragazze. Stacci lontano. Sospetta di ogni estraneo.»

Fritz non parlerebbe mai, mentre sta rosolando le frittelle al punto giusto. Come mi ebbe messo davanti le prime due, insieme alla panna, e le ebbe imburrate, disse: «Voglio sapere, Archie. Ho il diritto di sapere. Lui ha detto che me lo avreste spiegato voi. *Bien*. Esigo una spiegazione».

Presi la forchetta. «Sai che cos'è l'FBI, vero?»

«Certo. Il signor Hoover.»

«È quello che il signor Hoover pensa. Comunque, noi gli pesteremo un po' i calli per conto di un cliente. Si tratta di un affare di ordinaria amministrazione, ma il signor Hoover è suscettibile e tenterà di bloccarci. Che sciocco!» Misi un pezzo di frittella nel posto che più le si conveniva.

«Ma... È un grand'uomo. Sì?»

«Certo. Ma hai visto qualche sua fotografia?»

«Sì.»

«Che ne pensi del suo naso?»

«Non è bello. Non esattamente *épaté*. Troppo largo. Non *bien fait*.»

«Appunto. Ecco perché merita che tentiamo di fargli saltare la mosca al naso.» Affondai il cucchiaio nella panna.

Finito di mangiare andai nello studio. Fritz era tranquillo. Almeno per quel giorno, avrebbe cucinato a dovere. Mentre spolveravo le scrivanie, staccavo i fogli dai calendari e aprivo la posta, che per la maggior parte era formata da scartoffie di poco interesse, pensai che forse mi conveniva fare un esperimento. Se avessi formato un numero, uno qualunque, mettiamo quello di Parker, forse sarei riuscito a capire se il nostro apparecchio era controllato. Sarebbe stato interessante appurare se avevano già reagito alla nostra telefonata alla signora Bruner. Ma rinunciai: era meglio attenersi alle istruzioni. E appunto per attenermi alle istruzioni tirai fuori di tasca il taccuino, presi dal cassetto della scrivania un altro oggetto, aprii la cassaforte per estrarre l'assegno, andai in cucina per dire a Fritz di non aspettarmi per colazione, attraversai l'atrio, presi cappotto e cappello e veleggiai all'aperto. Mi diressi verso est, a piedi. È facile accorgersi se si è pedinati, nelle giornate fredde, quando il vento gelido mantiene le strade praticamente deserte, ma a che mi sarebbe servito? Con ogni probabilità, sapevano dov'ero diretto. Alla banca, in Lexington Avenue, ebbi la soddisfazione di vedere il cassiere spalancare gli occhi, nel leggere la cifra dell'assegno, per poi rileggerla una seconda volta. Le facili soddisfazioni dei ricchi! Quando fui di nuovo fuori, mi diressi verso la periferia. Avevo tre chilometri buoni da percorrere, ma erano solo le dieci e venti, e io sono un camminatore. Se avevo dietro qualcuno, seguirmi gli avrebbe fatto bene ai polmoni e ai garretti.

L'edificio di quattro piani nella Settantaquattresima Strada tra Madison Avenue e Park Avenue era almeno il doppio di quello di arenaria di proprietà di Wolfe, e non era di arenaria. La porta che dava accesso all'atrio, tre gradini più in basso, era solida e si apriva su una seconda porta di cristallo protetto da una grata di ferro battuto. La seconda porta fu aperta da un tipo senza labbra, che mi permise di entrare solo dopo aver sentito il mio nome. Mi fece strada lungo l'atrio fino a un uscio aperto, sulla sinistra, e mi fece cenno d'entrare. Era un ufficio non troppo vasto: classificatori, una cassaforte, due scrivanie, mensole e un tavolo cosparso di roba. Sulla parete dietro il tavolo c'era una pianta del Bruner Building. Detti una rapida occhiata in giro e posai lo sguardo su una faccia, una faccia che lo sguardo se lo meritava: apparteneva a una donna seduta a una delle due scrivanie. I suoi occhi color nocciola si fissarono nei miei.

«Mi chiamo Archie Goodwin» dissi.

Fece un cenno d'assenso. «Io mi chiamo Sara Dacos. Accomodatevi, signor Goodwin.» Sollevò il ricevitore del telefono che aveva sulla scrivania, premette un pulsante, disse a qualcuno che ero arrivato, riattaccò e mi disse che la signora Bruner sarebbe scesa subito. Mentre sedevo, le chiesi: «Da quanto tempo siete con la signora Bruner?».

Sorrise. «So già che siete un investigatore privato, signor Goodwin. Non c'è bisogno che me lo proviate.»

Restituii il sorriso. «Devo tenermi in esercizio.» Era facile sorriderle. «Da quanto tempo?»

«Quasi tre anni. Volete sapere anche i mesi e i giorni?»

«In seguito, magari. Devo aspettare che arrivi la signora Bruner, per poter continuare?»

«Non è necessario. Mi aveva detto che avreste rivolto delle domande.»

«Bene. Che cosa facevate prima di lavorare qui?»

«La stenografa presso la Bruner Corporation, poi la segretaria del signor Thompson, il vicepresidente.»

«Avete mai lavorato per il governo? Per l'FBI, per esempio?»

Sorrise. «No. Avevo ventidue anni, quando ho cominciato con la Bruner Corporation. Ora ne ho ventotto... Come mai non state prendendo appunti?»

«Li prendo qui, i miei appunti» mi toccai la fronte. «Che cosa vi ha fatto pensare di essere pedinata dall'FBI?»

«Non sono sicura che si tratti dell'FBI. Ma deve essere così, perché nessun altro mi pedinerebbe.»

«Siete certa di essere pedinata?»

«Certissima. Non che volti la testa a guardarmi indietro ogni due minuti, ma i miei orari qui sono irregolari, esco a ore diverse, e quando arrivo alla fermata dell'autobus c'è sempre un uomo, alle mie spalle, che sale sullo stesso autobus e scende alla stessa fermata. Sempre lo stesso tizio.»

«L'autobus di Madison Avenue?»

«No, quello della Quinta Avenue. Vivo al Greenwich Village.»

«Quando ha avuto inizio questa storia?»

«Non lo so di sicuro. La prima volta che ho notato l'uomo è stato il lunedì dopo Natale. Sta sempre ad aspettarmi anche di mattina. Naturalmente anche di sera, se esco. Non credevo che facessero le cose a questo modo. Pensavo che quando si pedina una persona bisogna tentare di farlo in modo che la persona non se ne accorga.»

«Dipende. A volte si fa di tutto perché accada il contrario. Siete in grado di descrivere questo signore?»

«Certo. È più alto di me di una quindicina di centimetri, avrà una trentina d'anni, forse qualcosa di più, ha la faccia lunga, il mento quadrato, il naso sottile, la bocca piccola e dura, gli occhi grigioverdi. Porta sempre il cappello, perciò non so che tipo di capelli abbia.»

«Gli avete mai parlato?»

«Naturalmente no.»

«Avete denunciato la cosa alla polizia?»

«No. L'avvocato ha suggerito che era meglio di no. L'avvocato della signora Bruner, intendo dire. Secondo lui, se si tratta dell'FBI possono sempre replicare che si tratta di una misura di sicurezza.»

«Certo che possono replicare così. E lo fanno spesso. A proposito, siete stata voi a suggerire alla signora Bruner di mandare in omaggio le copie di quel libro?»

Inarcò le sopracciglia. Belle sopracciglia ben disegnate e ben curate. «No. Non l'avevo ancora letto, allora. L'ho letto in seguito.»

«Dopo che hanno cominciato a pedinarvi?»

«No, dopo che la signora Bruner ha deciso di mandare quei libri.»

«Sapete chi gliel'ha suggerito?»

«Non credo che gliel'abbia suggerito qualcuno.» Sorrise. «Dato che siete un investigatore, sarà anche ragionevole che me lo chiediate, ma secondo me dovreste chiederlo a lei. Anche se sapessi chi è stato a suggerirglielo, non credo che...»

Sentii dei passi che si avvicinavano dall'atrio, poi apparve la Bruner. Mi alzai. Si alzò anche Sara Dacos. Andai incontro alla signora per stringere la mano che mi porgeva e per ricambiare il saluto, e quando lei prese posto all'altra scrivania, io mi trasferii su una sedia di fronte. Lanciò un'occhiata distratta a una pila di fogli sotto un fermacarte, li scostò e disse: «Vi debbo ringraziare, signor Goodwin. Qualcosa di più, anzi».

Scossi il capo. «No, non mi dovete niente. Non che abbia importanza, visto che l'assegno è già stato depositato, ma io ero contrario a questa storia. Comunque, posto che abbiamo accettato l'incarico, farò del mio meglio.» Estrassi di tasca l'oggetto che avevo preso dal cassetto della scrivania e glielo porsi. Era un foglio di carta sul quale avevo dattiloscritto questa specie di lettera:

Signor Nero Wolfe
914, Trentacinquesima Strada West
New York, 1
6 gennaio 1965

Egregio signore,
 A conferma del nostro colloquio di ieri, con la presente vi incarico di agire nel mio interesse in rapporto al problema dibattuto. Per le ragioni espostevi credo che il Federal Bureau of Investigation sia responsabile del controllo al quale siamo sottoposti io, i membri della mia famiglia e i miei amici. Comunque, al di là della responsabilità di questa iniziativa, è compito vostro svolgere indagini in proposito e fare in modo che tale controllo abbia a cessare. Qualunque possa essere il risultato di tali indagini, i 100.000 $ da me versativi come anticipo rimarranno di vostra proprietà. Pagherò tutte le spese da voi sostenute nell'indagine del caso, e se otterrete i risultati da me sperati, vi verserò l'onorario che stabilirete.

(Signora Rachel Bruner)

La signora Bruner lesse due volte, prima in fretta, poi soffermandosi su ogni parola. Alla fine sollevò lo sguardo. «E dovrei firmare questo foglio?»
 «Sì.»
 «Non posso. Non firmo mai niente senza l'approvazione del mio legale.»
 «Potete telefonargli e leggerglielo.»
 «Ma il mio telefono è controllato!»
 «Appunto. Esiste la possibilità, sia pure remota, che quando verranno a sapere se avete dato carta bianca a Nero Wolfe si calmino. Spiegatelo, al vostro avvocato. Non che abbiano paura di Wolfe, non hanno paura di nessuno, ma sanno che tipo è. Non dimenticate poi che l'ultima frase, quella che si riferisce all'onorario, vi lascia una porta aperta. Infatti, dice "se otterrete i risultati da me sperati". Siccome sta a voi stabilire se i risultati saranno soddisfacenti, non firmate un assegno in bianco. L'avvocato non dovrebbe avere niente in contrario.»

La Bruner lesse di nuovo il foglio, poi sollevò gli occhi e me li puntò sulla faccia. «Non posso. I miei avvocati non sanno che mi sono rivolta a Nero Wolfe. Non approverebbero. Non lo sa nessuno, tranne la signorina Dacos.»

«Allora siamo in un vicolo cieco» dissi, tendendo la mano con la palma verso il soffitto. «Ascoltatemi bene, signora Bruner. Nero Wolfe non può immischiarsi in questa storia senza avere in mano qualcosa di scritto. Che cosa accadrebbe se la situazione si deteriorasse e voi decideste di lavarvene le mani, lasciandolo nel ginepraio? E se poi vi venissero dei dubbi su questo affare e chiedeste di ritorno l'anticipo?»

«Non lo farei mai. Sono un tipo deciso, signor Goodwin, non ho mai dubbi.»

«Bene. Allora firmate.»

Guardò il foglio, portò gli occhi su di me, guardò di nuovo il foglio, poi lanciò un'occhiata alla signorina Dacos. «Sara» disse «fatene una copia.»

«Ce l'ho già» dissi, porgendole un secondo foglio. Accidenti: lo lesse da cima a fondo. Era stata bene addestrata da suo marito, evidentemente, o dagli avvocati, dopo che lui era morto. Prese una penna, firmò l'originale e me lo consegnò.

«Ecco perché il signor Wolfe ha voluto che veniste qui stamattina» disse poi.

Feci un cenno d'assenso. «Anche. Voleva però che rivolgessi un paio di domande alla signorina Dacos a proposito del pedinamento, e io l'ho fatto. Quando siete uscita dalla casa del signor Wolfe siete stata seguita da una macchina. Ho preso il numero della targa. La macchina appartiene all'FBI. Evidentemente vogliono che sappiate di essere seguita. Da questo momento, credo che non avremo nulla da dirvi né da chiedervi finché non avremo trovato qualcosa di nuovo. Nel caso dovessimo parlare con voi... Avete letto quel libro, perciò dovete sapere che cosa significa "controllato". Sapete se questa stanza è controllata?»

«No, non lo so. Naturalmente l'abbiamo perquisita parecchie volte. Ma devono pur entrare in una casa, per piazzarvi i microfoni! No?»

«Sì. A meno che la fisica elettronica non abbia scoperto

qualche nuova diavoleria che non è stata resa di dominio pubblico, cosa di cui dubito. Non voglio sembrarvi esagerato, signora Bruner, ma penso che nessun punto di questo edificio sia sicuro al cento per cento. Fuori fa freddo, ma due passi vi faranno bene. Volete prendere un cappotto?»

Fece un cenno d'assenso. «Incredibile, signor Goodwin! *In casa mia*!» Si alzò comunque. «Aspettate un attimo» aggiunse, e uscì.

Sara Dacos mi sorrise. «Sareste potuti salire al piano di sopra. Non posso sentire attraverso i muri o attraverso i buchi della chiave.»

«No?» La guardai dalla testa ai piedi, lieto di avere la scusa per farlo. Era molto, molto interessante guardarla. «Ma potreste avere addosso qualche congegno. Avrei un solo metodo, per controllarlo, ma non lo gradireste.»

Gli occhi color nocciola ridevano. «Come fate a sapere che non lo gradirei?»

«In base alle mie cognizioni sulla natura umana. Dovete essere una formalista. Non siete stata al gioco e non avete risposto con le solite battute. Posso chiedervi se ballate?»

«A volte.»

«Ne saprei di più, su di voi, se ballaste con me. Non parlo della possibilità che lavoriate per l'FBI. Se avessero voi qui, proprio in casa della signora Bruner, non controllerebbero così da vicino lei e i suoi familiari. L'unica ragione per cui...»

Sulla soglia apparve la cliente. Non avevo sentito i suoi passi. Male. La signorina Dacos era attraente, ma questo non era sufficiente a giustificare il fatto che non avevo sentito i passi, anche se stavo parlando. Poteva significare una sola cosa: l'opinione che avevo su quell'incarico m'impediva di dedicarmici anima e corpo, e la cosa non andava. Mentre seguivo la cliente verso l'uscita, avevo la mascella serrata. L'uomo in nero aprì la porta di cristallo, io aprii la seconda, e poco dopo mi trovai nel gelido vento di gennaio. Ci dirigemmo verso Park Avenue, ma ci fermammo quasi subito.

«Parleremo meglio restando in piedi» dissi. «Prima di tutto, un problema, come fare se avremo bisogno urgente di metterci in contatto con voi? Non possiamo certo prevedere che cosa possa accadere. È addirittura possibile che il signor Wolfe e io siamo costretti a lasciare la nostra casa per nascondersi da qualche parte. Se riceverete un messaggio, telefonico o di altro genere, che vi avvertirà che la pizza è inacidita, recatevi immediatamente al Churchill Hotel e chiedete di un certo William Coffey. Coffey è l'investigatore privato dell'albergo. Potrete farlo apertamente. Coffey avrà qualcosa da darvi o da dirvi. La pizza è inacidita. Churchill Hotel. William Coffey. Non dimenticatelo. E non scrivetelo.»

«D'accordo.» Si oscurò in viso. «Evidentemente siete sicuro di potervi fidare di lui. Giusto?»

«Se conosceste meglio il signor Wolfe, e me, non lo chiedereste. Comunque, mi sono spiegato bene?»

«Sì.» Avvicinò al viso i baveri della pelliccia. Stavolta non si era messa lo zibellino, ma qualcos'altro.

«Bene. E adesso pensiamo a ciò che faremo nel caso che siate voi a dover parlare con noi per qualcosa di confidenziale. Andate in una cabina telefonica e formate il numero del signor Wolfe. A chiunque risponda, dite che Fido è malato. Solo questo, poi riattaccate. Aspettate due ore e andate al Churchill Hotel, da William Coffey. Naturalmente, dovrete farlo solo se si tratta di qualcosa che l'FBI non deve sapere. Se invece si tratta di qualcosa che l'FBI ha fatto o che già sa, telefonateci pure in modo del tutto normale.»

Era ancora con la faccia buia. «Ma dopo la prima volta che sarò andata apertamente da William Coffey, saranno al corrente della sua esistenza.»

«Eventualmente ne disporremo per una volta soltanto. Lasciate fare a noi. In realtà, signora Bruner, ormai voi siete al di fuori della faccenda. Dell'operazione, intendo. Lavoreremo per voi, ma non al vostro fianco, né nella vostra cerchia. Con ogni probabilità, non avremo bisogno di parlarvi. Tutto ciò che ho detto vale solo come misura precauzionale. Vogliamo però appurare un'ultima cosa. Avete affermato di essere venuta dal signor Wolfe con quell'assegno di sei cifre, solo perché eravate infastidita dall'atteggiamento dell'FBI. Sappiamo che siete ricca, ma nonostante questo la vostra spiegazione è poco plausibile. È molto più probabile che ci sia qualcosa che non volete far venire a galla. Qualcosa che riguarda voi o i vostri familiari. E avete paura che l'FBI la scopra. Se le cose stanno così, dovete dircelo. Non c'è bisogno che ci spieghiate con esattezza di che cosa si tratta, ma almeno a che punto siamo. L'FBI sta per chiarire qualcosa? Sta per scoprire qualcosa?»

Venne investita da una folata di vento: reclinò la testa e sollevò una spalla, per proteggersi il viso. «No» disse, ma il vento portò via la sua voce, e lei dovette ripetere: «No».

«Ma naturalmente potrebbe esserci qualcosa.»

Teneva gli occhi fissi su di me, ma il vento la costringeva a tenerli socchiusi. «Preferisco non parlarne, signor Goodwin» disse. «Tutte le famiglie hanno le loro... faccende. Forse non ho preso nella dovuta considerazione questo rischio, quando ho inviato i libri, ma l'ho fatto e non me ne pento. Non stanno "chiarendo" niente, a quanto mi risulta. Non ancora, perlomeno.»

«Non volete dire altro in proposito?»

«No.»

«E va bene. Se e quando deciderete di dirci qualcosa di più, sapete come fare. Che cosa si è inacidito?»

«La pizza.»

«Chi è ammalato?»

«Fido.»

«Il nome dell'amico?»

«William Coffey. Churchill Hotel.»

«Bene. Sarà meglio che rientriate. Avete le orecchie rosse. Un giorno o l'altro ci rivedremo, ma non so quando.»

Mi sfiorò il braccio. «Che cosa farete?»

«Mi guarderò in giro. Cercherò. Indagherò.»

Fece per dire qualcosa, poi vi rinunciò: si voltò e si diresse verso casa.

Rimasi dov'ero finché non ebbe raggiunto il portone e non fu entrata, poi mi incamminai verso la zona occidentale della città. Non potevo sperare di riuscire a controllare tutti gli androni e tutte le finestre della strada, ma mentre passavo detti un'occhiata alle macchine parcheggiate, e dalla parte di Madison Avenue ne vidi una con a bordo due tizi piazzati sul sedile anteriore. Mi fermai. Non mi guardavano: cioè non mi guardavano così come a Washington avevano imparato a non guardare. Indietreggiai di un paio di passi, tirai fuori il taccuino, scrissi il numero della targa. Se volevano fare le cose apertamente, perché no? Continuarono a non guardarmi, e io proseguii. Quando svoltai in Madison Avenue, non mi preoccupai di appurare se ero pedinato, dato che la sera precedente avevo già preso accordi telefonici con un taxista che conoscevo, certo Al Goller. Il mio orologio segnava le 11,35; avevo tutto il tempo che volevo, perciò mi fermai un po' qua un po' là a guardare le vetrine. All'angolo della Sessantacinquesima Strada entrai in un bar, mi piazzai al banco e ordinai un panino imbottito d'arrosto e un bicchiere di latte. Alla tavola di Wolfe non vengono mai serviti panini imbottiti d'arrosto. Quando ebbi finito di mangiare il panino, ordinai una fetta di torta di mele e un caffè. Alle 12 e 27 ingollai la seconda tazza di caffè e mi girai per guardare fuori della vetrina. Alle 12 e 31 un taxi giallo e nero si fermò davanti al bar. Mi mossi in fretta, ma non in fretta come avrei voluto, perché una donna che stava uscendo dal locale davanti a me mi bloccava la strada. Riuscii a superarla e m'infilai nel taxi. Al Goller alzò la bandierina dell'occupato e partì.

«Spero che non si tratti di poliziotti» disse quasi subito.

«Neanche per sogno» risposi. «Si tratta di arabi su un cammello. Svolta fra due trasversali. Abbiamo poche speranze di farcela, ma ho bisogno di avere le mani libere. Scusa le spalle.» Mi voltai per sbirciare attraverso il finestrino posteriore. Dieci minuti, una serie di trasversali imboccate e potei giurare di non essere seguito. Dissi ad Al di condurmi all'angolo tra la Prima Avenue e la Trentaseiesima Strada. Una volta giunti, gli diedi dieci dollari e lo pregai di aspettare venti minuti: se dopo quei venti minuti ancora non m'ero fatto vivo, poteva andarsene. Sarebbero bastati cinque dollari, ma l'attuale cliente poteva permettersi di spendere il doppio, e poi avremmo avuto ancora bisogno di Al. Più volte ancora. Percorsi a piedi un isolato e mezzo, verso sud, entrai in un edificio che tre anni prima non esisteva, consultai l'elenco di nomi sulla parete dell'atrio, appresi che la Evers Electronics Inc. era all'ottavo piano e m'infilai nell'ascensore.

La Evers Electronics Inc. occupava l'intero piano. Quando uscii dall'ascensore mi trovai di fronte una scrivania che non era occupata dalla solita ragazza, ma da una specie di gorilla dagli occhi ostili. «Vorrei parlare con il signor Adrian Evers» dissi. «Sono Archie Goodwin.»

Ebbe l'aria di non credermi. Non mi avrebbe creduto neanche se gli avessi detto che quel giorno era il sei di gennaio. «Avete un appuntamento?»

«No. Lavoro per Nero Wolfe, il detective privato. Ho alcune informazioni per il signor Evers.»

Non mi credette neanche questa volta. «Avete detto Nero Wolfe?»

«Appunto. Avete una Bibbia?»

Non si prese la pena di scusarsi: acchiappò il ricevitore dell'interfono, parlò e ascoltò, riattaccò, poi mi disse: «Aspettate qui» e piegò la testa da una parte per guardarmi meglio. Con ogni probabilità, stava cercando di decidere quanto gli ci sarebbe voluto per stendermi. Per dimostrargli che non mi lasciavo intimorire facilmente, gli voltai le spalle e andai a studiare un'enorme fotografia appesa alla parete: rappresentava un immenso edificio a due piani, con la scritta: Evers Electronics – Stabilimenti di Dayton. Avevo quasi finito di contare le finestre, quando si aprì una porta ed entrò una donna, che pronunciò il mio nome e mi disse di seguirla. La seguii lungo un atrio e, svoltato un angolo, vidi una porta con una targa: Adrian Evers. La donna aprì la porta. Io entrai, lei no.

Evers era seduto a una scrivania tra due finestre e stava addentando un panino. Fatti due passi dalla soglia mi fermai e dissi: «Non voglio disturbarvi, se dovete mangiare».

Masticò con cura, studiandomi attraverso le lenti senza montatura. Aveva una faccia minuta, regolare, di quelle che se non vengono osservate attentamente non si ricordano. Quando ebbe ingollato il boccone, bevve una sorsata di caffè dal bicchiere di cartone che aveva nella sinistra e disse: «Capita sempre che qualcuno mi disturbi. Che cos'è questa storia a proposito di Nero Wolfe e delle informazioni?».

Andai a sedermi su una sedia vicino alla scrivania. «Può darsi che le informazioni le abbiate già» dissi. «Sono in rapporto con un contratto fatto con il governo.»

Masticò e inghiottì un altro boccone. «Nero Wolfe lavora per il governo?»

«No. Lavora per un cliente privato. Il cliente è interessato al fatto che dopo un controllo di sicurezza su un funzionario della vostra compagnia il governo ha annullato una commissione con voi, o è sul punto di farlo. È una faccenda d'interesse pubblico e...»

«Chi è il cliente?»

«Non posso dirlo. È confidenziale, e...»

«Si tratta di qualcuno che ha rapporti con questa compagnia?»

«No, in nessun senso. Come dicevo, signor Evers, nella questione è coinvolto l'interesse pubblico. Ve ne rendete conto, spero. Se si abusa del diritto di svolgere controlli di sicurezza tanto da violare i diritti personali ed economici dei cittadini, la questione non è più privata. Il cliente del signor Wolfe si preoccupa appunto di questo. Tutto quanto potrete dirmi resterà strettamente confidenziale e verrà usato solo se ci permetterete di farlo. Naturalmente, non volete perdere la vostra commissione, che a quanto pare è piuttosto importante. Inoltre, come cittadino, non volete certo veder commettere un'ingiustizia. Dal punto di vista del cliente del signor Wolfe, la faccenda sta così.»

Aveva deposto sulla scrivania quello che restava del panino e mi stava fissando. «Avete affermato di avere delle informazioni. Quali?»

«Be', pensavamo che forse non eravate al corrente del fatto che il contratto sta per essere annullato.»

«Lo sanno centinaia di persone. Che altro?»

«A quanto pare, il contratto verrà annullato perché il controllo di sicurezza sul vostro vicepresidente ha portato alla luce alcuni fatti inerenti la sua vita privata. E questo fa sorgere determinati dubbi. Fino a che punto le notizie su questi cosiddetti fatti sono esatte? Questi fatti sono realmente tali da mettere a repentaglio la sicurezza nazionale? Oppure voi o il vostro vicepresidente state subendo un'ingiustizia?»

«Che altro?»

«Nient'altro. Mi sembra che basti, signor Evers. Se non volete parlarne con me, parlatene con il signor Wolfe in persona. Se non siete al corrente della sua reputazione e della sua posizione, svolgete indagini in proposito. Il signor Wolfe mi ha incaricato di mettere bene in chiaro un punto della questione: anche se trarrete dei benefici dalle sue azioni, non vi chiederà alcun compenso. Non sta cercando clienti: ne ha già uno.»

Era buio in faccia. «Non capisco. Il cliente... Si tratta di un giornale?»

«No.»

«Di una rivista? Del "Times"?»

«No.» Decisi di prendere alcune libertà scostandomi un po' dalle istruzioni ricevute. «Posso dirvi solo che si tratta di un privato cittadino convinto che l'FBI stia facendo dei passi più lunghi della sua gamba.»

«Io non lo credo. Comunque tutta questa storia non mi va.» Premette un pulsante su un riquadro. «Ma voi, siete dell'FBI?»

Risposi di no e stavo per continuare, quando si aprì una porta e apparve una donna, quella che mi aveva fatto entrare. Il signor Evers le ordinò con voce dura: «Accompagnate quest'uomo, signorina Bailey. Accompagnatelo fino all'ascensore».

Obiettai. Dissi che se ne avesse parlato con Nero Wolfe, il peggio che poteva accadergli era di perdere il contratto, cosa ormai scontata, mentre invece se esisteva una sia pur remota possibilità di salvarlo... Ma l'espressione della sua faccia mi fece capire che era inutile continuare. Allungò la mano per premere un altro pulsante. Niente da fare. Mi alzai e uscii, con la donna alle calcagna, e quando arrivai nell'atrio mi resi conto che evidentemente non era una giornata buona, per me. La porta dell'ascensore si aprì e ne uscì un uomo: non era uno sconosciuto. Lavorando a un caso, circa un anno prima, avevo avuto a che fare con un *G-man* di nome Morrison. E ora eccolo là. Prima s'incontrarono i nostri sguardi, poi le nostre mani. Disse: «Bene, bene. Adesso Nero Wolfe usa apparecchi elettromagnetici?».

Lo gratificai di una stretta cordiale e di un sorriso. «Be'» risposi «cerchiamo di tenerci al passo con i tempi. Abbiamo intenzione di inserire dei microfoni in un certo edificio della Sessantanovesima Strada, sede di una certa organizzazione.»

Mi avvicinai all'ascensore e premetti il pulsante. «Ho studiato le più recenti scoperte del caso.»

Rise, tanto per essere educato, e disse che li avremmo costretti a svolgere tutte le loro conversazioni in codice. L'ascensore arrivò e io entrai nella cabina; la porta si chiuse. Proprio non era la giornata buona. Non che avesse molta importanza, dato che con Evers non avevo combinato niente, ma secca sempre, quando la fortuna gira dalla parte opposta e il Padreterno sa se avevamo mai avuto bisogno di un po' di fortuna come quella volta. Quando emersi dall'edificio e mi diressi verso il centro, avevo il morale sotto le piante dei piedi. Erano passati più di venti minuti, perciò Al se n'era andato.

A quell'ora, comunque, ci sono sempre un mucchio di taxi, nella Prima Strada: ne fermai uno e detti all'autista un indirizzo.

4

Alle undici meno un quarto di quel mercoledì sera, pessimista e spompato, salii i gradini che portavano all'ingresso della vecchia casa di arenaria e suonai il campanello. Il catenaccio dall'altra parte era stato infilato, quindi dovevano aprirmi se volevo entrare. Aperto, Fritz mi chiese se volevo un po' di anatra all'arancia e io borbottai di no. Appesi cappello e cappotto, andai nello studio, e là trovai l'enorme genio, sprofondato nella poltrona fatta su misura per il suo settimo di tonnellata, con davanti un bicchiere e una bottiglia di birra, che leggeva tranquillamente il libro da lui preferito in questo periodo: *I tesori della nostra lingua* di Lincoln Barnett. Andai alla mia scrivania, spostai la sedia e mi sedetti. Wolfe mi avrebbe guardato solo appena arrivato alla fine del periodo.

Lo fece. Inserì perfino il segnalibro, una sottile strisciolina dorata regalatagli anni prima da un cliente che non avrebbe potuto permettterselo. Depose il libro. «Avete cenato, naturalmente.»

«Cenato? No.» Accavallai le gambe. «Scusatemi se agito le gambe. Ho mangiato qualcosa di rancido, non ricordo cosa, in una bettola del Bronx. È stato...»

«Fritz vi scalderà un po' d'anatra e...»

«No, non lo farà. Gliel'ho detto io di non farlo. È stata la giornata più schifosa della mia vita e voglio finirla in bellezza. Vi racconterò tutto, poi me ne andrò a letto con in bocca il sapore di rancido. In primo luogo la...»

«Maledizione, dovete mangiare!»

«Ho detto di no. Dunque, in primo luogo la cliente.»

Riferii parola per parola, includendo tutti i particolari, compreso quello dei due tizi nella macchina della quale avevo preso il numero. Alla fine, aggiunsi alcune opinioni: a) controllando il numero della targa, avremmo sprecato una telefonata; b) Sara Dacos sembrava a posto, o almeno non necessitava di indagini immediate; c) qualsiasi sudiciume nascondesse la famiglia Bruner, la cliente era davvero convinta che fosse ancora ben lontano dall'essere scoperto. Quando mi alzai per mostrargli il foglio firmato dalla signora Bruner, lui lo degnò appena di un'occhiata e mi ordinò di riporlo nella cassaforte.

Riferii parola per parola anche la conversazione con Evers, incluso l'incontro con Morrison. La mia unica opinione in proposito fu che avevo commesso un errore, con Evers: avrei dovuto dirgli che avevamo delle informazioni segrete che lui non aveva e non poteva procurarsi, che eravamo in grado di fare pressioni in modo che il suo contratto non sarebbe stato annullato e che, in questo caso, ci aspettavamo una ricompensa. Naturalmente sarebbe stato pericoloso, ma almeno l'avrebbe costretto a parlare. Wolfe scosse il capo e rispose che la cosa ci avrebbe reso troppo vulnerabili. Mi alzai, feci il giro della sua scrivania e mi avvicinai al leggìo che reggeva il dizionario. Aprii il dizionario, trovai quello che volevo e tornai alla scrivania.

«Esposto al pericolo» dissi. «Che può essere attaccato o ferito. Ecco che cosa vuol dire "vulnerabile". Sarebbe un bel colpo riuscire a diventare più vulnerabili di quello che siamo. Ma per finire il racconto della mia giornata: mi ci è voluto tutto il pomeriggio per arrivare a parlare con Ernst Müller, che è accusato di associazione a delinquere e di trasporto di refurtiva oltre i confini dello Stato e che è in libertà provvisoria sotto cauzione. È stato peggio che con Evers. Müller ha avuto la bella idea di picchiarmi, e non era solo, perciò ho dovuto reagire. Può darsi che gli abbia rotto un braccio. Poi...»

«Vi ha fatto male?»

«Solo nell'amor proprio. Poi, dopo aver mangiato quella roba rancida, sono partito alla ricerca di Julia Fenster, quella che, a torto o a ragione, è stata accusata di spionaggio, processata e assolta. Ed è così che ho passato il resto della serata: a tentare di scovarla fuori. Alla fine ho trovato suo fratello, che è un tipo losco. Nessuno ha mai sprecato una giornata come l'ho sprecata io. È un record. E questi tre erano le nostre migliori pedine. Non vedo l'ora di sentire che programma avete per domani. Lo porterò a letto con me.»

«Dipende dallo stomaco» disse. «Se non volete l'anatra, almeno potete mangiare una frittata.»

«No.»

«O del caviale. Ne è arrivato di fresco.»

«Sapete quanto mi piace il caviale: non lo insulterei mai accettando di mangiarlo in un momento del genere.»

Versò la birra, aspettò che la schiuma fosse calata, bevve, si leccò le labbra e mi fissò. «Archie. State tentando di tormentarmi perché restituisca quell'anticipo?»

«No. So che non ci riuscirei.»

«Allora parlate a vuoto. Sapete fin troppo bene che abbiamo accettato un incarico che, considerato razionalmente, è assurdo. L'abbiamo detto entrambi. È assai improbabile che una delle indicazioni dateci dal signor Cohen possa fornirci una pista, ma non è da escludere. In tutti gli incarichi c'è una parte di o-la-va-o-la-spacca, ma questo è tutto o-la-va-o-la-spacca. Siamo alla mercé delle vicissitudini della fortuna. Possiamo solo tentare di provocare qualcosa, non esigerlo. Non ho programmi per domani. Erano in correlazione con quello che sarebbe accaduto oggi. Uno dei nostri tentativi può aver spinto qualcuno ad agire. O può spingerlo domani, o la prossima settimana. Siete stanco e affamato. Maledizione, mangiate qualcosa!»

Scossi il capo. «E domani?»

«Ci penseremo domani mattina, non stasera.» Prese il libro.

Mi alzai, diedi una pedata alla sedia, presi il foglio dalla scrivania e lo depositai nella cassaforte, poi andai in cucina e mi versai un bicchiere di latte. Fritz era andato a letto.

Rendendomi conto che quello che sarebbe stato un insulto per il caviale sarebbe stato un insulto anche per il latte, versai di nuovo il latte nella bottiglia, presi un altro bicchiere e la bottiglia di Old Sandy Bourbon, me ne preparai tre dita e ne ingollai una parte. Il sapore di rancido sparì. Dopo essere andato ad assicurarmi che la porta di servizio fosse chiusa con il catenaccio, finii il Bourbon, sciacquai i bicchieri, salii le due rampe di scale che portavano alla mia stanza, mi spogliai e m'infilai pigiama e pantofole.

Mi chiesi se dovevo tirar fuori la coperta elettrica, ma decisi di no. Nei periodi di crisi, gli uomini devono saper essere spartani. Dal letto presi solo il cuscino: lenzuola e coperte le tirai fuori dall'armadio. Con le braccia cariche scesi al pianterreno, entrai nello studio, tolsi dal divano i cuscini e stesi le lenzuola. Stavo spiegando una coperta, quando mi arrivò la voce di Wolfe.

«Mi chiedo se è veramente necessario.»

«Io no.» Finii di spiegare la coperta, poi spiegai anche la seconda, e mi voltai. «Avete letto quel libro. Gli agenti dell'FBI sanno muoversi in fretta e bene, quando vogliono. Con quello che abbiamo nella cassaforte e nell'archivio possono ingrassarsi.»

«Puah! State esagerando. Volete che facciano saltare una cassaforte in una casa abitata?»

«Non la farebbero saltare. Non usa più. Dovreste procurarvi dei libri sull'elettronica.» Rimboccai le coperte.

Wolfe spinse indietro la poltrona, si sollevò in piedi, mi augurò la buonanotte e se ne andò, portandosi dietro I tesori della nostra lingua. Pensai che forse l'indomani mattina, portando dabbasso il vassoio con i resti della colazione, Fritz mi avrebbe pregato di salire a prendere istruzioni. Ma non accadde. Perciò, dato che Wolfe sarebbe sceso dalla serra solo alle undici, me la presi comoda: quando tutto fu pronto erano le dieci. Le coperte e le lenzuola erano tornate al piano superiore, la colazione era nel mio stomaco, il «Times» già letto, la posta aperta e messa sotto un fermacarte sulla scrivania di Wolfe, e Fritz aveva avuto la sua parte di spiegazioni. Aveva avuto la sua razione di spiegazioni e chiarimenti ma non era tranquillo. Come tutti noi, ricordava perfettamente la notte in cui le pistole mitragliatrici appostate su un tetto dall'altra parte della strada avevano falciato la serra, sbriciolando centinaia di vetri e rovinando migliaia di orchidee, ed era convinto che dormivo nello studio perché la mia stanza aveva le finestre sulla Trentacinquesima Strada e perché la scena delle mitragliatrici stava per ripetersi. Gli spiegai che ero una guardia del corpo, non un rifugiato politico, ma non mi credette e lo disse chiaro e tondo.

Nello studio, dopo aver aperto la posta, non mi restò che da far passare il tempo. Ci fu una telefonata, per Fritz: ascoltai attentamente ma non sentii niente che potesse farmi capire se la linea era controllata, anche se ovviamente lo era. Evviva la tecnica! La scienza stava facendo le cose in modo che tutti potessero fare quello che volevano senza che nessuno sapesse che accidenti stava succedendo. Tirai fuori dalla scrivania il mio taccuino e rilessi le informazioni dateci da Lon Cohen, considerando le varie possibilità. C'erano quattordici casi, almeno cinque dei quali evidentemente senza speranza. Degli altri nove, avevo fatto un tentativo con tre e non ne avevo ricavato niente. Ne restavano sei. Li studiai a uno a uno. Alla fine, decisi che il più promettente, o il meno disperato, era quello di una donna licenziata dal suo incarico presso il Dipartimento di Stato e poi riassunta. Stavo prendendo la guida telefonica di Washington per vedere se riuscivo a trovare il suo numero, quando suonò il campanello.

Andai nell'atrio per dare un'occhiata attraverso lo spioncino: mi aspettavo di vedere uno sconosciuto, o magari due. Attacco diretto. O magari Morrison. Ma davanti alla porta c'era una faccia ben nota: quella del dottor Vollmer, che aveva lo studio in una casa di sua proprietà, nello stesso isolato. Aprii e lo salutai: entrò insieme a una folata d'aria gelida. Dopo aver richiuso la porta, gli dissi che se cercava pazienti doveva andare altrove e allungai la mano per prendergli il cappello.

Preferì tenerlo in testa. «Ne ho anche troppi di pazienti, Archie. Sono tutti malati. Ma ho ricevuto un messaggio telefonico per voi, pochi minuti fa. Era un uomo. Non mi ha detto come si chiamava, ma mi ha pregato di venire a parlarvene personalmente. Dovete andare al Westside Hotel, stanza duecentoquattordici, Ventitreesima Strada, alle undici e mezzo o subito dopo, appena potete, e dovete assicurarvi di non essere pedinato.»

Inarcai le sopracciglia. «Mica male, come messaggio.»

«È quello che penso anch'io. L'uomo ha aggiunto che ci avreste pensato voi a raccomandarmi di non parlarne con nessuno.»

«D'accordo. Ve lo raccomando.» Guardai l'orologio. Erano le dieci e quarantasette. «Che altro ha detto?»

«Nient'altro. Ha chiesto solo se ero disposto a venire a parlarvi personalmente.»

«Stanza duecentoquattordici, Westside Hotel.»

«Appunto.»

«Che tipo di voce?»

«Una voce qualsiasi, senza niente di particolare, né troppo alta né troppo bassa. Una normale voce maschile.»

«Bene, dottore, e mille grazie. Ma noi abbiamo bisogno di un altro piacere da voi. Siamo alle prese con un caso piuttosto difficile, e con ogni probabilità siete stato visto. Può darsi che vi venga chiesto perché siete stato qui. In questo caso, potreste...»

«Dirò che mi avete telefonato per chiedermi di venire a darvi un'occhiata alla gola.»

«No. Commettereste due errori. Tanto per cominciare, sanno che la mia gola sta benissimo, e poi sanno anche che non vi ho telefonato. La nostra linea è controllata. Il guaio è che se si mettono in testa che riceviamo messaggi segreti attraverso voi, controlleranno anche la vostra.»

«Mio Dio! Ma è illegale!»

«Sì, ma è più divertente. Se qualcuno vi chiede perché siete venuto qui, o fate l'indignato e rispondete che non sono affari suoi, o fate il gentile e dite che siete venuto a misurare la pressione a Fritz... No, non avete l'apparecchio. Allora...»

«Sono venuto a prendere la ricetta delle *escargots bour-*

guignonne. Preferisco dare una spiegazione non professionale.» Si diresse alla porta. «Accidenti, Archie, dev'essere un caso davvero difficile.»

Dissi che lo era e lo ringraziai di nuovo. Lui mi raccomandò di salutare Wolfe da parte sua. Quando richiusi la porta dietro le sue spalle, non mi presi la briga di mettere il catenaccio, dato che di lì a poco sarei uscito. Andai in cucina e dissi a Fritz che avevo appena dato la ricetta delle *escargots bourguignonne* al dottor Vollmer, poi mi trasferii nello studio e chiamai la serra attraverso l'interfono. Mi rifiutavo di credere che potevano controllare anche un interfono. Quando Wolfe rispose, gli spiegai la situazione. Grugnì e chiese: «Avete idea di chi possa trattarsi?».

«Neanche la più vaga. Non certo l'FBI. Non vedo perché avrebbero dovuto farlo. Può darsi che, cito alla lettera "uno dei nostri tentativi abbia spinto qualcuno ad agire" fine della citazione. Evers, o la signorina Fenster, o addirittura Müller. Avete istruzioni?»

Disse "pfui" e riattaccò. D'accordo, ammetto che me l'ero cercata. Ora c'era da risolvere il problema del pedinamento: dovevo appurare se ero pedinato ed eventualmente liberarmi dei pedinatori, e se volevo arrivare puntuale al mio appuntamento dovevo trovare aiuto. Inoltre, non dovevo perdere di vista la possibilità che Ernst Müller si fosse seccato perché gli avevo torto il braccio e volesse ricambiare il complimento. Estrassi la fondina dalla scrivania e me la misi a tracolla, poi tirai fuori la Marley calibro 32 e la caricai. Ma dato che potevo aver bisogno anche di un altro tipo di munizioni, aprii la cassaforte e presi mille dollari in banconote usate da dieci e da venti dollari. Sapevo che potevo correre vari rischi, come quello di essere fotografato in una stanza con un cadavere o con una minorenne nuda, ma me ne sarei occupato se e quando fosse accaduto.

Uscii di casa alle undici meno uno. Senza guardarmi in giro, andai fino al bar d'angolo della Nona Avenue, entrai, m'infilai nella cabina telefonica e formai il numero del garage della Decima Strada che ospita la Heron di proprietà di Wolfe. Non rispose Tom Halloran, che lavorava nel garage da dieci anni, ma dopo poco riuscii ad averlo all'apparecchio e a spiegargli il programma. Rispose che sarebbe stato pronto nel giro di cinque minuti. Pensai che era meglio concedergliene dieci, perciò studiai per un po' l'esposizione dei giornali e delle riviste, prima di uscire. Tornai nella Trentacinquesima Strada, superai la vecchia casa di arenaria, svoltai a destra nella Decima Avenue, entrai nel garage e mi avvicinai a una Ford decappottabile con il motore acceso. Tom era al volante. Io m'infilai di dietro, dopo essermi levato il cappello, e mi raggomitolai sul pavimento, a faccia in giù, mentre la macchina partiva.

Nelle Ford può esserci anche spazio sufficiente per allungare le gambe, ma è certo che spazio per allungare il corpo di un uomo alto più di uno e ottanta non ce n'è. Soffrii parecchio, infatti. Dopo cinque minuti, cominciai a sospettare che Tom frenasse bruscamente e svoltasse a gomito apposta per vedere se ero veramente un duro, ma non potevo farci niente. Avevo le costole sul punto di cedere e le gambe paralizzate, quando si fermò per la sesta volta e disse: «Tutto bene, amico. Non ci segue nessuno».

«Accidenti, procurati una gru, se vuoi tirarmi fuori di qui.»

Rise. Tirai su la testa e le spalle, mi aggrappai alla spalliera del sedile anteriore e riuscii a issarmi, non so come. Alla fine mi rimisi il cappello. Eravamo all'angolo tra la Ventitreesima Strada e la Nona Avenue. «Sei sicuro che non ci abbiano seguito?»

«Sicurissimo. Non avrebbero potuto.»

«Bene. Però, la prossima volta, usa un'ambulanza. Troverai in un angolo un pezzo d'orecchio. Tienilo come mio ricordo.»

Scesi dalla Ford. Tom mi chiese se avevo bisogno d'altro. Risposi di no e specificai che l'avrei ringraziato più tardi. Se ne andò.

Il Westside Hotel, in mezzo all'isolato, non era esattamente una catapecchia, anche se molta gente l'avrebbe definito tale. Evidentemente il proprietario ci teneva ancora a restare sulla breccia, perché un paio d'anni prima aveva fatto ridipingere la facciata e l'atrio. Entrai, ignorai tutto e tutti, compreso il portiere calvo, m'infilai nell'ascensore, spinsi un bottone e mi lasciai sollevare. Quando uscii e mi avvicinai alla porta più vicina per vederne il numero, mi accorsi che istintivamente avevo portato la mano sotto la giacca, fino a sfiorare la Marley. Sogghignai tra me. Se c'era ad aspettarmi mister J. Edgar Hoover in persona, faceva bene a comportarsi da bravo ragazzo, se non voleva beccarsi una pallottola. La porta della camera 214, a metà corridoio, era chiusa. Il mio orologio segnava le undici e trentatré. Bussai, sentii dei passi e la porta si aprì. Rimasi immobile, con la bocca spalancata. Stavo guardando il faccione rotondo e rubizzo e la figura tozza dell'ispettore Cramer della Squadra Omicidi.

«Giusto in tempo» borbottò. «Entrate.» Si tirò da parte e io oltrepassai la soglia.

I miei occhi erano esercitati da tanto tempo a notare le cose, che studiarono automaticamente la camera: il letto matrimoniale, il cassettone con lo specchio, due sedie, un tavolo con tampone di carta assorbente che aveva bisogno di essere cambiato, la porta del bagno aperta... Nel frattempo il mio cervello si riprendeva dal trauma. Poi, mentre depositavo sul letto cappotto e cappello, ebbi un altro colpo: una delle sedie era accostata al tavolo, e sul tavolo c'erano una bottiglia di latte e un bicchiere. Impossibile. Ma Cramer l'aveva comperato apposta per me! Non vi biasimo, se non ci credete. Neanch'io credevo ai miei occhi, eppure il latte era là.

Cramer andò a sedersi sull'altra sedia e disse: «Siete sicuro di non essere stato pedinato?».

«Sicurissimo. Ubbidisco sempre alle istruzioni.»

«Sedetevi.»

Andai all'altra sedia, mentre lui posava su di me i suoi occhi grigi.

«Il telefono di Wolfe è controllato?»

Affrontai il suo sguardo. «Sentite» dissi «sapete maledettamente bene che sono sorpreso. Se avessi dovuto fare un elenco di cento nomi di persone che pensavo di trovare qui, il vostro non sarebbe stato incluso. Il latte è per me?»

«Sì.»

«Allora dovete aver perso la testa. Non siete l'ispettore Cramer che conosco, e non so che cosa mi aspetta. Perché volete sapere se il nostro telefono è controllato?»

«Perché non mi piace complicare le cose più di quanto non lo siano già. Mi piacciono le cose semplici. Vorrei sapere se avrei potuto semplicemente telefonarvi per chiedervi di venire qui.»

«Oh, certo che avreste potuto, ma se l'aveste fatto vi avrei risposto che sarebbe stato meglio vederci in mezzo a una strada.»

Fece un cenno d'assenso: «E va bene, Goodwin. Però so che Wolfe è inguaiato con l'FBI e desidero i particolari. Tutti. Anche se doveste metterci un'intera giornata».

Scossi il capo. «È una faccenda che non rientra nelle vostre competenze, e lo sapete.»

Esplose: «Accidenti, questo non rientra nelle mie competenze! Il fatto di essere qui! Il fatto di avervi chiesto di venire qui! Pensavo che aveste un po' di buonsenso! Vi rendete conto di quello che sto facendo?».

«No. Non ne ho la più pallida idea.»

«Allora ve lo dico io. Vi conosco bene, Goodwin. So che voi e Wolfe, a volte, superate certi limiti, ma so anche che a un determinato punto vi fermate. E ora, ma che resti tra me e voi: un paio d'ore fa sono stato chiamato dall'Alto Commissario, che aveva ricevuto una telefonata da Jim Perazzo... Sapete chi è Jim Perazzo?»

«Sì, strano ma lo so. Ufficio Licenze del Dipartimento di Stato di New York. Broadway duecentosettanta.»

«Certo che lo sapete. Non sto esagerando, Goodwin: l'FBI vuole che Perazzo ritiri la licenza a voi e a Wolfe. E Perazzo vuole che l'Alto Commissario fornisca su entrambi tutte le informazioni in nostro possesso. L'Alto Commissario sa che da anni ho... be'... contatti con voi, e vuole un rapporto completo e scritto. Voi sapete come sono i rapporti, dipendono da chi li scrive. E prima di scrivere il mio, voglio sapere che cos'ha fatto o che cosa sta facendo Nero Wolfe per avere l'FBI alle calcagna. Voglio anche i particolari.»

Quando si ascolta qualcosa che richiede tutta la nostra

attenzione, è utile avere le mani occupate, accendere una sigaretta, per esempio. Ma io non fumo. Perciò presi la bottiglia del latte, la stappai e versai lentamente. Una cosa era evidente: Cramer avrebbe potuto telefonarmi per invitarmi nel suo ufficio, o avrebbe potuto venire a casa di Wolfe, ma non l'aveva fatto perché sospettava che il nostro telefono fosse controllato e la casa sorvegliata. Di conseguenza, non voleva che l'FBI sapesse che si era messo in contatto con noi, e aveva affrontato un sacco di fastidi per riuscirci. Mi stava raccontando dell'FBI, di Perazzo e dell'Alto Commissario, il che era assurdo, trattandosi di un ispettore di polizia a colloquio con un investigatore privato. Quindi, non voleva che le nostre licenze venissero ritirate. Non solo: qualcosa lo preoccupava, ed era quantomeno necessario scoprire che cosa. Vista la situazione, e dato soprattutto che si trattava di un poliziotto, avrei dovuto telefonare a Wolfe per chiedere istruzioni ma era escluso che potessi farlo. Wolfe mi aveva ripetuto migliaia di volte che nei casi d'emergenza dovevo usare l'intelletto guidato dall'esperienza.

Feci così. Sorseggiai un po' di latte, deposi il bicchiere e dissi: «Se siete capaci voi di violare le regole, lo sono anch'io. Ecco qui».

Gli raccontai tutto: dalla conversazione con la Bruner, all'anticipo dei cento bigliettoni, alla notte trascorsa sul divano. Non riferii tutto alla lettera, ma fui abbastanza preciso, e di tanto in tanto risposi anche ad alcune domande di Cramer. Quando finii, il bicchiere di latte era vuoto e Cramer aveva un sigaro tra i denti. Cramer non fuma i sigari, si limita a maciullarli. Si tolse il sigaro di bocca. «Perciò, qualunque cosa accada, i centomila dollari sono di Wolfe.»

Annuii. «Più un assegno personale per me. Non ve l'ho detto?»

«Sì, me l'avete detto. Non sono sorpreso di Wolfe. Con il suo egocentrismo, non c'è niente o nessuno contro cui non si metterebbe, per un onorario decente. Ma sono sorpreso di voi. Sapete fin troppo bene che è impossibile attaccare l'FBI. Non può farlo neanche la Casa Bianca. Ma, nonostante questo, ve ne andate in giro a svegliare il cane che dorme.

Se vi morderà, l'avete voluto. E avete il coraggio di dire che io ho perso la testa!»

Versai dell'altro latte. «Avete ragione» dissi. «Avete ragione dalla a alla zeta. Fino a un'ora fa, avrei detto amen. Ma ora la penso diversamente. Non so se vi ho riferito una frase di Wolfe: a sentir lui, potevamo spingere qualcuno ad agire. E l'abbiamo fatto. Abbiamo spinto l'FBI a scomodare Perazzo, Perazzo a scomodare l'Alto Commissario, l'Alto Commissario a scomodare voi, voi che mi invitate qui e mi offrite una bottiglia di latte. Incredibile. E se può accadere una cosa incredibile, ne può accadere anche un'altra. Siete disposto a rispondere a una domanda?»

«Provate.»

«Non potete certo sostenere di amare Nero Wolfe, e certo non amate me. Perché, allora, volete fare un tale rapporto all'Alto Commissario da rendere difficile il ritiro delle nostre licenze?»

«Non ho detto niente del genere.»

«Storie.» Indicai la bottiglia del latte. «Lo dice questo. E lo dice anche il modo in cui mi avete fatto venire qui. Perché?»

Si alzò avvicinandosi in punta di piedi alla porta. Era agile e silenzioso, considerati il peso e l'età. Spalancò la porta di colpo e guardò fuori. A quanto pareva, non era sicuro quanto lo ero io di non essere stato seguito. Chiuse la porta ed entrò nel bagno. Sentii scorrere l'acqua. Dopo un attimo, riapparve con un bicchiere in mano. Bevve senza fretta, depose il bicchiere sul tavolo, si mise a sedere e mi fissò attraverso le palpebre semichiuse.

«Sono trentasei anni che faccio il poliziotto» disse «e questa è la prima volta che mi sbottono con un estraneo.»

Feci in modo che i miei occhi sorridessero. «Sono lusingato. O meglio, lo è il signor Wolfe.»

«Balle. Il signor Wolfe non riconoscerebbe un complimento neanche se fosse scritto su un cartello grosso così, né lo riconoscereste voi. Goodwin, sto per dirvi una cosa che deve restare tra voi e Wolfe. Non deve saperla nessun altro. Né Lon Cohen, né Saul Panzer, né la signorina Rowan. Intesi?»

«Non capisco perché tiriate in ballo la Rowan. È semplicemente un'amica personale. Ed è inutile che mi diciate una cosa, un elemento, che non potremo usare.»

«Lo potrete usare come vorrete, ma senza dire che proviene da me. Mai, a nessuno.»

«E va bene. Wolfe non è presente per darvi la sua parola d'onore, perciò ve la do io. Per entrambi. La nostra parola d'onore.»

«Sono costretto ad accontentarmi. Non avrete bisogno di prendere appunti, con la memoria da robot che avete. Il nome Morris Althaus significa qualcosa, per voi?»

Feci un cenno d'assenso. «Leggo i giornali. Si tratta di un caso che non siete riusciti a risolvere lo scorso novembre. Omicidio. Un colpo d'arma da fuoco al torace. L'arma non è stata mai ritrovata.»

«Era un venerdì sera, precisamente il venti novembre» continuò lui. «Il cadavere venne trovato l'indomani mattina dalla donna delle pulizie. Althaus era morto tra le otto di sera di venerdì e le tre di notte di sabato. Un colpo solo, che gli era entrato nel petto, gli era passato attraverso lo stomaco, gli aveva scheggiato una costola e gli era uscito da dietro; la pallottola aveva colpito la parete a un metro circa da terra, ma ormai aveva perso la forza d'urto e aveva appena scalfito il muro, prima di ricadere. Il cadavere era riverso, le gambe stese, il braccio sinistro lungo il fianco e il destro sul petto. Althaus era vestito, ma senza la giacca: in maniche di camicia. Niente disordine, nessun segno di lotta. Come avete detto voi, nessun'arma. Vado troppo in fretta?»

«No» risposi.

«Interrompetemi, se avete delle domande da fare. Il cadavere era nel soggiorno dell'appartamento, al terzo piano del numero sessantatré di Arbor Street. Due stanze, più cucina e bagno. Althaus viveva là da tre anni, da solo. Era scapolo e aveva trentasei anni. Scriveva e negli ultimi quattro anni aveva pubblicato sette inchieste sul "Tick-Tock". In marzo avrebbe sposato una certa Marian Hinckley, di ventiquattr'anni, della redazione del "Tick-Tock". Naturalmente, potrei continuare per delle ore. Avrei dovuto portare l'incartamento, anche se non contiene nulla che possa essere utile sui movimenti di Althaus, sulle sue amicizie o sulle sue conoscenze. A noi, infatti, non è servito.»

«Avete dimenticato un piccolo *particolare*. Il calibro della pallottola.»

«Non l'ho dimenticato. Non l'abbiamo trovata. Non c'era.»

Sbarrai gli occhi. «Be', un omicidio con i fiocchi.»

«Già. Preparato nei minimi particolari. A giudicare dalla ferita, doveva essersi trattato di una calibro trentotto, o maggiore. E adesso, due fatti: primo, da tre settimane Althaus raccoglieva materiale per un articolo sull'FBI da pubblicare sul "Tick-Tock" ma nel suo appartamento non ne fu trovata traccia. Secondo: verso le undici di quel venerdì sera tre agenti dell'FBI uscirono dal numero sessantatré di Arbor Street, svoltarono l'angolo, salirono su una macchina e si allontanarono.»

Rimasi a guardarlo. Ci sono molte ragioni valide per tenere la bocca chiusa, ma la migliore è sempre quella che non si ha niente da dire. «Di conseguenza» continuò Cramer «lo uccisero loro. Andarono là apposta per farlo? Certamente no. Esistono parecchie ipotesi. Quella che mi sembra più plausibile è che provarono a telefonargli, lui non rispose e loro pensarono che fosse fuori. Andarono a casa sua, suonarono e lui non rispose neanche questa volta. Sempre più convinti che fosse assente, entrarono per perquisire l'appartamento. Althaus tirò fuori una rivoltella e uno di loro sparò prima di lui. Questi signori vengono addestrati bene, nelle loro basi di Washington. Cercarono quello che volevano, se ne impossessarono e tagliarono la corda, portandosi dietro la pallottola perché era stata sparata con una delle loro rivoltelle.»

Ascoltavo. Non avevo mai ascoltato con tanta attenzione. Chiesi: «Althaus aveva una rivoltella?».

«Sì. Una Smith & Wesson calibro trentotto, con regolare porto d'armi. Ma non era in casa. Se la portarono via loro, e se volete sapere perché, andateglielo a chiedere. In un cassetto trovammo una scatola di proiettili, quasi piena.»

Rimasi a guardarlo ancora per un po', poi dissi: «E così, a conti fatti, l'avete risolto, il caso, complimenti».

«Sareste capace di fare lo spiritoso anche sulla sedia elettrica, Goodwin. Devo darvi altri particolari?»

«No. Ma... Chi li vide?»

Scosse il capo. «Vi dico tutto tranne questo. Tanto, non vi servirebbe. Comunque, l'uomo che li vide uscire dalla casa e salire in macchina prese il numero della targa. Ecco come facciamo a saperlo. Non sappiamo altro. E abbiamo le mani legate. Anche se riuscissimo a dare un nome a quei tre, non concluderemmo niente. Conosco il nome di un sacco di assassini, ma non serve, se non ci sono prove. Comunque, per quanto riguarda quella stramaledetta organizzazione, darei un anno di stipendio per riuscire a inchiodarla al muro. Questa non è la loro città. È la mia. La nostra. È la città del Dipartimento di Polizia di New York. Mi hanno fatto stringere i denti per anni. E ora credono di poter entrare in casa della gente, commettere un omicidio nel mio territorio e ridere alle mie spalle!»

«L'hanno fatto davvero? Hanno riso?»

«Sì. Sono andato personalmente nella Sessantanovesima Strada e ho parlato con Wragg. Gli ho detto che certo erano al corrente del fatto che Althaus stava raccogliendo materiale per un articolo sull'FBI e che forse, appunto, l'avevano tenuto d'occhio. Quindi, se la notte dell'omicidio sorvegliavano la sua casa, gli sarei stato molto grato se mi avesse dato qualche informazione. Ha risposto che sarebbe stato lieto di aiutarmi, ma aveva troppe cose importanti da fare per preoccuparsi di un misero scribacchino come Althaus. Non gli ho detto che i suoi uomini erano stati visti, perché avrebbe riso davvero.»

Strinse le mascelle. «Naturalmente, abbiamo discusso la cosa nell'ufficio dell'Alto Commissario. E più di una volta. Ho le mani legate. Non avremmo chiesto di meglio che di trascinare in tribunale quel branco di presuntuosi, ma che cos'avevamo da offrire alla giuria? E che cosa potevamo provare? Perciò abbiamo lasciato perdere. Ma statemi a sentire: non solo scriverò un rapporto su voi e su Wolfe per l'Alto Commissario, ma andrò a parlargli personalmente. E non credo che perderete la licenza. Naturalmente, però, non gli dirò di avervi visto.»

Si alzò, si avvicinò al letto e ritornò con il cappello e il cappotto.

«Tanto vale che lo finiate, quel latte. Spero che la signora Bruner riesca a ottenere qualcosa di concreto, in cambio dei suoi quattrini.» Tese la mano. «Buon anno.»

«Anche a voi.» Mi alzai e gli strinsi la mano. «Il vostro testimone sarebbe in grado di riconoscere quei tre, all'occorrenza?»

«Per l'amor del cielo, Goodwin! Uno contro tre?»

«Lo so. Ma se ce ne fosse bisogno tanto per aggiungere acqua al mare, potrebbe?»

«Forse. Lui pensa di sì. Vi ho detto tutto quello che so. Non venite da me e non telefonate. Lasciate un intervallo di alcuni minuti prima di uscire.» Giunto alla porta, si voltò e disse: «Salutate Wolfe da parte mia». E se ne andò. Finii il latte restando in piedi.

5

Quando uscii dal Westside Hotel era mezzogiorno e venti. Avevo voglia di camminare: prima di tutto, ero sicuro di essere ancora senza pedinatori, ed è piacevole poter fare due passi senza chiedersi se si ha alle spalle una degna compagnia. Secondo, preferivo non immergermi in profonde meditazioni: quando cammino il cervello mi scende sotto le piante dei piedi. Terzo, era una bella giornata invernale, senza vento, serena, ideale per sgranchirsi le gambe.

Quando arrivai alla Sesta Avenue, svoltai verso sud. Per dimostrarvi il livello dei pensieri che mi vengono quando cammino, vi dico solo che mentre attraversavo Washington Square pensavo che Arbor Street era nel Greenwich Village e che Sara Dacos abitava appunto nel Village. Non potete certo definirlo un pensiero profondo: nel Village ci abita un quarto di milione di persone, più o meno, e di coincidenze me n'erano capitate di migliori, fino a quel momento. Comunque, è un bell'esempio di quello che combina il mio cervello quando sono le mie gambe a essere impegnate.

C'ero già stato, in Arbor Street, prima d'allora, anche se per questioni che non hanno a che fare con questa storia. È una straducola stretta, corta solo tre isolati, con un assortimento di vecchie case di mattoni da entrambi i lati. Il numero 63, che era a metà strada, non aveva nulla di particolare. Mi piazzai sul marciapiede di fronte e rimasi a osservare l'edificio. Le finestre del terzo piano, dov'era vissuto Morris

Althaus, erano protette da tende color zafferano. Mi mossi e andai all'angolo dietro il quale i *G-men* dell'FBI avevano parcheggiato la macchina. Ero partito con l'idea di fare due passi in libertà, senza dovermi preoccupare di eventuali pedinatori. Ora, invece, mi sorprendevo a osservare con occhi professionali la scena di un delitto che richiedeva una particolare attenzione. A volte torna utile. Torna utile a me, naturalmente, non a Wolfe. Wolfe non arriverebbe neanche fino alla finestra del suo studio, per osservare la scena di un delitto. Avrei tanto voluto salire al terzo piano per dare un'occhiata al soggiorno, ma era mia intenzione rientrare in tempo per il pranzo, perciò tornai sui miei passi fino a Christopher Street e feci cenno a un taxi.

La ragione per la quale volevo rientrare in tempo per il pranzo è semplice: Wolfe ha emesso una norma che proibisce tassativamente di parlare di lavoro durante i pasti. Quando Fritz aprì la porta e mi prese cappello e cappotto per appenderli all'attaccapanni era l'una e venti, quindi Wolfe doveva essere a tavola. Andai in sala da pranzo, mi misi a sedere e feci un commento sul tempo. Wolfe emise un grugnito e inghiottì un boccone di animelle fritte. Fritz arrivò con il vassoio e io presi a mia volta un po' di animelle. Non ero semplicemente meschino. Tentavo di dimostrare a Wolfe che a volte un regolamento può essere maledettamente idiota: spesso, infatti, una norma stabilita per poter gustare i pasti in pace, toglie l'appetito. A me, l'appetito non lo tolse, ma fece languire la conversazione.

C'era anche un'altra ragione, per il mio silenzio. Finito il pasto, dissi a Wolfe che volevo mostrargli qualcosa in cantina e feci strada fino all'atrio, poi a destra e giù per alcuni gradini. La cantina ospita la camera di Fritz, un bagno, un ripostiglio e una vasta stanza con un tavolo da biliardo. Nella stanza con il biliardo c'è anche un'enorme poltrona, che serve a Wolfe quando decide di scendere ad assistere alle sfide tra me e Saul Panzer, cosa che avviene circa una volta l'anno. Condussi in quella stanza Wolfe, accesi la luce e gli parlai.

«È il vostro nuovo studio e spero che vi piaccia. C'è una possibilità su un milione che possano inserire dei microfoni in una stanza senza entrare nella stanza stessa, ma è una possibilità che non contemplerei. Accomodatevi.» Posai il deretano sul bordo del tavolo da biliardo, di fronte alla poltrona.

Wolfe mi fissò con occhi di fuoco. «Mi state prendendo in giro o è veramente possibile?»

«È possibile. E non posso rischiare di farmi sentire quando vi dico che l'ispettore Cramer vi manda i suoi saluti, che mi ha offerto una bottiglia di latte in una camera d'albergo, che mi ha stretto la mano e mi ha augurato buon anno.»

«Non fate il buffone.»

«Nossignore. Era l'ispettore Cramer.»

«In una camera d'albergo?»

«Certo.»

Sedette nella poltrona e grufolò: «Raccontate».

Ubbidii. Me la presi calma perché volevo essere sicuro di non dimenticare nessun particolare. Se fossimo stati nello studio, Wolfe si sarebbe adagiato contro lo schienale e avrebbe chiuso gli occhi, ma quella poltroncina non era adatta per cui fu costretto a restare eretto in una posizione piuttosto scomoda. Per gli ultimi dieci minuti tenne le labbra serrate, non capii se per quello che sentiva o perché era costretto a stare seduto scomodamente. Per ambedue le ragioni, forse. Finii con il racconto della mia passeggiata e aggiunsi che un uomo dall'altra parte della strada, magari mentre portava a passeggio il cane, oppure alla finestra di due degli edifici dell'isolato, avrebbe potuto vedere i tre tizi uscire dal numero 63 e salire sulla macchina, e magari prendere anche il numero della targa. All'angolo c'era un lampione. Wolfe aspirò dal naso un barile d'aria e lo ributtò fuori dalla bocca. «Non avrei mai pensato» disse poi «che Cramer fosse tanto stupido.»

Feci un cenno d'assenso. «So che sembra così. Ma finché non gliel'ho detto io, Cramer non sapeva perché l'FBI ci stesse addosso. Sapeva solo che li avevamo irritati in qualche modo. Da parte sua, aveva un omicidio che non riusciva ad accollare all'FBI. E così, ha deciso di passare il compito a voi. Dovete ammettere che dovreste sentirvi lusingato dal fatto che Cramer ha pensato che esiste la possibilità, sia pure remota, che voi risolviate il caso. Rendetevi conto del fastidio che si è preso! Comunque, dopo che gli ho raccontato della Bruner non ci ha pensato su mezzo secondo. Adesso però deve esserci arrivato, dev'essersi reso conto che la cosa non quadra. Ammettiamo che succeda un miracolo e che voi riusciate a provare che i responsabili del delitto sono quelli dell'FBI: non servirebbe a niente, per quanto riguarda la nostra cliente. L'unico modo per accontentarla e per guadagnarvi l'onorario sarebbe che voi diceste all'FBI: sentite, amici, io chiudo un occhio sull'omicidio del giornalista e voi lasciate in pace la signora Bruner. Ma a Cramer la cosa non garberebbe: non è certo questo che vuole. E non garberebbe neanche a voi. Fare un patto con un assassino non rientra nel vostro stile. Mi sono spiegato?»

Grugnì: «Il vostro modo di usare certe parole non mi piace».

«E va bene. Facciamo pure "noi" e "nostro". Non rientra neanche nel mio stile.»

Scosse il capo. «È una situazione spiacevole.» Un angolo della sua bocca salì di un paio di millimetri.

Lo fissai con occhi sbarrati e chiesi: «Che cosa avete da ridere?».

«Rido per la situazione. Per l'alternativa che ci si offre. Avete dimostrato che sarebbe inutile provare che sono stati quelli dell'FBI a commettere l'omicidio. Benissimo. Vorrà dire che proveremo che non sono stati loro.»

«Bene. E poi?»

«Vedremo.» Sollevò una mano. «Archie, non avevamo in mano niente di solido. Le notizie forniteci da Cohen erano semplici chiacchiere, non ci offrivano neppure la più lontana speranza di riuscita. Ora, grazie a Cramer, abbiamo qualcosa in cui affondare i denti, un omicidio in cui l'FBI è coinvolto fino al midollo, che lo abbiano o meno commesso i suoi uomini. Una sfida aperta alla nostra capacità e al nostro talento. Prima di tutto, dobbiamo scoprire chi ha ucciso quell'uomo. Avete visto Cramer e avete sentito il tono della sua voce. È davvero convinto che l'omicidio sia stato commesso da quelli dell'FBI?»

«Sì.»

«Gli credete? Pensate che sia così?»

«Lui è convinto di sì. Naturalmente, l'idea gli piace. Definisce l'FBI "quella stramaledetta organizzazione" e i suoi uomini "quel branco di presuntuosi". Non appena saputo che i tre agenti si trovavano sulla scena dell'omicidio all'ora giusta, con ogni probabilità ha lasciato perdere ogni altra ipotesi. Ma Cramer è un buon poliziotto, e se ci fosse stato qualche altro indizio probante sono sicuro che non l'avrebbe trascurato intenzionalmente. A quanto pare, quindi, non esistono altri indizi. Inoltre, se Althaus era già morto all'arrivo dei *G-men*, perché questi ultimi non hanno denunciato il fatto? Anonimamente, magari, dopo aver lasciato l'edificio? Se hanno preferito non farlo, dev'esserci sotto qualcosa. E ora passiamo al proiettile. Non sono molti gli assassini capaci di capire che il proiettile aveva attraversato il corpo ed era finito a terra dopo aver scalfito il muro. Né sono molti quelli che l'avrebbero trovato e raccolto. Per un vecchio professionista come Cramer la cosa deve aver avuto un significato preciso. Quindi, penso che si possa dire "giustamente".»

Mi fissò buio in volto. «Chi è questo Wragg nominato dal signor Cramer?»

«Richard Wragg. *G-man* ad alto livello. Agente speciale di New York con una carica assai importante.»

«Questo Wragg sa, o pensa, che Althaus può essere stato ucciso da uno dei suoi uomini?»

«Dovrei chiederglielo. Può darsi che sappia che Althaus è stato ucciso dai suoi uomini, ma non potrebbe mai essere certo del contrario perché non era presente. Non è uno stupido, ve l'assicuro, e certo non sarebbe disposto a prendere alla lettera tutto quello che gli dicono. Ma è importante?»

«Può darsi. Quanto meno potrebbe avere delle conseguenze importanti.»

«Allora, almeno secondo me, o Wragg sa che Althaus è stato ucciso da un *G-man*, o lo pensa probabile. Altrimenti, quando Cramer è andato da lui a chiedergli di collaborare avrebbe reagito positivamente. L'FBI è sempre pronto ad aiutare la polizia locale, quando non costa niente... Per ragioni di prestigio, per esempio. E Wragg era al corrente che Cramer non si sarebbe formalizzato sul fatto che i *G-men* erano entrati nell'appartamento di Althaus senza essere invitati dal proprietario. Come sapete, è una cosa che fanno anche i poliziotti. Può darsi, quindi, che Wragg avesse addirittura il proiettile in un cassetto della sua scrivania.»

«Qual è la vostra opinione? Siete d'accordo con la tesi di Cramer?»

«È una domanda strana, formulata da voi. Non ho opinioni in proposito, così come non le avete voi. Magari è stato il padrone di casa a uccidere Althaus, perché era in arretrato con l'affitto. O chissà chi.»

Fece un cenno d'assenso. «Ecco su che cosa dobbiamo soffermarci. Comincerete subito, da dove riterrete più opportuno cominciare. Magari dalla famiglia di Althaus. A quanto mi sembra di ricordare, il padre del defunto, David Althaus, confeziona abiti femminili.»

«Appunto. Nella Settima Avenue.» Scivolai giù dal biliardo. «Dato che preferiamo l'ipotesi che Althaus non sia stato ucciso dai *G-men*, penso che quello che aveva raccolto sull'FBI non ci interessi.»

«Ci interessa tutto.» Fece una smorfia. «E se incontrate qualcuno con il quale, secondo voi, dovrei parlare, portatelo pure qui.» Fece un'altra smorfia. «Anche se si tratta di una donna.»

«Con piacere. Il mio primo passo lo farò presso la "Gazette", dove darò un'occhiata all'archivio e dove parlerò con Lon: può darsi che sappia qualcosa che non ha potuto pubblicare. Quanto al portare qui qualcuno, la casa può essere sorvegliata da entrambi gli ingressi. Come faccio a farli entrare e uscire?»

«Dalla porta. Stiamo svolgendo indagini su un omicidio al quale l'FBI non s'interessa. Così ha affermato Wragg, parlando con Cramer. E una volta tanto Cramer non avrà niente da dire.»

«Allora non devo preoccuparmi di eventuali pedinatori?»

«No.»

«Questo sì che è un sollievo.»

Me ne andai.

6

Quando entrai in un bar vicino alla Grand Central Station, il mio orologio segnava le quattro e trentacinque. Consultai l'elenco telefonico di Manhattan, entrai nella cabina, chiusi la porta e formai un numero.

Grazie all'archivio della «Gazette» e alle notizie raccolte dalla viva voce di Lon Cohen, avevo riempito una decina di pagine del mio taccuino. Ce l'ho ancora, il taccuino, ma se dovessi trascrivere tutto mi ci vorrebbero altre dieci pagine, perciò mi atterrò solo alle notizie necessarie per capire ciò che accadde. Ecco i nomi più importanti.

Morris Althaus, defunto, anni trentasei, altezza uno e settantotto, peso settanta chili, carnagione olivastra, bello, simpatico agli uomini e molto più che simpatico alle donne. Aveva avuto una relazione durata due anni con una diva del teatro di cui preferisco non fare il nome. Con i suoi scritti aveva guadagnato circa diecimila dollari l'anno, cifra che con ogni probabilità era stata integrata da sua madre senza che suo padre lo sapesse. Non si sa con esattezza quando si era legato a Marian Hinckley; ma per molti mesi non aveva più avuto relazioni di sorta. Nel suo appartamento erano state trovate trecentottanta pagine dattiloscritte di un romanzo incompiuto. Nessuno, alla «Gazette», incluso Lon, aveva saputo esprimere un sospetto sull'identità del suo assassino, così come nessuno, fino al giorno dell'omicidio, aveva saputo che Althaus raccoglieva materiale sull'FBI.

Secondo Lon, Althaus aveva rappresentato una bella scocciatura per il giornalismo in generale e per la «Gazette» in particolare. A quanto pare, aveva l'abilità di fare grossi colpi senza che nessuno se l'aspettasse.

David Althaus, padre di Morris, sessantenne, socio dell'Althaus & Greif, confezioni femminili, ideatori della linea Peggy Pilgrim (troverete la pubblicità su tutti i giornali). David si era seccato perché il suo unico figlio aveva detto addio a Peggy Pilgrim, e negli ultimi anni l'aveva tenuto lontano.

Ivana (moglie di David) Althaus non aveva voluto parlare con i giornalisti e manteneva questo riserbo. Ancora oggi, a sette settimane dalla morte del figlio, non vede nessuno, tranne qualche amico intimo.

Marian Hinckley, ventiquattro anni, faceva parte da due anni della redazione del «Tick-Tock». Avevo trovato delle sue fotografie, nell'archivio, e avevo capito perfettamente perché Althaus aveva deciso di dedicarsi a lei. Anche Marian si era rifiutata di parlare con i giornalisti, ma alla fine un cronista del «Post» era riuscito a incontrarla e a strapparle notizie sufficienti per imbastire un articoletto. La cosa aveva fatto nascere il diavolo a quattro alla «Gazette» e aveva irritato a tal punto una redattrice da spingerla a inventare una teoria secondo la quale era stata Marian Hinckley a uccidere Althaus per gelosia, usando la pistola della vittima. La teoria, comunque, non aveva trovato seguaci.

Timothy Quayle, circa quarant'anni, direttore del «Tick-Tock». Lo includo perché le aveva suonate a un giornalista del «Daily News» che aveva tentato di bloccare Marian Hinckley nell'atrio del «Tick-Tock». Un uomo galante fino a questo punto merita sempre una certa considerazione.

Vincent Yarmack, circa cinquant'anni, condirettore del «Tick-Tock». Incluso perché il pezzo di Althaus sull'FBI era stato idea sua.

Come elenco, non mi sembrava molto promettente. Presi in considerazione l'idea di avvicinare la diva del teatro, ma poi la scartai: in fondo, la sua relazione con Althaus era finita da tempo, e poi sapevo per esperienza che le attrici sono di gran lunga migliori se viste dalla quarta o dalla quinta fila. I due direttori del «Tick-Tock» non mi avrebbero nemmeno ricevuto. Papà, con ogni probabilità, non sapeva niente. Marian Hinckley mi avrebbe trattato dall'alto in basso. La migliore pedina da muovere mi parve quella della madre: era stato appunto il suo numero telefonico che avevo formato nella cabina.

Il primo problema, naturalmente, era quello di riuscire ad averla all'apparecchio. Alla donna che rispose non detti nessun nome. Mi limitai a dirle, con tono ufficiale, di riferire alla signora Althaus che stavo parlando da una cabina telefonica, che con me c'era un agente dell'FBI e che dovevo parlarle. Funzionò. Dopo un paio di minuti mi arrivò un'altra voce.

«Chi parla? Siete un agente dell'FBI?»

«La signora Althaus?»

«Sì.»

«Mi chiamo Archie Goodwin. Non sono un agente dell'FBI. Lavoro per Nero Wolfe, l'investigatore privato. L'agente dell'FBI non è qui nella cabina con me: è con me perché mi pedina. Mi segue. Mi seguirà anche fino a casa vostra, ma se per voi non ha importanza, per me va bene. Devo vedervi... Subito, se possibile. Sarà...

«Non ricevo nessuno.»

«Lo so. Ma dovete aver sentito parlare di Nero Wolfe. Ne avete sentito parlare?»

«Sì.»

«Wolfe ha saputo da un uomo che conosce bene che vostro figlio può essere stato ucciso da un agente dell'FBI. Ecco perché vengo pedinato. Ed ecco perché devo parlarvi. Posso essere da voi nel giro di dieci minuti. Avete capito il mio nome? Archie Goodwin.»

Silenzio. Poi: «Ma sapete chi ha ucciso mio figlio?».

«Non so niente. So solo quanto è stato detto al signor Wolfe. Non posso aggiungere altro, al telefono. Se posso darvi un consiglio, sarebbe meglio che fosse messa al corrente della cosa anche la signorina Marian Hinckley. Potreste telefonarle per chiederle di venire a casa vostra, in modo da poter incontrarvi contemporaneamente?»

«Potrei, sì. Siete un giornalista? E questa storia non è una trappola?»

«No. Sarebbe una trappola un po' troppo maldestra: potreste smascherarmi come e quando volete. Sono Archie Goodwin, vi ripeto.»

«Ma non...» Pausa. «Benissimo. Il custode della mia casa vi chiederà di esibire un documento, quando arriverete.»

Le dissi che per me andava bene, poi riattaccai prima che facesse in tempo a cambiare idea.

Quando ero uscito di casa avevo deciso di ignorare del tutto la questione del pedinamento, ma non ci potevo fare niente se i miei occhi, mentre cercavano un taxi libero, studiavano con cura le macchine posteggiate lungo il marciapiede. Comunque, quando fui sul taxi tenni lo sguardo fisso davanti a me: al diavolo tutti i pedinatori!

L'edificio era il classico alveare di lusso della parte alta di Park Avenue: tendone sull'ingresso, guardaportone che schizzò fuori ad aprire la portiera del taxi non appena arrivato, passatoia di gomma per proteggere il tappeto dell'atrio. Alveare di lusso, come dicevo: il guardaportone, infatti, non fungeva anche da custode del palazzo. Quando mostrai al custode – che mi stava aspettando – la mia licenza di detective privato, la studiò accuratamente, me la restituì, disse che la signora Althaus abitava nell'appartamento 10 bis e m'indicò l'ascensore. Al decimo piano, la porta mi fu aperta da una specie di cerbero in gonnella, che mi prese cappello e cappotto, li appese in un armadio e mi fece strada fino a una sala ancora più grande di quella di Lily Rowan, dove c'è spazio per far ballare almeno venti coppie. Io ho un metodo tutto mio, per giudicare la gente proprietaria di sale del genere: non mi baso né sui tappeti, né sui mobili, né sulle tende, ma sui quadri appesi alle pareti. Se riesco a identificare l'autore, va tutto bene. Se invece riesco solo a formulare una supposizione devo stare attento: significa che il proprietario dei quadri può essere una persona infida. La sala in cui mi trovavo superò brillantemente la prova: stavo osservando una tela che rappresentava tre ragazze sedute sull'erba quando sentii dei passi. Mi voltai. La donna si avvicinò. Non mi tese la mano, ma disse con una voce bassa, controllata: «Signor Goodwin? Sono Ivana Althaus» e si diresse verso una poltrona.

L'avrei promossa anche senza la prova dei quadri, con quella sua onesta figura snella, eretta, i capelli onestamente grigi, gli occhi onestamente perplessi. Quando spostai una sedia per mettermi di fronte a lei, decisi di essere, a mia volta, il più onesto possibile. Disse che la signorina Hinckley sarebbe arrivata presto, ma lei preferiva non aspettare. Le pareva di aver capito, quando avevo telefonato, che secondo me suo figlio era stato ucciso da un agente dell'FBI. Era giusto?

Teneva gli occhi fissi su di me, e io affrontai lo sguardo. «Non esattamente» risposi. «Ho detto che qualcuno aveva sostenuto questa tesi parlando con il signor Wolfe. Dovrei però spiegarvi prima che tipo è Wolfe. È... un eccentrico, e nutre un profondo risentimento nei riguardi del Dipartimento di Polizia di New York. È offeso per l'atteggiamento della polizia nei confronti suoi e del suo lavoro, ed è convinto che interferisca troppo nelle sue faccende. Legge regolarmente i giornali, soprattutto le notizie riguardanti gli omicidi, e un paio di settimane fa ha avuto la sensazione che la polizia e il Procuratore distrettuale lasciassero correre un po' troppo, a proposito dell'omicidio di vostro figlio. Quando poi ha saputo che vostro figlio stava raccogliendo materiale per un articolo sull'FBI ha cominciato a sospettare che la polizia lasciasse correre deliberatamente. In questo senso, poteva anche capitargli l'occasione di dare una bella lezione al Dipartimento di New York, e niente gli farebbe più piacere.»

La signora Althaus teneva gli occhi fissi su di me, senza batter ciglio.

«Detto questo, però» continuai «non avevamo in mano elementi di sorta. Allora abbiamo incominciato a svolgere delle indagini. E abbiamo scoperto un particolare che non è stato pubblicato: nell'appartamento di vostro figlio, la polizia non ha trovato né appunti né documenti riguardanti l'FBI... Forse voi lo sapevate già.»

Fece un cenno d'assenso. «Sì.»

«Ero certo che lo sapeste, per questo ve l'ho detto. Abbiamo appreso anche altre cose che però mi è stato ordinato di non rivelarvi. Spero che vi rendiate conto che il signor Wolfe deve tenerle segrete, finché non avrà delle prove irrefutabili. Ma ieri pomeriggio un uomo gli ha detto di essere convinto che vostro figlio è stato ucciso da un agente dell'FBI, e ha suffragato quest'affermazione con alcune informazioni. Non vi dirò il suo nome, né vi spiegherò di quali informazioni si tratta, ma vi assicuro che è un tipo attendibile e che le informazioni sono piuttosto solide, anche se insufficienti a provare la cosa. Di conseguenza, il signor Wolfe vuole avere tutte le notizie possibili da parte delle persone che hanno conosciuto da vicino vostro figlio... Per esempio, persone alle quali può aver parlato di ciò che aveva scoperto sull'FBI. Naturalmente, voi siete una di queste persone, così come lo è la signorina Hinckley. E anche il signor Yarmack. Sono stato incaricato di chiarirvi che Wolfe non va in cerca né di un onorario né di un cliente. Si occupa di questo caso per conto suo e non si aspetta, né vuole, che qualcuno lo paghi.»

Gli occhi erano ancora fissi su di me, ma la mente era altrove. La signora Althaus stava, evidentemente, pensando a qualcosa. «Non vedo la ragione...» disse, e s'interruppe.

Aspettai alcuni secondi, poi chiesi: «Mi scusi, signora Althaus?».

«Non vedo la ragione per la quale non dovrei dirvelo. Ho sospettato che fossero stati quelli dell'FBI fin da quando il signor Yarmack mi ha riferito che nell'appartamento non era stato trovato quel materiale. Lo hanno sospettato anche lo stesso Yarmack e la signorina Hinckley. Non credo di essere una donna vendicativa, signor Goodwin, ma era mio...» La voce le tremò. Smise di parlare per un attimo, poi continuò: «Era mio figlio. Ancora non mi sembra vero che se ne sia andato per sempre. Lo conoscevate? L'avete mai incontrato?».

«No.»

«Siete davvero un investigatore privato?»

«Sì.»

«E vi aspettate che vi aiuti a... a smascherare l'assassino di mio figlio. Benissimo, sono disposta a farlo. Ma non credo di esserne in grado. Mio figlio mi parlava raramente del suo lavoro. Non ricordo che abbia mai accennato all'articolo sull'FBI. Me l'hanno chiesto anche la signorina Hinckley e il signor Yarmack. Mi dispiace di non potervi dire niente in proposito, mi dispiace davvero, perché se sono stati loro a ucciderlo spero che vengano puniti. Nella Bibbia è detto: "Non ti vendicherai". Ma Aristotele asseriva che la vendetta è giusta. Sapete, ci ho pensato sopra. Credo...»

Voltò la testa. Una porta era stata chiusa e si sentivano delle voci. Poi apparve una ragazza. Mentre si avvicinava, mi alzai, invece la signora Althaus rimase seduta. Le fotografie che avevo visto nell'archivio della «Gazette» le avevano fatto torto. Marian Hinckley era un bocconcino prelibato. Una via di mezzo, né bruna né bionda: una castana con gli occhi azzurri, e si muoveva con aggraziata sicurezza. Se aveva indossato il cappello, doveva averlo lasciato nell'atrio. Si avvicinò alla signora Althaus e la baciò sulla guancia, poi si volse a guardarmi e la signora Althaus pronunciò il mio nome. Mentre i suoi occhi azzurri mi studiavano, ordinai ai miei di ignorare qualsiasi aspetto della situazione che non fosse pertinente con il lavoro. Marian si sedette e disse, rivolta alla signora Althaus: «Se ho capito bene al telefono... Avete detto che sono stati quelli dell'FBI? È così?».

«Temo di essere stata troppo precipitosa» rispose la signora Althaus. «Spiegatele voi, signor Goodwin.»

Spiegai i tre punti della situazione: perché Nero Wolfe s'interessava al caso; che cosa aveva risvegliato i suoi sospetti; come i suoi sospetti erano stati suffragati da ciò che gli era stato detto da un tizio il giorno prima. Spiegai che Wolfe non sapeva che era stato l'FBI e che certo non poteva provarlo, ma intendeva farlo e per questo io ero là.

La signorina Hinckley mi fissò, accigliata. «Ma non capisco... Il signor Wolfe ha riferito alla polizia quello che gli è stato detto da quell'uomo?»

«Mi dispiace» risposi «temo di non essere stato abbastanza preciso. Il signor Wolfe pensa che la polizia sappia che è stato l'FBI, o quantomeno che lo sospetti. Per esempio, ecco che cosa vuole sapere da voi: la polizia con voi è stata insistente? È venuta da voi più volte ripetendo le stesse domande all'infinito? Signora Althaus?»

«No.»

«Signorina Hinckley?»

«No. Ma noi abbiamo detto tutto quello che sapevamo.»

«Questo non ha importanza. Nelle indagini per un omicidio, se non ha in mano qualcosa di solido, la polizia non molla mai nessuno, e a quanto pare in questo caso ha mollato tutti. Dobbiamo scoprirne la ragione. La signora Althaus mi ha riferito che voi e il signor Yarmack avevate pensato subito che l'omicidio fosse stato commesso dall'FBI. È così?»

«Sì. Sì, è così. Perché nell'appartamento di Morris non è stato trovato quel materiale sull'FBI.»

«Sapete dove poteva essere quel materiale? O che cosa il signor Althaus fosse riuscito a scoprire?»

«No. Morris non mi parlava mai del suo lavoro.»

«E il signor Yarmack lo sa?»

«Non credo.»

«Che cosa ne pensate di tutta questa storia, signorina Hinckley? Volete che l'assassino venga preso, chiunque esso sia? Preso e giudicato?»

«Naturalmente... Certo che lo voglio.»

Mi rivolsi alla signora Althaus. «Anche voi lo volete. Ma l'assassino ha parecchie probabilità di farla franca, se non ci pensa Nero Wolfe a metterlo con le spalle al muro. Forse sapete già che il signor Wolfe non esce mai per lavoro. Dovrete essere voi ad andare da lui, a casa sua... Voi e la signorina Hinckley, e, se possibile, insieme al signor Yarmack. Potete essere da Wolfe stasera alle nove?»

«Perché...» La signora Althaus teneva le mani allacciate strettamente. «Non... a che serve? Non ho niente da dirgli.»

«Può essere inesatto. Spesso anch'io credo di non avere niente da dirgli, poi invece scopro di essermi sbagliato. Comunque, sarà utile anche se il signor Wolfe potrà stabilire che nessuno di voi ha veramente qualcosa da dirgli. Ci verrete?»

«Penso...» Si voltò a guardare la ragazza che avrebbe dovuto diventare sua nuora.

«Sì» disse la signorina Hinckley. «Io ci andrò.»

L'avrei baciata. E sarebbe stato pertinente con il lavoro. Le chiesi: «Potete portare con voi anche il signor Yarmack?».

«Non lo so. Ci proverò.»

«Bene» mi alzai. «Troverete l'indirizzo sulla guida telefonica.» E alla signora Althaus: «Sarà opportuno che vi dica che con cento probabilità su cento l'FBI sorveglia la casa e che quindi sarete visti. Se a voi non importa, nemmeno al signor Wolfe importa. Anzi, desidera che si rendano conto che sta svolgendo indagini sulla morte di vostro figlio. Alle nove?».

Lei disse di sì e io me ne andai. Nell'atrio, la cameriera volle reggermi il cappotto, mentre lo infilavo, e per non urtare la sua suscettibilità la lasciai fare. Dabbasso, dall'occhiata che mi lanciò il guardaportone dedussi che il custode doveva avergli detto il mio mestiere e per essere in carattere affrontai il suo sguardo con occhi guardinghi e astuti. Fuori, l'aria cominciava a essere punteggiata di fiocchi di neve. In taxi, ignorai di nuovo quello che succedeva alle mie spalle. Feci il calcolo che se qualcuno mi pedinava, cosa estremamente probabile, un centesimo di ogni dieci bigliettoni delle imposte di Wolfe e un millesimo di ogni dieci bigliettoni delle mie servivano al governo per pagare qualcuno che mi tenesse compagnia senza che io l'avessi chiesto. La cosa non mi sembrava giusta.

Wolfe era appena sceso dal suo incontro pomeridiano con le orchidee della serra, incontro che si svolge ogni giorno dalle quattro alle sei, ed era comodamente seduto nella sua poltrona con in mano *I tesori della nostra lingua*. Invece di attraversare la stanza per raggiungere come al solito la mia scrivania, mi fermai sulla soglia dello studio e, quando lui alzò lo sguardo, puntai l'indice verso il basso, mi voltai, raggiunsi la scala che portava nello scantinato e scesi. Accesi la luce e mi appollaiai sul biliardo. Due minuti. Tre. Quattro. Poi dei passi. Wolfe si fermò sulla soglia, mi guardò con occhi infuriati e disse: «Non tollero una cosa del genere».

Inarcai un sopracciglio. «Se preferite, posso scrivere quello che debbo dirvi.»

«Pfui. Due punti. Primo, il rischio è estremamente lieve. Secondo, possiamo confondere le acque. Mentre parlate, potete inserire argomenti che io devo ignorare, avvertendomi di volta in volta con un'alzata di dito. Io farò altrettanto. Naturalmente non accenneremo al signor Cramer. Questo sì che è un rischio che non possiamo correre. Inoltre, parleremo come se fossimo convinti che l'omicidio è stato commesso dall'FBI e come se intendessimo provarlo.»

«Ma in realtà non ne siamo convinti.»

«Certo che no» si volse e se ne andò.

E così ero fregato. Wolfe continuava a mantenere i suoi privilegi: la casa, lo studio, la poltrona. Ma dovevo ammettere che, per quanto indice di testardaggine, non era una cattiva idea. Se veramente l'FBI era riuscito a installare nello studio un orecchio elettronico, cosa di cui dubitavo, poteva essere anzi un'idea maledettamente buona.

Quando entrai nello studio, Wolfe era di nuovo alla sua scrivania; io andai alla mia. Mentre mi sedevo, lui disse: «Ebbene?».

Avrebbe dovuto sollevare un dito, dopo averlo detto: quando torno da un giro d'ispezione, non spreca mai il fiato per chiedere "ebbene?"; si limita a posare il libro che ha in mano, o il bicchiere di birra, e ad aspettare in silenzio che io sia pronto a vuotare il sacco.

Sollevai il dito. «La vostra ipotesi secondo la quale la "Gazette" poteva aver intuito che l'FBI era coinvolto nel caso era sbagliata.» Abbassai il dito. «Lon Cohen non ne ha neppure accennato, così come non ne ho accennato io. La "Gazette" non ha opinioni al proposito. Lon mi ha permesso di consultare l'archivio, poi ha parlato a lungo con me. Ho raccolto una decina di pagine di nomi e di particolari vari, alcuni dei quali potrebbero anche esserci utili.» Sollevai il dito. «Li ricopierò a macchina ai consueti cinque dollari per pagina.» Abbassai il dito. «Ho telefonato alla signora Althaus da una cabina, e lei mi ha detto che era disposta a ricevermi e così sono andato a casa sua. Park Avenue, appartamento al decimo piano, con tutti gli attributi del caso. I quadri sono eccellenti. Non vi descriverò la signora, perché tanto la vedrete. Cita il Vecchio Testamento e Aristotele.» Dito sollevato. «Avrei voluto citare Platone, ma non sono riuscito a trovare l'occasione opportuna.» Dito abbassato. «Quando le ho telefonato, l'ho pregata d'invitare anche Marian Hinckley e lei ha accettato. Al mio arrivo, ha detto che le sembrava di aver capito che ero sicuro che suo figlio fosse stato ucciso da un agente dell'FBI e mi ha chiesto se aveva capito bene. Da questo momento in poi, desidero farvi un resoconto parola per parola.»

Gli riferii il mio colloquio con la signora Althaus senza nessun particolare, sapendo che non ci eravamo detti niente che l'FBI non doveva sapere. Adagiato com'era contro lo schienale della poltrona, gli occhi chiusi, Wolfe non poteva certo vedere il mio dito sollevato, perciò non potei fare inserti diversivi. Quando finii, emise un grugnito, aprì gli occhi e disse: «Le cose sono già abbastanza complicate quando si sa di dover cercare un ago in un pagliaio, quando poi non si sa neppure se...».

Suonò il campanello. Andai nell'atrio per dare un'occhiata attraverso lo spioncino e vidi un *G-man*. Non lo riconobbi, ma non poteva essere altro: età giusta, ampie spalle, grinta virile con mascella quadrata, cappotto grigio di buon taglio. Aprii la porta dei pochi centimetri permessi dalla catena e chiesi: «Desiderate, signore?».

Attraverso la fessura abbaiò: «Mi chiamo Quayle e voglio parlare con Nero Wolfe».

«Non ho capito il vostro nome.»

«Timothy Quayle! Q-U-A-Y-L-E!»

«Il signor Wolfe è occupatissimo, ma vado a riferirgli.»

Andai nello studio. «È uno dei nominativi riportati nel mio taccuino. Timothy Quayle, direttore del «Tick-Tock». Tipo eroico. Ha pestato un giornalista che stava infastidendo Marian Hinckley. La ragazza deve avergli telefonato per parlargli di voi non appena io me ne sono andato.»

«No» grufolò.

«Manca ancora mezz'ora alla cena. Siete a metà di un capitolo?»

Mi lanciò un'occhiataccia. «Fatelo entrare.»

Tornai nell'atrio, tolsi la catena e spalancai la porta. Quayle entrò. Mentre richiudevo, mi disse in faccia che ero Archie Goodwin, e io glielo concessi. Mi occupai del suo cappello e del suo cappotto, poi feci strada verso lo studio. Tre passi dopo la soglia si fermò per guardarsi attorno, puntò lo sguardo su Wolfe e chiese: «Avete capito il mio nome?».

Wolfe annuì. «Sì, signor Timothy Quayle.»

Quayle si avvicinò alla scrivania. «Sono un amico di Marian Hinckley. Voglio sapere a che gioco state giocando. Esigo una spiegazione.»

«Puah» rispose Wolfe.»

«Non permettetevi di dire "puah" in risposta a una mia domanda! Quali sono le vostre intenzioni?»

«Questa storia è ridicola» disse Wolfe. «Quando parlo, tanto per cominciare, mi piace che la gente abbia gli occhi allo stesso livello dei miei. Se siete venuto solo per abbaiare, il signor Goodwin vi butterà fuori. Se invece vi mettete a sedere, cambiate tono e mi date una ragione plausibile per la quale devo darvi delle spiegazioni, possiamo anche giungere a un accordo.»

Quayle aprì la bocca e la richiuse. Si volse verso di me e mi squadrò dalla testa ai piedi, evidentemente per rendersi conto se ero abbastanza forte. Avrei gradito molto che il suo giudizio fosse stato negativo, perché dopo la nottata e la giornata trascorsa, avrei accolto con gioia una scusa per torcere un altro braccio. Ma lui non ne fece niente. Si avvicinò alla poltroncina di pelle rossa, si mise a sedere e fissò Wolfe con una faccia buia. «Ho sentito parlare di voi» cominciò. Non era aggressivo come prima, ma neanche uno zucchero candito. «So come lavorate. Se volete trascinare la signora Althaus in questa storia per spillarle dei quattrini, son fatti suoi. Ma non vi permetterò di trascinarci anche la signorina Hinckley. Non intendo...»

«Archie» abbaiò Wolfe. «Sbattetelo fuori. Fritz aprirà la porta.» Premette un pulsante.

Mi avvicinai alla poltroncina di pelle rossa e rimasi a fissare l'eroe dall'alto. Arrivò Fritz, Wolfe gli disse di tenere aperta la porta d'ingresso e Fritz se ne andò.

La situazione di Quayle non era certo delle migliori. Con me in piedi di fronte a lui, se faceva tanto di lasciare la poltrona mi metteva in condizione di operare la presa che preferivo, mentre si alzava. Ma neanche la mia posizione era delle migliori. Sollevare da una poltrona un uomo di un'ottantina di chili non è facile, e Quayle era abbastanza addestrato per restarsene immobile, con le spalle appoggiate contro lo schienale. Ma non teneva i piedi sufficientemente rientrati. Allungai le mani verso le sue spalle, poi mi tuffai, l'afferrai per le caviglie, detti uno strattone e continuai a tirare: eravamo arrivati nell'atrio, con lui che scopava il pavimento con le spalle, prima che facesse in tempo a rendersi conto di quello che succedeva. Poi quel maledetto imbecille tentò di rivoltarsi su se stesso per far leva con le mani sul pavimento. Davanti alla porta mi fermai, mentre Fritz gli inchiodava le braccia per impedirgli di muoversi.

«I gradini sono coperti di neve» dissi. «Se vi mollo e vi do il cappotto e il cappello, mi promettete di andarvene tranquillamente? Conosco più trucchi di voi.»

«Sì. Maledetto arcifetente.»

«No. Archie Goodwin, non arcifetente. Ma per questa volta lascerò perdere. Molla, Fritz.»

Lo lasciammo andare e lui si tirò in piedi, barcollando. Fritz staccò il suo cappotto dall'attaccapanni, ma Quayle disse: «Voglio ritornare dentro. Devo chiedergli una cosa».

«No. Siete un maleducato. Saremmo costretti a sbattervi fuori di nuovo.»

«No, non sarà necessario. Voglio chiedergli una cosa.»

«Educatamente, con tatto?»

«Sì.»

Chiusi la porta. «Vi do due minuti. Non mettetevi a sedere, non alzate la voce e non usate parole come "arcifetente". Facci strada, Fritz.»

Sfilammo lungo l'atrio ed entrammo nello studio, con Fritz come avanguardia e io come retro.

«Volevate una ragione accettabile» disse Quayle a Wolfe.

«Come ho detto, sono amico della signorina Hinckley. Tanto amico che la signorina mi ha telefonato per mettermi al corrente della faccenda di Goodwin... di quello che Goodwin aveva detto a lei e alla signora Althaus. Le ho consigliato di non venire qui stasera, ma non mi darà retta. Alle nove?»

«Sì.»

«Allora me ne vado...» S'interruppe. La voce gli era uscita troppo dura, e lui cercò di addolcirla. «Voglio essere presente anch'io. Posso venire?»

«Se vi controllerete.»

«Lo farò.»

«I due minuti sono passati» dissi. Lo presi per un braccio per avviarlo verso la porta.

7

Alle nove e dieci di sera di quella giornataccia andai in cucina. Wolfe era seduto insieme a Fritz al tavolo: discutevano sul numero di bacche di ginepro da mettere nella salsa destinata, l'indomani, alle costolette di cervo. Sapendo che la discussione poteva protrarsi per tutta la notte, intervenni: «Scusatemi, ma sono arrivati tutti. E qualcuno di più. È venuto anche David Althaus, il padre. È quello calvo, alla vostra destra in seconda fila. Inoltre un avvocato che si chiama Bernard Fromm; è alla vostra sinistra, sempre in seconda fila. Testa a pera e occhi duri».

Wolfe si accigliò. «Non lo voglio tra i piedi.»

«Certo che no. Devo dirglielo?»

«Maledizione.» Si rivolse a Fritz. «Benissimo, procedete pure. Io ho detto tre, ma andate pure avanti come volete. Se ce ne metterete cinque non avrò nemmeno la necessità di assaggiarla. Basterà l'odore. Con quattro potrebbe essere anche accettabile.»

Mi fece un cenno e mi avviai verso lo studio, seguito da lui.

Fece il periplo della poltroncina rossa, dove avevo sistemato la signora Althaus, e rimase in piedi mentre io facevo le presentazioni. C'erano due file di sedie gialle, con Vincent Yarmack, Marian Hinckley e Timothy Quayle nella prima; David Althaus e Bernard Fromm nella seconda. Questa disposizione metteva Quayle vicino a me, la qual cosa mi era sembrata quantomeno consigliabile. Wolfe si piazzò a sedere, spostò lo sguardo da sinistra a destra e ritorno, poi cominciò. «Ho il dovere di dirvi che grazie a un eventuale microfono l'FBI può anche sentire tutto quanto verrà detto in questa stanza. Il signor Goodwin e io consideriamo la cosa poco probabile, ma non impossibile. Secondo me è...»

«Perché dovrebbero farlo?» chiese l'avvocato. Tono da aula di tribunale, da controinterrogatorio.

«Ve lo spiegherò in seguito, avvocato Fromm. Secondo me, è bene che siate al corrente di questa possibilità, per quanto remota. Ora vi pregherò di essere indulgenti. Dovrò parlare per un certo tempo. Posso aspettarmi che mi aiutate a fare il mio interesse solo se riuscirò a dimostrarvi che il vostro corre a pari passo con il mio. Siete il padre, la madre, la fidanzata e gli amici di un uomo che è stato assassinato sette settimane fa, e l'assassino non è stato ancora smascherato. Intendo smascherarlo io. Intendo dimostrare che Morris Althaus è stato ucciso da un agente del Federal Bureau of Investigation. Questa è almeno l'intenzione...»

Fecero due domande contemporaneamente. Yarmack chiese: «Come?» e Fromm: «Perché?».

Wolfe fece un cenno con il capo. «Questa mia intenzione poggia su due basi. Di recente ho intrapreso un lavoro che mi ha costretto a svolgere indagini su alcune attività dell'FBI. I capi dell'FBI hanno reagito immediatamente tentando di farmi togliere la licenza di investigatore privato. Può darsi che ci riescano. Ma anche se così fosse, come cittadino posso continuare un'indagine nel mio interesse privato, e sarà certo nel mio interesse sfatare la leggenda che vuole gli agenti dell'FBI campioni senza macchia della legge e della giustizia. Questa è una delle basi. L'altra base è rappresentata dal mio risentimento, che risale nel tempo, verso il Dipartimento di Polizia di New York. Anche la polizia ha l'abitudine di andare assai oltre i limiti del decente. In varie occasioni si è intromessa nella mia legittima attività. Più di una volta mi ha minacciato di arresto per aver ostacolato il corso della giustizia o sottaciuto prove importanti. Sarei assai lieto di poter ricambiare tutto ciò, di poter dimostrare che i poliziotti sanno, o sospettano, che l'FBI è implicato in un omicidio, e che sono loro a ostacolare il corso della giustizia. Inoltre, tutto ciò...»

«Parlate parecchio» lo interruppe Fromm. «Siete in grado di dimostrare ciò che dite?»

«Per illazione, sì. La polizia e il Procuratore distrettuale sanno che Morris Althaus stava raccogliendo materiale per un articolo sull'FBI, ma non hanno trovato questo materiale nel suo appartamento. Signor Yarmack, mi sbaglio o voi eravate al corrente del progetto del signor Althaus?»

«Lo ero» rispose Yarmack, e la sua voce fu molto simile a uno squittio.

«E il signor Althaus aveva veramente raccolto del materiale?»

«Certamente.»

«L'aveva consegnato a voi o era nelle sue mani?»

«Penso che fosse nelle sue mani. Ma la polizia mi ha detto che nell'appartamento di Morris non è stato trovato nulla che riguardasse l'FBI.»

«Non avete tratto alcuna deduzione da tutto questo?»

«Be'... una deduzione, la più ovvia, è stata che qualcuno avesse preso il materiale. Non mi sembrava probabile che Morris potesse averlo depositato altrove.»

«La signora Althaus ha detto, questo pomeriggio, al signor Goodwin, che sospettavate che fosse stato l'FBI. È giusto?»

Yarmack si voltò a dare un'occhiata alla signora Althaus, poi riportò lo sguardo su Wolfe. «Posso averle dato questa sensazione durante una conversazione privata. Mentre, a quanto avete affermato voi stesso, questa conversazione può non esserlo affatto.»

Wolfe grugnì. «Ho detto che è possibile che questa stanza sia controllata, ma che non è comprovato. Comunque, se ci siete arrivati voi a quella conclusione, senza dubbio ci è arrivata anche la polizia.» I suoi occhi si mossero. «Non lo pensate anche voi, avvocato Fromm?»

L'avvocato fece un cenno d'assenso. «È probabile. Ma questo non conduce necessariamente alla conclusione che la polizia ostacoli il corso della giustizia.»

«A una conclusione, no. Ma a un sospetto, sì. E comunque, anche se non ostacola il corso della giustizia, la polizia quantomeno lo ignora. Come membro del foro, dovete conoscere la tenacia con la quale la polizia e il Procuratore distrettuale lavorano agli omicidi non risolti. Se...»

«Non pratico giurisprudenza penale.»

«Pfui. Dovete pur sapere quello che sanno anche i bambini. Se la polizia non fosse stata convinta che il responsabile della scomparsa di quel materiale e di conseguenza anche dell'omicidio era l'FBI, senza dubbio avrebbe tentato altre vie. Per esempio, avrebbe rivolto la sua attenzione al signor Yarmack. Signor Yarmack, la polizia vi sta dando fastidio?»

Il direttore del giornale spalancò gli occhi. «Dare fastidio a me? E perché dovrebbe darmelo?»

«Perché esiste la possibilità che siate stato voi a impossessarvi del materiale e a uccidere Morris Althaus. Non vi scaldate. Molti omicidi sono scaturiti da teorie pochissimo plausibili. Morris Althaus potrebbe avervi parlato di una scoperta che aveva fatto e di prove che aveva raccolto, scoperta e prove che, magari a sua insaputa, potevano rappresentare una minaccia mortale per voi. E così, avete deciso di far sparire lui e le sue prove. Teoria eccellente. Certo...»

«Sciocchezze. Assurdità.»

«Per voi, forse. Certo che in un caso di omicidio non risolto la polizia vi avrebbe martirizzato. E invece non l'ha fatto. Non vi sto accusando di omicidio, signor Yarmack. Voglio solo dimostrare che la polizia ignora il proprio dovere, o quantomeno lo trascura. A meno che non siate stato in grado di fornire un alibi inoppugnabile per la notte del venti novembre. L'avete fatto?»

«No. Inoppugnabile no.»

«E voi, signor Quayle?»

«Balle» rispose Quayle. Ricominciava con i modi inurbani.

Wolfe gli lanciò un'occhiataccia. «Siete qui solo grazie alla mia indulgenza. Volevate sapere quali sono le mie intenzioni. Sto cercando di chiarirle. Sono spinto esclusivamente da un mio interesse privato: spero di dimostrare che l'FBI è coinvolto in un omicidio e che la polizia trascura il suo dovere. E per arrivare a questo devo stare attento a non farmi travolgere dalle circostanze. Ieri ho ricevuto un'informazione confidenziale che dimostra la colpevolezza dell'FBI, ma non ho prove. E io non posso permettermi di ignorare la possibilità che l'attuale inazione della polizia sia dovuta a ragioni tattiche, che tanto il Dipartimento quanto l'FBI conoscano il nome dell'assassino e aspettino di avere in mano delle prove, prima di smascherarlo. Prima di fare una mossa qualunque, devo assicurarmi su questo punto. E voi potreste essermi utile a questo riguardo. Ma se invece di collaborare con me ricominciate a insultarmi, non vi permetterò di rimanere in questa casa. Il signor Goodwin vi ha già estromesso una volta e può farlo di nuovo, se necessario. Anzi, di fronte a una platea si esibirà con maggior perizia. Il signor Goodwin ama le platee, così come le amo io. Ma se preferite restare, vi ho rivolto una domanda.»

Quayle strinse le mascelle. Il poveraccio era in una brutta situazione. Seduta accanto a lui, tanto vicina che sarebbe bastato che allungasse una mano per toccarla, c'era la ragazza per la quale e di fronte alla quale si era scontrato con uno scribacchino ficcanaso (e chiedo scusa a Lon Cohen per questa definizione dei giornalisti), e ora veniva provocato da un segugio ancora più ficcanaso. Aspettavo che si voltasse, o verso Marian per dimostrarle che per lei era capace anche di inghiottire il proprio orgoglio, o verso di me, per dimostrarmi che non mi considerava un vero problema. Invece restò con gli occhi fissi su Wolfe.

«Vi ho promesso che mi sarei controllato» disse. «E lo farò. Dunque, non ho alibi di ferro per la notte del venti novembre. Questo dovrebbe essere sufficiente per rispondere alla vostra domanda. Ora ne formulerò una io: come pensate che la signorina Hinckley possa aiutarvi?»

Wolfe fece un cenno d'assenso. «Domanda ragionevole e pertinente. Signorina Hinckley, evidentemente siete pronta a darmi una mano, altrimenti non sareste qui. Ho suggerito una tesi atta a dimostrare la possibilità che il colpevole sia il signor Yarmack. Ora ne formulerò una per il signor Quayle. Una molto semplice. Milioni di uomini hanno ucciso un loro simile per una donna... Per dare un dolore alla stessa donna, o per lasciarla sola, o per conquistarla. Se è stato il signor Quayle a uccidere il vostro fidanzato, volete vederlo punito?»

Lei sollevò le mani e le lasciò ricadere. «Ma è ridicolo!»

«Neanche per sogno. Per la famiglia e per gli amici delle vittime, in genere qualunque accusa sembra ridicola. Io non sto accusando il signor Quayle di colpevolezza, ma sto semplicemente prendendo in considerazione tutte le possibilità. Avete ragione di ritenere che il vostro fidanzamento con il signor Althaus fosse dispiaciuto al signor Quayle?»

«Non potete aspettarvi che risponda.»

«Risponderò io, allora» sbottò Quayle. «Sì. Mi dispiaceva.»

«Davvero? Per diritto? O per intrusione?»

«Non so che cosa intendiate per "diritto". Avevo chiesto alla signorina Hinckley se voleva sposarmi. E mi asp... E speravo che accettasse.»

«Ha accettato?»

Vennero interrotti dall'avvocato. «Andateci piano, signor Wolfe. Avete parlato di "intrusione". Secondo me, siete voi che vi state intromettendo. Sono qui su richiesta del signor Althaus, mio cliente, e non ho il diritto di parlare per conto della signorina Hinckley o del signor Quayle, ma posso dire che state esagerando. Conosco la vostra reputazione. So che non siete un prevaricatore e non metterò in dubbio la vostra buona fede senza averne una ragione solida, ma come avvocato ho il dovere di dirvi che avete la mano un po' troppo pesante. Il signor Althaus e sua moglie, e io come loro avvocato, desideriamo certamente che venga fatta giustizia. Ma se avete avuto delle informazioni atte a dimostrare la colpevolezza dell'FBI, perché questa specie di inquisizione?»

«Mi sembrava di averlo già spiegato.»

«Avete spiegato la vostra posizione, questo sì, e il vostro desiderio di prudenza, ma non è sufficiente a giustificare la vostra brutale intromissione nelle faccende altrui. Tra poco, mi chiederete se Morris mi aveva sorpreso a rubare.»

«Vi ha sorpreso?»

«Non sono disposto a fare la parte dell'attor comico in una buffonata. Ve lo ripeto, state esagerando.»

«In questo caso, cercherò di usare maggior tatto e vi chiederò una cosa che viene chiesta normalmente in tutti i casi di morte violenta: se non sono stati quelli dell'FBI a uccidere il signor Althaus, chi è stato? Supponiamo che l'FBI sia completamente estraneo e che io sia il Procuratore distrettuale. Chi aveva una ragione per desiderare la morte di quell'uomo? Chi lo odiava, o lo temeva, o aveva qualcosa da guadagnare? Siete in grado di suggerire un nome?»

«No. Naturalmente ci ho pensato, ma la mia risposta è no.»

Wolfe spostò lo sguardo da destra a sinistra. «E voi?»

Due di loro scossero la testa. Nessuno parlò.

«È una domanda scontata» disse Wolfe «ma non necessariamente inutile. Vi chiedo di riflettere. Senza preoccuparvi di poter esser querelati per diffamazione: non dirò mai da chi l'ho saputo. Il signor Morris Althaus non può aver vissuto trentasei anni senza ferire qualcuno. Ha ferito suo padre. Ha ferito il signor Quayle.» Guardò Yarmack. «Gli articoli che aveva scritto per la vostra rivista erano tutti innocui?»

«No» rispose il direttore di «Tick-Tock». «Ma se avessero urtato qualcuno al punto di far nascere il bisogno di uccidere Morris, non credo che l'assassino avrebbe aspettato tanto a lungo.»

«Ma uno di loro sarebbe stato costretto ad aspettare» disse Quayle. «Era in galera.»

Wolfe si voltò a guardare il giornalista. «Per che cosa?»

«Truffa. Una compravendita poco pulita. Morris scrisse un articolo che intitolammo "Il racket immobiliare", e l'articolo dette il via a un'inchiesta. Una delle persone coinvolte nell'affare venne arrestata e condannata a due anni. Successe un paio d'anni fa, forse meno, e ormai l'uomo in questione deve essere stato rilasciato per buona condotta, se non altro. Ma non può aver ucciso nessuno, non ne avrebbe avuto il fegato. Lo vidi qualche volta quando ancora tentava di convincerci a lasciar fuori il suo nome. È un imbroglioncello da poco.»

«Come si chiama?»

«Non... Sì, certo; ma ha importanza? Odell. Odell non so come... Qualcosa come Frank. Sì, ecco, Frank Odell.»

«Non capisco...» cominciò la signora Althaus, ma la voce suonò roca e lei dovette schiarirsi la gola. Guardava Wolfe. «Non capisco che cosa c'entri. Se sono stati quelli dell'FBI, perché fate tutte queste domande? Perché non chiedete al signor Yarmack che cos'aveva scoperto Morris sull'FBI? Io gliel'ho già chiesto, ma mi ha risposto che non lo sa.»

«Non lo so, infatti» disse Yarmack.

Wolfe fece un cenno d'assenso. «È quello che pensavo. Altrimenti, sareste stato disturbato non solo dalla polizia. Il signor Althaus non vi aveva detto proprio niente sulle sue scoperte o sulle sue congetture?»

«No. Non parlava mai di come procedeva il suo lavoro finché non aveva tracciato la prima stesura degli articoli. Lavorava così.»

Wolfe grugnì. «Signora» proseguì rivolto alla signora Althaus «come ho detto, devo esserne ben convinto. Potrei continuare a formulare domande per tutta la notte, per tutta una settimana. Il Federal Bureau è un avversario formidabile, trincerato dietro un baluardo di potere e di privilegi. Non è una rodomontata ma semplicemente una constatazione di fatto dire che in America nessun individuo e nessun gruppo di persone sarebbe disposto ad accettare il compito che io mi sono spontaneamente assegnato. Se è stato un agente dell'FBI a uccidere vostro figlio, non esiste alcuna probabilità che venga costretto a renderne conto alla giustizia, a meno che non lo costringa io. Di conseguenza, la scelta della via da seguire spetta a me. Pensate ancora che io stia esagerando, avvocato Fromm?»

«No» rispose l'avvocato. «Sarebbe poco realistico non accondiscendere a quello che avete detto sull'FBI. Quando seppi che nell'appartamento di Morris non era stato trovato quel materiale, giunsi alla conclusione più ovvia e dissi alla signora Althaus che era assai improbabile che l'assassino di suo figlio venisse smascherato. L'FBI è intoccabile. Goodwin ha detto alla signora Althaus che ieri un individuo ha affermato di sapere che Morris è stato ucciso da un agente dell'FBI e ha suffragato la sua affermazione con alcune informazioni. Ero venuto qui con l'intenzione di costringervi a rivelare il nome di quest'individuo e la natura delle informazioni, ma avete ragione. La via da scegliere dovete definirla voi. Penso che abbiate intrapreso un compito irrealizzabile, ma vi auguro buona fortuna. Vorrei potervi essere utile.»

«E io spero che possiate esserlo» Wolfe spinse indietro la poltrona e si alzò. «È possibile, se questa conversazione è stata registrata o ascoltata direttamente, che qualcuno di voi, se non tutti, abbia dei fastidi, delle seccature. In questo caso, vorrei esserne informato, così come vorrei essere informato di qualsiasi sviluppo della situazione, anche se dovesse sembrarvi poco importante. Che questa conversazione sia stata o meno ascoltata, so che la mia casa è sorvegliata, e ormai l'FBI è al corrente del fatto che mi sto occupando dell'omicidio di Morris Althaus. Invece la polizia non lo sa, e vi prego di non informarla: mi rendereste il lavoro più difficile. Vi chiedo scusa se non vi ho offerto da bere: ero troppo preoccupato. Signor Althaus, voi non avete ancora aperto bocca. Volete dire qualcosa?»

«No» rispose David Althaus... Fu la sua unica parola.

«Allora buonasera» disse Wolfe e uscì.

Mentre si alzavano e si dirigevano verso la porta, rimasi in piedi vicino alla scrivania. Potevano pensarci gli uomini ad aiutare le signore a infilare i cappotti: non c'era bisogno di me. Dovevo essere in un bello stato di depressione, per non rendermi conto che poteva essere un piacere aiutare la signorina Hinckley a infilarsi il cappotto. Ci pensai solo quando sentii aprire la porta, ma ormai era troppo tardi. Restai dov'ero finché non la sentii richiudere, poi andai nell'atrio a mettere il catenaccio. I nostri ospiti erano tutti sul marciapiede.

Non avevo sentito l'ascensore, perciò Wolfe doveva essere in cucina. Mi diressi da quella parte, ma Wolfe non c'era. Non c'era nemmeno Fritz. Che fosse veramente salito a piedi? Ma perché? Altrimenti, restava un'unica soluzione: era sceso in cantina. Decisi di andare a dare un'occhiata. Mentre scendevo, mi giunse la sua voce: veniva dalla camera di

Fritz, che aveva la porta aperta. Superai la soglia ed entrai. Fritz potrebbe occupare una camera ai piani superiori, ma preferisce la cantina. La sua camera è grande quanto lo studio e la stanza centrale messi assieme, e con l'andare del tempo si è fatta sempre più piena di roba: tavoli coperti di pile di riviste, due busti di Escoffier e di Brillat-Savarin deposti su piedistalli, menu in cornice appesi alle pareti, un letto enorme, cinque sedie, mensole cariche di libri (Fritz possiede 289 libri di cucina), la testa di un cinghiale abbattuto dallo stesso Fritz sui Vosgi, un televisore e un apparecchio stereofonico, due grosse casse piene di antichi recipienti, uno dei quali, almeno secondo Fritz, era stato usato dal cuoco di Giulio Cesare, e così via.

Wolfe era seduto accanto al tavolo, sulla sedia più capace, con davanti un bicchiere e una bottiglia di birra. Quando entrai, Fritz, che era seduto di fronte a lui, si alzò, ma io presi un'altra sedia.

«Peccato» dissi «che l'ascensore non arrivi fin qui. Potremmo farlo giungere.»

Wolfe bevve la birra, si leccò le labbra e depose il bicchiere. «Voglio sapere di quegli abominevoli apparecchi. Possono captare le nostre voci anche se siamo qui?»

«Non lo so. Ho letto di un affare capace di captare le voci a quasi un chilometro di distanza, ma non so se funziona anche attraverso le pareti e i pavimenti. Può darsi, comunque, che esistano apparecchi capaci di captare le voci in un intero edificio. E se non esistono, esisteranno presto. La gente dovrà parlare con le mani.»

Mi lanciò un'occhiataccia. Dato che non avevo fatto niente per meritarmela, gliene lanciai una anch'io. «Spero che vi rendiate conto» dissi «che mai come in questo momento abbiamo bisogno di assoluta riservatezza.»

«Altro che, se me ne rendo conto!»

«Secondo voi, se sussurriamo possiamo essere sentiti?»

«No. Sono pronto a scommettere un miliardo contro uno. Impossibile.»

«Allora sussurreremo.»

«No, guasterebbe il vostro stile. Se Fritz accende la televisione e tiene il volume piuttosto alto e noi ci mettiamo a sedere vicini e non urliamo, dovrebbe essere sufficiente.»

«Questo potremmo farlo anche nello studio.»

«Sissignore.»

«Perché diavolo non l'avete suggerito prima, allora?»

Feci un cenno d'assenso. «Avete ragione, ma siamo tutti fuori di noi. Sono sorpreso di averlo suggerito adesso. Proviamo qui, prima. Nello studio sarei costretto a restare chino sulla vostra scrivania.» Wolfe si voltò. «Accendete quell'affare, Fritz. Andrà bene un canale qualsiasi.»

Fritz si avvicinò al televisore e girò una manopola. Poco dopo, una donna stava dicendo a un uomo che malediceva il giorno in cui si erano incontrati. Lui chiese (non l'uomo, Fritz) se le voci erano abbastanza forti, e io risposi di alzarle ancora un po', poi avvicinai la mia sedia a quella di Wolfe. Wolfe si chinò in avanti e mi grufolò all'orecchio: «Dobbiamo prepararci per un'eventualità. Sapete se i Dieci Perfezionisti esistono ancora?».

Alzai le spalle, poi le lasciai ricadere. Ci vuole un genio, o un deficiente, per fare domande che non c'entrano. «Non lo so» risposi. «Sono passati sette anni, ormai. Ma probabilmente esistono. Potrei telefonare a Lewis Hewitt.»

«Non di qui.»

«Andrò in una cabina. Subito?»

«Sì. Se il signor Hewitt dirà che quel gruppo esiste ancora... No. Qualunque cosa dica sui Dieci Perfezionisti, chiedetegli se posso andare da lui domani mattina per consultarlo su una questione urgente e privata. Se m'inviterà a colazione, e lo farà, accettate.»

«Ma vive a Long Island!»

«Lo so.»

«E probabilmente dovremo liberarci di eventuali pedinatori.»

«Non sarà necessario. Se mi vedranno andare da lui, tanto meglio.»

«Allora perché non gli telefoniamo da qui?»

«Perché desidero, anzi voglio, che sappiano della mia visita, ma non che mi sono autoinvitato.»

«E se domani non potesse?»

«Allora quanto prima possibile.»

Andai. Mentre salivo nell'atrio, prendevo cappotto e cappello, uscivo e mi dirigevo verso la Nona Avenue, rimuginai sul fatto che Wolfe avrebbe infranto due regole in un sol giorno: prima quella che gli imponeva l'incontro mattutino con le orchidee, poi quella che gli impediva di uscire di casa per lavoro. E perché? I Dieci Perfezionisti erano un gruppo di benestanti che perseguivano, tanto per citare le loro stesse parole "l'ideale della perfezione nel cibo e nel bere". Si erano riuniti sette anni prima a casa di uno di loro, Benjamin Schriver, l'armatore, per perseguire il loro ideale mangiando e bevendo, e uno dei membri, Lewis Hewitt, si era messo d'accordo con Wolfe perché fosse Fritz a preparare la cena. Naturalmente, eravamo stati invitati anche Wolfe e io, e avevamo accettato l'invito. Il tizio seduto tra noi due era stato nutrito a base di arsenico spolverato sulla prima portata, un pasticcio alla crema, e aveva tirato le cuoia. Un pranzo con i fiocchi. Comunque, la cosa non aveva influito sui rapporti tra Wolfe e Hewitt, che era ancora grato a Wolfe per un favore che gli aveva fatto anni prima, che possedeva a Long Island una serra d'orchidee lunga trecento metri e che veniva a cena nella vecchia casa d'arenaria due volte l'anno. Mi ci volle un po', per mettermi in comunicazione con lui, perché evidentemente la mia chiamata era stata passata nella serra, o nelle scuderie o magari nel gabinetto, ma fu un piacere per Hewitt sentire la mia voce. Così disse, almeno. Quando gli comunicai che Wolfe voleva fargli visita, rispose che sarebbe stata una gioia vederlo e che naturalmente Wolfe doveva fermarsi a colazione. Poi aggiunse che voleva chiedere a Wolfe una cosa riguardante la colazione stessa.

«Mi dispiace, ma dovrete accontentarvi della mia consulenza» dissi. «Telefono da una cabina pubblica. Scusate il mio dubbio, ma pensate che qualcuno possa ascoltare la nostra conversazione da una derivazione?»

«Non... Non credo. Che ragione ci sarebbe?»

«D'accordo. Chiamo da una cabina pubblica perché il nostro telefono è controllato e il signor Wolfe non vuole che sappiano che è stato lui a suggerirvi d'invitarlo. Perciò non telefonateci a casa. È possibile che domani pomeriggio arrivi qualcuno da voi, magari spacciandosi per un giornalista, e tenti di rivolgervi delle domande. Ve ne parlo subito perché domani potrei dimenticarmene. Comunque, il nostro invito a colazione per domani è partito da voi la settimana scorsa. D'accordo?»

«Sì, certo. Ma santo cielo, se sapete che il vostro telefono è controllato, perché... È illegale!»

«Appunto. Ma è questo il bello. Ve ne parleremo domani... Così credo, almeno.»

Disse che avrebbe tenuto a freno la curiosità fino al giorno dopo e aggiunse che ci aspettava per mezzogiorno.

Nello studio abbiamo un televisore e una radio, e quando tornai a casa mi aspettavo di trovare Wolfe nella sua poltrona preferita, magari con la radio accesa; invece lo studio era deserto. Perciò tornai sui miei passi, scesi i gradini che immettevano in cantina e trovai Wolfe dove l'avevo lasciato. La televisione era ancora accesa, e Fritz la guardava sbadigliando. Wolfe era appoggiato contro lo schienale della poltrona, gli occhi chiusi, le labbra in movimento: dentro e fuori, dentro e fuori. Stava pensando, ma a che cosa? Rimasi a guardarlo. So che non posso e non devo interrompere la sua ginnastica labiale, ma quella volta dovetti serrare le mascelle per non parlare, perché non ci credevo. Non c'era assolutamente niente a cui potesse aggrapparsi. Due minuti. Tre. Alla fine decisi che stava semplicemente tenendosi in esercizio, che non era vero niente. Andai a sedermi e tossii forte. Dopo un attimo aprì gli occhi, sbatté le palpebre, mi guardò e si raddrizzò.

Avvicinai la sedia. «Fatto» dissi. «Ci aspetta per mezzogiorno. Dovremo partire di qui verso le dieci e mezzo.»

«Voi non verrete» grufolò. «Ho telefonato a Saul. Arriverà verso le nove.»

«Oh! Capisco. Volete che resti qui nel caso che Wragg mandi i suoi uomini a confessarsi.»

«Voglio che scoviate fuori Frank Odell.»

«Accidenti! È questo che avete deciso, dopo tutto quel movimento delle labbra?»

«No.» Volse la testa. «Un po' più forte, Fritz.» E a me: «Dopo colazione ho affermato che eravate riuscito a dimostrare che sarebbe stato futile tentare di provare la colpevolezza dell'FBI in quell'omicidio. Ritiro ciò che ho detto. Non sono disposto ad arrendermi di fronte alla futilità. Dobbiamo organizzare le cose in modo che nessuna delle tre alternative possa risultare futile. E le alternative sono: primo, stabilire che l'omicidio è stato commesso dall'FBI; secondo, stabilire che non è stato commesso dall'FBI; terzo, fallire in questi tentativi e lasciar correre la faccenda. Naturalmente, l'alternativa da preferire è la seconda. Ecco perché dovete trovare Frank Odell. Comunque, anche se fossimo costretti ad accettare la prima o la terza delle ipotesi, dobbiamo metterci ugualmente nella posizione di poter soddisfare gli obblighi che abbiamo nei confronti della nostra cliente».

«Non avete nessun obbligo, all'infuori di quello di svolgere indagini e di usare nel miglior modo le vostre qualità.»

«Ci risiamo con quell'aggettivo.»

«E va bene, "abbiamo" e "nostre".»

«Così va meglio. Appunto: usare nel miglior modo le nostre capacità. È l'obbligo più impegnativo, per un uomo dotato di stima di se stesso, ed entrambi ne siamo dotati. Un uomo è di particolare importanza: qualunque alternativa le circostanze ci costringeranno ad accettare, il signor Wragg deve credere, o almeno sospettare, che l'omicidio è stato commesso da uno dei suoi uomini. Ma non riesco a escogitare una manovra che possa spingerlo a farlo. Ci stavo appunto pensando quando siete tornato. E voi, avete in mente qualcosa in questo senso?»

«No. O Wragg lo pensa o non lo pensa. Ma sono pronto a scommettere dieci contro uno che lo pensa.»

«Se non altro abbiamo questa probabilità. Ora. Ho bisogno di suggerimenti a proposito degli accordi che intendo prendere domani con Hewitt. Ci vorrà certamente un po' di tempo, e ho sete. Fritz?»

Nessuna risposta. Mi voltai. Fritz dormiva della grossa, sulla sua sedia. Probabilmente russava, ma la televisione non ci permetteva di sentirlo. Suggerii di trasferirci nello studio e di provare con la musica della radio, tanto per cambiare, e Wolfe annuì. Svegliammo Fritz e gli augurammo la buonanotte, poi Wolfe lo ringraziò per la sua ospitalità. Mentre ci dirigevamo verso lo studio mi fermai a metà strada per fare rifornimento di latte per me e di birra per Wolfe, e quando raggiunsi lo studio, Wolfe aveva acceso la radio e si era installato dietro la scrivania. Dato che ci voleva tempo, presi una delle sedie gialle e l'avvicinai alla poltrona di Wolfe. Lui versò la birra mentre io bevevo una sorsata di latte.

«Mi sono dimenticato di dirvi» esclamai «che non ho chiesto a Hewitt dei Dieci Perfezionisti. Tanto dovete vederlo ugualmente: glielo chiederete voi domani. E il programma?»

Parlò.

Era mezzanotte passata, quando lui si avviò all'ascensore e io andai a prendere lenzuola, coperte e cuscino per la mia seconda notte sul divano.

8

C'erano più di un centinaio di Odell nelle guide telefoniche
dei cinque quartieri di New York, ma nessuno si chiamava
Frank. Stabilito questo, quel venerdì mattina, ore nove e
mezzo, mi piazzai alla mia scrivania, e presi in considerazione le eventuali vie da seguire. Non era il tipo di problema che potevo discutere con Wolfe, e poi Wolfe non era di-
sponibile. Saul Panzer era arrivato alle nove esatte, e invece
di salire nella serra Wolfe era sceso al pianterreno, si era infilato il pesante pastrano e calcato in testa il berretto di ca-
storo e aveva seguito Saul fino alla strada per salire sulla
Heron. Naturalmente Wolfe sapeva che se avesse acceso al
massimo il riscaldamento, l'interno della Heron si sarebbe
tramutato in un forno, ma si era messo ugualmente il pastrano pesante perché non si fidava di nessun mezzo che
fosse appena più complicato di una carriola. Anche se al volante ci fossi stato io, avrebbe temuto di poter restare ab-
bandonato in un angolo selvaggio e solitario della giungla
di Long Island.
   Mi ci volle tutta la mia forza di volontà per concentrarmi
sulla questione Frank Odell, che non era altro che un colpo
alla cieca sferrato da Wolfe solo perché preferiva la seconda
delle tre alternative. La mia mente avrebbe voluto essere a
Long Island. Con tutta l'esperienza di circostanze artata-
mente create da Wolfe, non mi ero mai imbattuto in niente
di più complesso del programma nel quale voleva coinvolge-

re Lewis Hewitt. E avrei voluto essere presente alla discussione. Il genio va benissimo per appiccare la scintilla dell'accensione, ma ci vuole qualcuno per assicurarsi che il radiatore non perda e che le gomme non siano a terra. Se non fosse stato per Saul Panzer, avrei insistito per andare. Ma Wolfe mi aveva assicurato che Saul avrebbe preso parte alla discussione, e Saul è l'unica persona al mondo alla quale delegherei i miei problemi in caso mi rompessi una gamba.

Mi costrinsi a pensare a Frank Odell. L'azione più ovvia da intraprendere sarebbe stata una telefonata alla Divisione di Stato per la Libertà Vigilata, per chiedere se Odell era nell'elenco dei vigilati speciali, ma non potevo farla dal nostro telefono. Se l'FBI veniva a sapere che sprecavamo tempo e denaro dietro a Odell, dopo quello che Quayle aveva detto di lui, si sarebbe reso conto che non poteva trattarsi solo di prudenza e avrebbe capito che pensavamo che Odell potesse veramente essere implicato nell'omicidio. La cosa non andava. Decisi di muovermi coprendomi le spalle. Se un *G-man* legge questo libro e pensa che sopravvaluto la sua organizzazione, be', vuol dire che non è abbastanza addentro nelle segrete cose. Non è che io ci sia addentro, ma ho sufficiente esperienza per sapere come vanno certe faccende.

Andai in cucina, dissi a Fritz che uscivo, passai dall'atrio a prendere cappotto e cappello, uscii, percorsi a piedi il tratto che mi divideva dalla Decima Avenue, raggiunsi il nostro garage, ottenni da Tom Halloran il permesso di usare il telefono, formai il numero della «Gazette» e mi misi in comunicazione con Lon Cohen. Lon fu discreto: non mi chiese come procedevamo con la signora Bruner e l'FBI. Ma chiese dove pensavo che potesse procurarsi una bottiglia di buon cognac.

«Potrei mandartene una io» risposi «se te la guadagni. E puoi cominciare a guadagnartela subito. Un paio d'anni fa venne condannato un uomo per truffa, un certo Frank Odell. Se si è comportato bene, ormai potrebbe essere fuori e far parte dell'elenco dei vigilati speciali. Ho deciso di darmi all'assistenza sociale, di trovarlo e di riabilitarlo. Alla svelta. Puoi trovarmi a questo numero.» Gli detti il numero del garage. «Preferisco tenere segreta la mia nuova attività di assistente sociale, perciò non parlarne in giro.»

Rispose che mi avrebbe richiamato nel giro di un'ora. Riattaccai e andai a dare un'occhiata alle automobili esposte. Wolfe cambia la macchina una volta l'anno, convinto di ridurre così i rischi di una catastrofe, cosa del tutto errata, e lascia che sia io a sceglierla. Sono stato tentato spesso di prendere una Rolls Royce, ma non l'ho mai fatto perché mi sembra un peccato doverla abbandonare dopo un solo anno. Quel giorno, nel garage di Halloran non c'era una sola macchina che avrei cambiato con la Heron. Tom e io stavamo discutendo sul cruscotto di una Lincoln 1965 quando suonò il telefono. Andai a rispondere. Era Lon, e aveva la risposta. Frank Odell era stato rilasciato in agosto e sarebbe rimasto sotto libertà vigilata fino a febbraio. Abitava al numero 2553 di Lamont Avenue, nel Bronx, e lavorava in una succursale dell'Agenzia Immobiliare Driscoll al numero 4618 di Grand Concourse. Lon disse che il miglior modo per tentare di riabilitarlo era di invitarlo a una partita di poker, e io risposi che secondo me erano meglio i dadi.

Decisi di prendere la metropolitana, invece di un taxi, e non per risparmiare i soldi della cliente, ma perché pensai che era l'ora di fare qualcosa riguardo ai miei pedinatori. Erano passati due giorni e due notti da quando, con ogni probabilità, l'FBI aveva cominciato a interessarsi a noi, e venticinque ore da quando aveva chiesto a Perazzo di ritirarci la licenza, e ancora non mi ero accorto di avere compagnia. Naturalmente restava il fatto che o avevo cercato di seminare gli eventuali pedinatori, oppure non m'ero ben guardato intorno. Ora invece volevo controllare tutto e tutti. Aspettai finché non fui alla Grand Central Station e non fui salito sul diretto per il centro.

Quando si pensa di essere pedinati sulla metropolitana e si vuole individuare il pedinatore, bisogna continuare a muoversi finché il treno procede e a ogni stazione portarsi vicino a un'uscita in modo da poter scendere da un momento all'altro. Nelle ore di punta è difficile, ma quel giorno erano le dieci e mezzo e per giunta eravamo diretti verso il centro. Alla terza fermata, l'avevo individuato... O meglio, li avevo individuati. Erano in due. Uno era un tracagnotto alto appena quanto bastava per non essere scartato dal servizio militare, con grandi occhi castani che non sapeva da che parte voltare. L'altro era il tipo Gregory Peck, a parte le orecchie piccole e a sventola. Avevo deciso, anche se non aveva nessuna importanza, di individuarli senza che loro se ne accorgessero, e quando scesi alla fermata della Centosettantesima Strada ero sicuro di avercela fatta. Una volta sulla strada, continuai a ignorarli.

Quando si sa di essere pedinati a New York e non si è degli imbecilli, scrollarsi di dosso i pedinatori è un gioco. Esistono centinaia di pretesti per mimetizzarsi, e i pedinatori scelgono quelli più adatti all'ora e al luogo. In Tremont Avenue caracollai lungo la strada, guardando di tanto in tanto l'orologio e i numeri delle porte, finché non vidi arrivare un taxi libero. Quando fu a una trentina di metri, sgattaiolai tra le macchine parcheggiate, alzai la mano per fermarlo, saltai a bordo, dissi all'autista: «Dacci dentro, amico!» e vidi Gregory Peck fissarmi con gli occhi sbarrati mentre mi allontanavo. Il tracagnotto era dall'altra parte della strada. Percorremmo sette isolati, prima di fermarci a un semaforo rosso. Ce l'avevo fatta. Ammetto che avevo tenuto gli occhi fissi dietro di me, fino a quel momento. Detti al tassista l'indirizzo del Grand Concourse, il semaforo cambiò colore e procedemmo.

In genere, le succursali delle agenzie immobiliari sono agli ultimi piani. Quella, invece, era al pianterreno di un edificio adibito ad abitazioni, naturalmente un edificio amministrato dalla stessa agenzia. Entrai. L'ufficio era angusto: due scrivanie, un tavolo e un targhettario. Alla scrivania più vicina alla porta era seduta una bella donna dai capelli neri e folti, pettinati a caschetto. Quando mi sorrise e mi chiese in che cosa poteva essermi utile dovetti respirare a fondo, per impedire alla mia testa di mettersi a vorticare. Le donne come quella dovrebbero starsene a casa, durante le ore lavorative. Risposi che volevo parlare con il signor Odell. Lei voltò la bella testa e fece un cenno verso l'altra scrivania.

Avevo aspettato di vederlo, prima di decidere la tattica da adottare, e un'occhiata fu sufficiente. Certi uomini, dopo un periodo di reclusione lungo o breve, mantengono poi una certa aria allarmata, ma lui non era di quelli. Sembrava un grissino, quanto a stazza, ma un grissino elegante. Pelle chiara e capelli chiari, vestito in modo più che raffinato. L'abito grigio gesso doveva aver alleggerito lui, o magari qualcun altro, di almeno duecento noccioline.

Si alzò per avvicinarsi, disse che era Frank Odell e mi tese la mano. Sarebbe stato più semplice se avesse avuto un ufficio tutto per sé; con ogni probabilità la donna non era al corrente del fatto che Odell era appena uscito di galera. Mi presentai, tirai fuori il portafogli e gli porsi un biglietto di visita. Odell lo studiò attentamente, se lo ficcò in tasca e disse: «Ma certo! Avrei dovuto riconoscervi dalla fotografia apparsa sul giornale».

La mia fotografia non appariva sui giornali da quattordici mesi, e lui era stato al fresco, ma non stetti a discuterci sopra. «Comincio a dimostrare la mia età» risposi. «Potete concedermi alcuni minuti? Nero Wolfe ha accettato un incarico che riguarda un certo Morris Althaus e pensa che voi possiate fornirgli qualche informazione.»

Non batté ciglio. Niente aria allarmata. Si limitò a dire: «Quello che è stato assassinato».

«Appunto. Naturalmente la polizia ha messo le mani dappertutto. La nostra è semplicemente un'indagine privata su un aspetto secondario della faccenda.»

«Se intendete dire che la polizia ha messo le mani anche qui, vi sbagliate. Ma sarà meglio che ci sediamo.» Si avviò verso la scrivania. Lo seguii e mi piazzai su una sedia. «Quale sarebbe questo aspetto secondario?» chiese.

«È una storia complicata. Si tratta di alcune ricerche che Althaus stava svolgendo quando fu ucciso. Se lo vedeste in quel periodo può darsi che ne sappiate qualcosa... Diciamo nel mese di novembre, del novembre scorso. L'avete visto, in quel periodo?»

«No, l'ultima volta che lo vidi fu due anni fa. In tribunale. Quando alcuni tizi che avevo considerato miei amici decisero di usarmi come capro espiatorio. Ma perché la polizia sarebbe dovuta venire da me?»

«Be', sapete com'è. Quando non riescono a risolvere un caso, vanno un po' da tutti.» Feci un gesto per liquidare l'argomento. «Ma trovo interessante quello che avete detto su quella gente che vi ha usato come capro espiatorio. Potrebbe essere in correlazione con quello che vogliamo sapere, e cioè se Althaus aveva l'abitudine di manipolare le notizie. Era anche lui tra il numero dei vostri cosiddetti amici?»

«Neanche per sogno! Non era un amico; l'avevo visto due volte, mentre scriveva quell'articolo, o si preparava a scriverlo. Cercava dei pesci più grossi di me. Io ero solo un tirapiedi. Lavoravo per l'Immobiliare Bruner.»

«Per l'Immobiliare Bruner?» inarcai le sopracciglia. «Non mi pare di ricordare che questo nome fosse coinvolto nel caso. Ma naturalmente non ne so abbastanza. Allora furono i vostri amici dell'Immobiliare Bruner a usarvi come capro espiatorio?»

Sorrise. «È evidente che non ne sapete abbastanza. Avevo le mani in pasta in affari che non riguardavano assolutamente l'Immobiliare Bruner. Saltò fuori tutto durante il processo. Quelli della Bruner furono comprensivi nei miei riguardi, assai comprensivi. Il vicepresidente fece addirittura in modo che potessi parlare con la signora Bruner in persona. Quella fu la seconda volta che vidi Althaus: nello studio della signora. Anche lei fu comprensiva. Credette a quello che le dissi. Arrivò persino a pagarmi l'avvocato, almeno in parte. Si rese conto che mi ero immischiato in un affare poco chiaro, ma del tutto inconsapevolmente: le spiegai che non mi ero reso conto dell'entità del caso. E lei non voleva che un uomo che lavorava per la sua compagnia subisse dei torti. Ve l'ho detto: assai comprensiva.»

«Infatti. Mi sorprende che non siate ritornato all'Immobiliare Bruner dopo... non appena possibile.»

«Non mi hanno voluto.»

«Questo non lo definirei comprensione.»

«Be', che altro potevo aspettarmi? Dopo tutto ero stato condannato. Il presidente dell'azienda è un tipo assai rigido. Avrei potuto rivolgermi alla signora Bruner, ma ho una certa dose d'orgoglio, e poi avevo sentito che potevo trovare qualcosa qui, alla Driscoll.» Sorrise. «Non mi considero bruciato. Anzi. In questo campo ci sono sempre un sacco di possibilità, e io sono ancora giovane.» Aprì un cassetto. «Mi avete dato il vostro biglietto di visita. Voglio darvene uno anch'io.» Me ne dette una decina, non uno, insieme a parecchie informazioni sull'Agenzia Immobiliare Driscoll. La Driscoll possedeva nove uffici in tre zone diverse della città, amministrava un centinaio di edifici e offriva i migliori servizi di tutta la metropoli. Ebbi la sensazione che Driscoll doveva proprio essere una persona comprensiva. Ascoltai quanto bastava per dimostrarmi educato, poi ringraziai Odell. Mentre uscivo, mi presi la libertà di scambiare un lungo sguardo con la bella donna, e lei mi sorrise. Proprio un posticino a dovere, quello. Caracollai giù per il Grand Concourse, nel sole invernale, a farmi sbollire il sangue. Non ero stato invitato a togliermi il cappotto. Stavo facendo un elenco mentale delle coincidenze:

1. La signora Bruner aveva distribuito copie di quel libro.

2. Morris Althaus aveva raccolto materiale per un articolo sull'FBI.

3. Alcuni G-men avevano ucciso Althaus, o almeno erano stati nel suo appartamento all'ora del delitto.

4. Althaus aveva conosciuto la signora Bruner. Era andato addirittura a casa sua.

5. Un uomo che aveva lavorato per l'azienda della signora Bruner era stato mandato in galera (o usato come capro espiatorio?) in seguito a un articolo scritto da Althaus.

Ma forse non erano coincidenze: erano causa ed effetto di una baraonda di follia. Tentai di sistemare i pezzi del mosaico, ma assai presto mi resi conto che le combinazioni e le possibilità erano tali e tante che potevo arrivare addirittura alla conclusione che Althaus era stato ucciso dalla signora Bruner, la qual cosa non andava, dato che la signora Bruner era La Cliente. L'unica conclusione accettabile era che l'ago c'era, in quel pagliaio, e bisognava trovarlo.

Non avrei telefonato a Wolfe neanche se fosse stato a ca-

sa, e decisi di non telefonargli neanche da Hewitt. Non solo
la casa di Hewitt ha almeno una decina di derivazioni, ma i
G-men avevano sicuramente seguito Wolfe fin là, dato che
Saul aveva ricevuto l'ordine di ignorare eventuali pedinatori, e controllare una linea telefonica fuori della rete cittadina è uno scherzo, per l'FBI. Mi risulta che una volta... Ma lasciamo perdere.

Comunque non avevo nessuna intenzione di tornarmene
a casa e di restare con le mani in mano fino al ritorno di
Wolfe. Trovai una cabina telefonica, formai il numero della
Bruner e chiesi alla signora in questione se poteva venire al
Rusterman Restaurant per mezzogiorno, per pranzare con
me. Rispose che poteva. Finito di parlare, chiamai il Rusterman e chiesi a Felix se poteva prepararmi la stanza a
prova di suono, al piano superiore, quella più piccola. Disse
che poteva. Poi uscii e salii su un taxi.

Il Rusterman aveva perso un po' del lustro dei tempi in
cui era ancora vivo Marko Vukcic. Wolfe non è più l'ammi-
nistratore del locale ma ci va ugualmente una volta al mese,
e di tanto in tanto Felix viene nella vecchia casa di arenaria
a chiedere dei consigli. Quando Wolfe va al Rusterman,
portandosi dietro Fritz e me, fa colazione nella stanza a
prova di suono al piano superiore e comincia sempre con la
regina delle minestre, la Germiny à l'Oseille. Perciò la conoscevo bene, quella stanza.

Felix mi parlava cordialmente, quando arrivò la signora
Bruner, con solo dieci minuti di ritardo.

Chiese un Martini doppio con oliva. Non si può mai dire:
avrei giurato che la signora Bruner poteva bere al massimo
dello sherry o del Dubonnet. E comunque avrei escluso l'o-
liva. Quando il bicchiere arrivò, lei bevve tre lunghe sorsa-
te, una dietro l'altra, si voltò per vedere se il cameriere aveva chiuso la porta e disse: «Naturalmente ho preferito non
chiedervelo al telefono... Ma è successo qualcosa?».

Anch'io avevo ordinato un Martini, tanto per tenerle
compagnia, ma senza oliva. Ne bevvi una sorsata e risposi:
«Niente d'importante. Il signor Wolfe ha infranto due regole, oggi. Stamattina ha mancato al suo appuntamento nella

serra, uscendo di casa per affari... Affari nostri. È a Long Island, dove si è recato per parlare con un uomo. Potrebbe scovare qualcosa di nuovo, ma non contateci. In quanto a me, sono andato semplicemente nel Bronx per parlare con un certo Frank Odell. Un tempo lavorava per voi... Per l'Immobiliare Bruner. Vero?».

«Odell?»

«Sì.»

Aggrottò la fronte. «Non... Oh, certo. Odell, quell'ometto che ebbe un mucchio di guai. Ma... Non è in prigione?»

«Lo era. È stato rilasciato sotto libertà vigilata qualche mese fa.»

Aveva ancora la fronte aggrottata. «Come mai siete andato a parlargli?»

«È una storia lunga, signora Bruner.» Bevvi una sorsata. «Il signor Wolfe ha deciso di tentare di trovare un appiglio controllando alcune attività dell'FBI a New York e dintorni. Tra le altre cose, abbiamo scoperto che lo scorso autunno un certo Morris Althaus ha raccolto del materiale per un articolo sull'FBI. Althaus è stato assassinato sette settimane fa. Ci è sembrata una storia degna di nota, e abbiamo deciso di osservare la faccenda più da vicino. Così abbiamo saputo che un paio d'anni fa Althaus aveva scritto un articolo intitolato "Il racket immobiliare", provocando l'arresto e la condanna di un certo Frank Odell. Il signor Wolfe mi ha ordinato di mettermi in contatto con Odell, e io l'ho rintracciato e sono andato da lui. Ho scoperto così che aveva lavorato per la vostra azienda. A questo punto ho pensato che era il caso di parlarne con voi.»

Depose il bicchiere sul tavolo. «Ma che cosa volete chiedermi?»

«Un paio di cosette. Per esempio, su Morris Althaus. Lo conoscevate bene?»

«Non lo conoscevo affatto.»

«Venne in casa vostra almeno un paio di volte... Nel vostro studio. Secondo Odell, almeno.»

Fece un cenno d'assenso. «È vero. Me ne sono ricordata quando ho letto del... dell'omicidio.» Teneva il mento sollevato. «Il vostro tono non mi piace, signor Goodwin. State insinuando che ho nascosto qualcosa?»

«Sì, signora Bruner. O almeno, sto dicendo che potete averlo fatto. Tanto vale chiarire la cosa prima di fare colazione, invece che dopo. Avete assunto il signor Wolfe perché svolga un compito praticamente impossibile. Il minimo che potete fare è metterci al corrente di tutti i particolari inerenti al caso. Il fatto che avete conosciuto Morris Althaus, o quantomeno che l'avete incontrato, fa sorgere degli interrogativi. Sapevate che stava lavorando a un articolo sull'FBI? Lasciatemi finire. Sapevate o sospettavate che l'FBI poteva essere coinvolto nel suo omicidio? È per questo che avete spedito quei libri? È per questo che siete venuta da Nero Wolfe? State calma. Le cose stanno così: dobbiamo sapere tutto quello che è a vostra conoscenza.»

Se la cavò egregiamente. Una donna capace di staccare un assegno di centomila dollari senza battere ciglio non può avere l'abitudine di starsene ad ascoltare i ragionamenti di un tirapiedi, ma lei ce la fece. Non contò fino a dieci, almeno non ad alta voce, ma prese il bicchiere, bevve una sorsata, mi lanciò un'occhiata diretta, depose il bicchiere e disse: «Non ho "nascosto" niente. Semplicemente non mi è venuto in mente di parlarvi di Morris Althaus. O almeno, mi è venuto in mente mentre pensavo al suo omicidio, ma non mentre parlavo con il signor Wolfe. Perché era... Perché non sapevo niente. Così come non ne so ancora niente. Ho letto dell'omicidio e mi sono ricordata di aver conosciuto Althaus, ma l'unico nesso che poteva avere con l'FBI era quello di cui mi aveva parlato la signorina Dacos, la mia segretaria, ed erano solo chiacchiere. Neanche lei sapeva niente. E quella storia non è in correlazione con la mia decisione di mandare quei libri. Li ho mandati perché ero convinta che fosse importante che venissero letti da determinate persone. Basta per rispondere alle vostre domande?».

«Sì, ma ne fa nascere un'altra. E non dimenticate che lavoro per vostro conto. Che cosa vi aveva detto la signorina Dacos?»

«Nient'altro che chiacchiere. Viveva nella stessa casa. Ci vive ancora. È...»

«Quale casa?»

«La stessa in cui abitava quell'uomo, Morris Althaus, al Greenwich Village. L'appartamento della signorina Dacos è situato al secondo piano, sotto quello di Althaus. La signorina Dacos era fuori, quella sera, e subito dopo...»

«La sera in cui Althaus venne ucciso?»

«Sì. E smettetela di interrompermi. Subito dopo essere rientrata nel suo appartamento, la Dacos ha sentito per le scale dei passi come di gente che scendeva, e si è incuriosita. È andata alla finestra, ha guardato fuori e ha visto tre uomini che si avviavano verso l'angolo. Ha pensato che fossero agenti dell'FBI. L'unica ragione per pensarlo era che ne avevano l'aria. A sentir lei, erano il "tipo". Come ho detto, non sapeva niente. Né io sapevo che ci fosse un nesso tra Morris Althaus e l'FBI. Mi avete domandato se ero al corrente del fatto che stava lavorando a un articolo sull'FBI. No, non finché non me l'avete detto voi. Sono offesa per la vostra insinuazione. Non ho nascosto niente.» Guardò l'orologio. «È l'una passata, e ho un appuntamento per le due e mezzo. Una riunione d'affari alla quale non posso mancare.»

Premetti un pulsante, due volte di seguito, e le chiesi scusa perché, dopo averla invitata a colazione, la facevo morire di fame. Dopo un paio di minuti arrivò Pierre con l'aragosta, e io gli dissi di portare i piccioncini dopo dieci minuti, senza aspettare che lo chiamassi.

A questo punto sorse una piccola questione di correttezza. Parlando in termini d'affari, avrei dovuto dire alla signora che al Rusterman non permettevano mai di pagare, né a me né a Wolfe, per quello che mangiavamo noi o i nostri ospiti, e quindi il nostro pranzo non sarebbe apparso sulla nota spese. Ma un argomento del genere non mi sembrava adatto ai piccioncini *à la moscovite*, ai funghi *polonaise*, alla *polonaise* e al *soufflé Armenonville*, perciò lasciai correre. Durante il pasto appresi che la signora Bruner aveva ricevuto 607 lettere che la ringraziavano per il libro, nella maggior parte composte solo da un paio di frasi di convenienza; 184 lettere di disapprovazione, alcune delle quali in termini piuttosto forti; e 29 lettere anonime di insulti. Mi sorprese che fossero state solo 29. Tra le persone che avevano ricevuto il libro dovevano esserci almeno un paio di centinaia di membri della John Birch Society[1] o organizzazioni similari.

Giunti al caffè riportai l'argomento sulla signorina Dacos, dopo aver fatto rapidi calcoli. Se Wolfe usciva da Hewitt verso le quattro, sarebbe arrivato a casa alle cinque e mezzo. Ma se ne fosse uscito più tardi, mettiamo alle cinque, sarebbe arrivato alle sei e mezzo, e avrebbe avuto bisogno di conforto dopo il lungo viaggio nella notte in mezzo a migliaia di minacciosi meccanismi. Per ciò qualunque discussione sarebbe stata rimandata a dopo cena. Quando Pierre se ne andò, dopo aver servito il caffè, dissi alla signora Bruner: «Penso che Wolfe vorrà parlare alla signorina Dacos. Può anche essere vero che non ne sappia niente, come dite voi, ma Wolfe preferirà accertare di persona. Volete pregare la signorina di venire qui stasera alle nove, in questa stessa stanza? Come vi ho detto credo che la nostra sede sia controllata dall'esterno».

«Ma vi ho detto che si tratta semplicemente di chiacchiere!»

Risposi che con ogni probabilità aveva ragione, ma una delle specialità di Wolfe era appunto quella di tirar fuori notizie utili dalle chiacchiere della gente. Quando finì il caffè, la condussi nell'ufficio di Felix e ottenni che telefonasse alla signorina Dacos per fissare l'appuntamento. Poi l'accompagnai fuori, aspettai che fosse salita in macchina, tornai dentro e bevvi un'altra tazza di caffè. Avrei aspettato a chiamare Wolfe finché non fossi stato sicuro che aveva finito di mangiare. Mi misi a sedere e studiai la situazione. Mi era sfuggito un particolare: non avevo chiesto se la signorina Dacos era stata presente durante il colloquio che

---

[1] Organizzazione di estrema destra, razzista e supernazionalista.

Morris Althaus e Frank Odell avevano avuto con la signora Bruner. Naturalmente era una domanda alla quale poteva rispondere la signorina Dacos, ma questo è appunto il tipo di particolari che Wolfe si aspetta che non mi lasci sfuggire, così come me l'aspetto io stesso.

Mi chiesi quante probabilità c'erano che fosse stata la signorina Dacos a parlare alla polizia dei tre uomini. Risposi che ce n'erano pochissime. A meno che la ragazza non avesse emendato o arricchito la sua versione prima, quando aveva parlato con la signora Bruner e poi, quando aveva parlato con la polizia. Dalla sua finestra, al numero 63 della strada, non poteva vedere oltre l'angolo, e quindi non poteva prendere il numero della targa di una macchina. Di conseguenza, il racconto della signorina Dacos serviva come riprova, ma solo per la prima alternativa, quella che preferivamo scartare: e cioè che fossero stati gli agenti dell'FBI a uccidere Althaus. Ma tanto peggio: in fondo, secondo il nuovo programma di Wolfe, poteva anche non essere un'alternativa da scartare.

Mi venne in mente che il giorno prima, mentre attraversavo Washington Square durante la mia passeggiata, avevo pensato che Arbor Street era nel Greenwich Village e, guarda coincidenza, Sara Dacos abitava appunto nel Village. Ora sapevo invece che poteva trattarsi di qualcosa di più di una coincidenza: poteva trattarsi di causa ed effetto.

Alle tre entrai nello studio di Felix e formai il numero di Lewis Hewitt. Dev'esserci qualcosa che non va, nel modo in cui a casa di Hewitt maneggiano i telefoni. Passarono quattro minuti buoni, prima che mi arrivasse la voce di Wolfe.

«Sì, Archie?»

«Sì e no» risposi. «Ma più sì che no. Sono al Rusterman. La signora Bruner ha pranzato con me. Se venite qui per le sei e mezzo posso farvi la relazione prima di cena. Tanto vale che ceniamo qui, perché alle nove viene una persona per discutere di certe cose.»

«La persona viene là?»

«Sissignore.»

«Perché non nel mio studio?»

«Sarà meglio qui. A meno che non siate disposto a tenervi sulle ginocchia una bella ragazza per un paio d'ore, con la radio che va a tutto volume.»

«Quale ragazza?»

«Sara Dacos, la segretaria della signora Bruner. Farò rapporto quando arriverete.»

«Se vengo.» Riattaccò.

Formai il numero che conoscevo meglio di qualunque altro e dissi a Fritz che avremmo cenato al Rusterman. Quindi doveva rimandare al giorno dopo le costolette di cervo. Poi cercai il numero della signora Althaus e lo formai, ma quando la signora venne all'apparecchio avevo ormai deciso di non chiederglielo per telefono. Tutto quello che volevo sapere era se aveva mai sentito suo figlio nominare una certa Sara Dacos. Avevo tre ore di tempo, perciò tanto valeva che facessi due passi. Le chiesi se mi avrebbe ricevuto, se fossi arrivato verso le quattro e mezzo, e lei rispose di sì. Mentre uscivo dal locale, avvertii Felix che Wolfe e io avremmo cenato da lui.

9

Di ritorno nella stanza dalle pareti ultradifese contro ogni rumore, mi allungai su una poltroncina, gli occhi fissi sulla punta delle scarpe. Stavo riassumendo mentalmente tutto quel pasticcio per la decima volta, quando Felix accompagnò nella stanza Wolfe: erano le sette meno venti. Sapendo che era un'ora di punta per il ristorante, spinsi fuori Felix e aiutai Wolfe a togliersi cappello e cappotto. Poi dissi che speravo che il suo viaggetto fosse stato interessante.

Emise un grugnito e andò a piazzarsi nella poltrona che anni prima Marko Vukcic aveva comperato per l'uso esclusivo del suo amico Wolfe. Quando Wolfe non va al ristorante, quella poltrona viene tenuta nel vano che era lo studio personale di Vukcic. «Sono arrivato alla conclusione» cominciò Wolfe «che al giorno d'oggi gli uomini sono per metà eroi e per metà idioti. Solo gli eroi possono sopravvivere nel caos, e solo gli idioti possono desiderarlo.»

«Non è facile muoversi con questo traffico» ammisi «ma dopo cena vi sentirete meglio. Felix ci ha preparato l'anatra.»

«Lo so.» Mi lanciò un'occhiataccia. «Vi state divertendo.»

«Finora sì. Ora non ne sono più sicuro. Com'è andata con Hewitt?»

«Maledizione, anche lui si diverte! È tutto pronto. Come al solito, Saul è stato molto utile. Soddisfacente.»

Mi misi a sedere accanto a lui. «Il mio rapporto, invece, può non essere soddisfacente. Ma ha alcuni punti interessanti. Per cominciare dalla fine, la signora Althaus afferma di non aver mai sentito suo figlio nominare Sara Dacos.»

«Perché avrebbe dovuto?»

«Questo è uno dei punti. Causa ed effetto.»

Sottolineai l'operazione di sgancio dai *G-men*. Era stato il nostro primo vero contatto con il nemico, ed ero del parere che Wolfe dovesse essere messo al corrente di come ce l'eravamo cavata.

Certo la poltrona del Rusterman non è comoda come quella dello studio ma non è niente male, e Wolfe si sentiva quasi come a casa. Quando finii non mosse muscolo. Non aprì neanche un occhio. Rimasi immobile anch'io per almeno tre minuti, e alla fine dissi: «Naturalmente mi rendo conto che tutto ciò che ho detto vi ha annoiato... Ammesso che vi siate preso la briga di ascoltare. Non ve ne importa un accidenti di chi ha ucciso Morris Althaus. V'interessa solo l'anatra che stanno preparando da basso, e al diavolo tutti gli assassini del mondo. Vi ringrazio per non esservi messo a russare. Sapete come a volte sia ipersensibile».

Aprì gli occhi. «Pfui» grugnì. «Posso dire soddisfacente, e lo dico. Soddisfacente. Ma avreste potuto fare di meglio. Avreste potuto far venire quella donna questo pomeriggio, invece di stasera.»

Feci un cenno d'assenso. «Non solo siete annoiato, ma avete anche i riflessi rallentati. Avete affermato che dobbiamo preferire di gran lunga la seconda alternativa, perciò dobbiamo fare del nostro meglio per tentare di ottenerla. Sara Dacos si trovava in quella casa, se non mentre Althaus veniva ucciso certo subito dopo. Non è escluso che possa darci una mano per chiarire un paio di cosucce. Se volete...»

La porta venne aperta ed entrò Pierre con un vassoio carico. Guardai l'orologio: le sette e un quarto. E così, Wolfe aveva dato ordine a Felix di servirci alle sette e un quarto. Accidenti, se non altro un principio lo rispettava. E certo ne avrebbe rispettato anche un altro: a tavola non si parla di lavoro. Si alzò e uscì per andare a lavarsi le mani. Quando ritornò, Pierre aveva già servito i gamberetti e stava dietro la poltrona di Wolfe. Wolfe si mise a sedere, s'infilò in bocca una forchettata di gamberetti, usò denti e lingua, inghiottì, fece un cenno d'assenso e disse: «Il signor Hewitt ha fatto quattro innesti di *Miltonia sandarae* e *Odontoglossum pyramus*. Vale la pena di vederli».

E così avevano avuto persino il tempo per visitare la serra.

Verso le otto e mezzo arrivò Felix: chiese se potevamo concedergli un minuto per discutere il problema della spedizione via aerea dalla Francia di *langoustes*. Saltò fuori che, in realtà, voleva l'approvazione di Wolfe sull'uso di *langoustes* congelate, e non l'ottenne. Ma Felix era testardo, e stava ancora discutendone quando arrivò Sara Dacos, introdotta da Pierre. Erano le nove esatte. Le tolsi il cappotto e le chiesi se voleva del caffè. Accettò. La feci sedere vicino al tavolo e aspettai che Felix fosse uscito, prima di presentarla a Wolfe.

Wolfe è abilissimo nel giudicare gli uomini alla prima occhiata, ma non le donne: è infatti convinto che qualsiasi opinione uno si possa formare su una donna, prima o poi risulta sbagliata. Guardò Sara Dacos, naturalmente, dato che doveva parlarle. E le disse che certo la signora Bruner le aveva parlato del suo colloquio con lui.

La ragazza non era più effervescente come quando l'avevo vista nel suo ufficio. Gli occhi nocciola non ridevano. La signora Bruner aveva detto che Sara aveva fatto semplicemente delle chiacchiere. Forse adesso, nell'affrontare il colloquio con Wolfe, si rendeva conto di aver chiacchierato troppo. Disse di sì, che la signora Bruner le aveva parlato del colloquio. Wolfe sbatté le palpebre. La luce, là dentro, non era come quella dello studio, e per giunta Wolfe aveva avuto una giornata dura. «Il mio interesse è accentrato su Morris Althaus» disse poi. «Lo conoscevate bene?»

Lei scosse la testa. «No, non direi.»

«Vivevate nello stesso edificio.»

«Be'... A New York una cosa simile non significa niente, e voi lo sapete. Mi sono trasferita là un anno fa, e quando ci siamo incontrati per le scale, una volta, ci siamo accorti di esserci già visti prima nello studio della signora Bruner, il giorno in cui lui c'era venuto con quell'altro, Odell. Dopo di che qualche volta abbiamo cenato insieme... Un paio di volte al mese, diciamo.»

«Senza giungere a una determinata forma d'intimità?»

«No. Qualunque cosa intendiate per "intimità", noi non eravamo intimi.»

«Stabilito questo, possiamo arrivare al punto. La sera di venerdì venti novembre dovevate cenare con il signor Althaus?»

«No.»

«Ma eravate fuori?»

«Sì. Ero andata a una conferenza della New School.»

«Sola?»

Sorrise. «Siete come il signor Goodwin. Volete provare che siete un investigatore. Sì, ero sola. Era una conferenza sulla fotografia. La fotografia m'interessa.»

«A che ora siete rientrata?»

«Poco prima delle undici. Verso le undici meno dieci. Avevo deciso di ascoltare il notiziario radiofonico delle undici.»

«E poi? Siate quanto più precisa potete.»

«Non c'è molto su cui essere precisi. Sono arrivata a casa, ho fatto due rampe di scale... abito al secondo piano... e sono entrata nel mio appartamento. Mi sono tolta il cappotto e ho bevuto un bicchiere d'acqua. Stavo per spogliarmi, quando ho sentito sulle scale dei passi. Mi è parso che quei passi fossero cauti di proposito, e mi sono incuriosita. Ci sono solo quattro piani, nell'edificio, e l'inquilina dell'ultimo piano era via... Era partita per la Florida. Sono andata alla finestra e l'ho aperta quel tanto che basta per cacciar fuori la testa: ho visto uscire tre uomini, che hanno svoltato a sinistra e hanno superato l'angolo, camminando in fretta.» Fece un gesto. «È tutto.»

«Quegli uomini, o uno di loro, hanno sentito che avete aperto la finestra e si sono voltati a guardare?»

«No. L'avevo aperta prima che uscissero.»

«Parlavano tra loro?»

«No.»

«Li avete riconosciuti?»

«No. Naturalmente no.»

«Non è necessario quel "naturalmente". Non li avete riconosciuti, comunque.»

«No.»

«Potreste identificarli?»

«No. Non li ho visti in faccia.»

«Avete notato qualcosa di particolare... nella struttura fisica, nel modo di camminare?»

«Be'... no.»

«No?»

«No.»

«E poi siete andata a letto?»

«Sì.»»

«Dopo che siete rientrata, prima di sentire i passi sulle scale, avete sentito qualche rumore proveniente dal piano superiore, dall'appartamento del signor Althaus?»

«No, anche perché mi muovevo: mi sono tolta il cappotto e l'ho riposto. E per giunta stavo facendo scorrere l'acqua perché si rinfrescasse. E poi, il soggiorno di Morris Althaus ha sul pavimento un tappeto piuttosto alto.»

«Lo conoscevate, dunque.»

Fece un cenno affermativo. «Ci sono stata tre o quattro volte a bere qualcosa, prima di andare a cena con lui.» Prese la tazzina del caffè: le sue mani erano sicure. Dissi che il caffè doveva essere freddo e mi offrii di versargliene dell'altro, ma lei replicò che andava benissimo e bevve. Wolfe se ne versò un po' per sé e bevve a sua volta.

«Come e quando» chiese poi «avete saputo che Althaus era stato ucciso?»

«La mattina dopo. Il sabato non lavoro e dormo fino a tardi. Irene, la donna delle pulizie, andò a bussare alle nove passate.»

«Siete stata voi a telefonare alla polizia?»

«Sì.»

«E avete riferito di aver visto i tre uomini che se ne andavano dalla casa?»

«Sì.»

«Avete anche affermato che, a vostro avviso, erano agenti dell'FBI?»

«No. Non avevo... Ero sconvolta. Non avevo mai visto un cadavere, prima di allora... O, almeno, li avevo visti solo tranquillamente composti nelle camere ardenti.»

«Quando avete detto alla signora Bruner che pensavate che fossero agenti dell'FBI?»

Mosse le labbra, esitante. «Lunedì.»

«Perché avete pensato che fossero agenti dell'FBI?»

«Perché ne avevano l'aria. Sembravano giovani e... be', atletici. E poi il loro modo di camminare...»

«Avete detto che non avevano nulla di particolare.»

«Certo. Non... Non mi sembra che tutto ciò sia qualcosa di particolare.» Si morse le labbra. «Sapevo che ci sarei cascata. Sarà meglio che ammetta... La ragione principale era che sapevo come la pensava la signora Bruner sull'FBI. L'avevo sentita parlare di quel libro ed ero convinta che le sarebbe piaciuto... Cioè, che quello che avrei detto le sarebbe andato a genio. Signor Wolfe, non mi è facile ammettere tutto questo. So che impressione può fare. Spero che non lo direte alla signora Bruner.»

«Glielo dirò solo se necessario.» Wolfe prese la tazza, bevve, la posò nuovamente sul tavolo e si voltò verso di me. «Archie?»

«Un paio di particolari» risposi, guardando Sara Dacos, che ricambiò lo sguardo. Gli occhi color nocciola sembravano più scuri, quando fissavano con intensità. «Ovviamente, la polizia vi ha chiesto quando avete parlato per l'ultima volta con Althaus. Quando è accaduto?»

«Tre giorni prima... prima di quel venerdì. Martedì mattina, nell'atrio, solo per un paio di minuti. E per caso.»

«Vi disse che stava scrivendo un pezzo sull'FBI?»

«No. Non parlava mai del suo lavoro.»

«Quando siete stata con lui a lungo, per l'ultima volta? A cena, per esempio.»

«Non ne sono sicura. Circa un mese prima, comunque, in ottobre. Avevamo cenato insieme.»

«Al ristorante?»

«Sì. Al Jerry's Joint.»

«Avete mai incontrato la signorina Marian Hinckley?»

«Hinckley? No.»

«O un certo Vincent Yarmack?»

«No.»

«Neanche un certo Timothy Quayle?»

«No.»

«Althaus ha mai fatto uno di questi nomi?»

«No, almeno per quanto ricordi. Ma può darsi che li abbia appena accennati.»

Inarcai un sopracciglio, guardando Wolfe. Lui guardò Sara per un paio di secondi, grugnì e le disse che dubitava che gli avesse fornito notizie utili, perciò la sera poteva esser considerata sprecata. Mentre parlava, andai a prendere il cappotto di Sara, poi la aiutai a infilarlo.

Wolfe non si alzò. A volte, quando entra o esce una donna, si alza, comunque deve avere delle regole segrete che ancora non sono riuscito a scoprire. Sara Dacos disse che non c'era bisogno che mi disturbassi ad accompagnarla all'uscita, ma volendo dimostrarle che esistono anche degli investigatori privati che conoscono l'educazione, la seguii. Sul marciapiede, mentre il portiere del ristorante faceva cenno a un taxi, lei mi posò la mano sul braccio e disse che ci sarebbe stata *molto* grata se non avessimo detto niente alla signora Bruner. Le accarezzai una spalla con aria paterna. Le carezze sulle spalle possono voler dire qualunque cosa, dalla promessa alla comprensione, e solo il futuro può stabilire che cosa di preciso.

Quando ritornai al primo piano, Wolfe era ancora sprofondato nella poltrona, le dita incrociate sulla vetta dello sferico pancione. Quando mi voltai, dopo aver chiuso la porta, grufolò: «È bugiarda?».

Risposi: «Certamente» e andai a sedermi.

«Come diavolo fate a saperlo?»

«E va bene, tagliamola corta: io me ne intendo, di belle ragazze, e voi no, anche perché così vi siete messo in testa. Ma persino voi dovete rendervi conto che Sara Dacos non è tanto cretina da inventare di sana pianta quella storia sugli agenti dell'FBI solo per fare cosa gradita alla signora Bruner. Dubito addirittura che sia cretina. Se ha raccontato quella storia alla sua padrona, deve aver avuto una buona ragione, e non può essersi basata solo sul modo di camminare di quei tizi. Una buona ragione, ma sa Dio quale. Una supposizione che ne vale mille altre: quando è entrata in casa ha sentito dei rumori nell'appartamento di Althaus, ha salito una rampa di scale ed è andata a origliare alla porta. Come tesi non mi piace molto: infatti, se fosse successo così, perché la Dacos non l'ha riferito alla polizia? Punterei su qualcosa che avrebbe preferito non andare a raccontare in giro. Per esempio: sapeva che Althaus stava lavorando a un articolo sull'FBI e...»

«Come faceva a saperlo?»

«Oh, i loro rapporti *erano* diventati intimi. È una delle bugie che le donne dicono più facilmente: la ripetono da almeno diecimila anni. Molto conveniente, del resto: abitavano nella stessa casa, ad Althaus le donne piacevano, e Sara non è da buttar via. E così, Althaus le aveva parlato dell'articolo; magari le aveva anche detto che l'FBI poteva introdursi in casa sua quando lui era assente. E lei...»

«Sarebbe perciò salita a controllare se Althaus era in casa.»

«Appunto. Lo fece dopo che i tre uomini se ne andarono, ma la porta era chiusa e lei non aveva la chiave. Bussò, suonò, e nessuno rispose. Ricordatevi però che sto cercando semplicemente di rispondere alla vostra domanda. Ha mentito? Sì.»

«Allora abbiamo bisogno della verità. Procuratevela.»

Scorretto. Molto. Non è vero che Wolfe sia convinto che a me basti portare una ragazza al Flamingo e ballare con lei per un paio d'ore per arrivare a scoprire i suoi più riposti segreti, ma finge di crederlo perché sa che così io ce la metto tutta.

«Ci penserò» risposi. «Ci dormirò sopra... sul divano. Posso cambiare argomento, ora? Ieri sera mi avete chiesto se ero in grado di escogitare qualcosa tale da spingere Wragg a credere che l'omicidio è stato commesso da uno dei suoi uomini. Io ho risposto di no. Invece la risposta è sì. Pedinano apertamente Sara Dacos, perciò sanno che è stata qui, e quasi certamente sanno anche che ci siete voi. Inoltre, sanno che abita al numero 63 di Arbor Street ma non sanno che cos'ha sentito o visto quella sera. Di conseguenza, giungeranno alla conclusione che è venuta a parlarvi dell'omicidio. Dovrebbe bastare.»

«Infatti. Soddisfacente.»

«Già. Ma se prendiamo un taxi, andiamo a casa di Cramer e passiamo un'oretta con lui, giungeranno alla conclusione, senza ombra di dubbio, che abbiamo qualcosa da dirgli a proposito di quell'omicidio non risolto e che il qualcosa l'abbiamo saputo da Sara Dacos. Questo sì che sarebbe utile.»

Scosse il capo. «Abbiamo dato a Cramer la nostra parola d'onore.»

«Gli ho promesso solo che non avrei detto che ci siamo visti e che lui ha vuotato il sacco. Andiamo da lui semplicemente perché, nel tentativo di scovare qualcosa contro l'FBI, ci siamo imbattuti nel caso Althaus, e siccome del caso Althaus si occupa lui e Sara Dacos ci ha riferito un particolare che riteniamo Cramer debba conoscere, abbiamo deciso di metterlo al corrente. La nostra parola d'onore resta intatta.»

«Che ore sono?»

Guardai l'orologio. «Le dieci meno tre.»

«Il signor Cramer sarà già a letto, e per giunta non abbiamo niente da raccontargli.»

«Questo lo dite voi. Abbiamo parlato con una persona convinta di aver visto degli agenti dell'FBI sulla scena del delitto. La notizia sarà nettare e ambrosia, per Cramer.»

«No. Passeremo la signorina Dacos al signor Cramer solo se e quando saremo riusciti a farle dire la verità.» Spinse indietro la poltrona. «Fatela parlare entro domani. Sono stanco. Andiamo a casa. A letto.»

10

Alle dieci e trentacinque di sabato mattina infilai una chiave nella toppa del portone del numero 63 di Arbor Street, salii due rampe di gradini di legno, usai un'altra chiave ed entrai nell'appartamento che era stato di Morris Althaus.

Stavo seguendo una mia teoria a proposito del modo di cavar fuori la verità da Sara Dacos. Ammetto che era un attacco un po' troppo indiretto, data soprattutto la limitatezza del tempo a mia disposizione, ma sempre meglio che tentare di convincere la ragazza a venire a ballare con me al Flamingo. La limitatezza del tempo era stata resa evidente da un articoletto apparso sulla ventottesima pagina del quotidiano del mattino, che avevo letto durante la colazione. Era intitolato *Scaramanzia?* e diceva:

I membri dell'organizzazione i Dieci Perfezionisti, uno dei più selezionati gruppi di buongustai di New York, non crede evidentemente che la storia possa ripetersi. Lewis Hewitt, industriale, amante delle orchidee e della buona cucina, inviterà il gruppo nella sua casa di North Cove, Long Island, giovedì sera, 14 gennaio. Il menu sarà scelto da Nero Wolfe, il noto investigatore privato, e la cena sarà cucinata da Fritz Brenner, cuoco del signor Wolfe. Il signor Wolfe e Archie Goodwin, suo aiutante, saranno presenti come ospiti.

L'avvenimento riporta alla memoria un'altra occasione durante la quale il signor Brenner cucinò per i Dieci Perfezionisti: avvenne nella casa dell'armatore Benjamin Schriver, e anche allora erano presenti come ospiti Nero Wolfe e Archie Goodwin. Era il primo aprile 1958, e uno dei Dieci, Vincent Pyle, proprietario di un'agenzia di cambio, fu avvelenato con dell'arsenico spolverato sulla prima portata. Vincent Pyle era stato servito da Carol Annis, che in seguito venne condannata per omicidio di primo grado.

Ieri un giornalista del «Times», ricordando quel precedente, ha telefonato al signor Hewitt per chiedergli se qualcuno dei Dieci Perfezionisti (perfezionisti quanto a gastronomia) si fosse dimostrato riluttante ad accettare l'invito per il giovedì successivo. Il signor Hewitt ha risposto di no. Quando il giornalista gli ha chiesto se avrebbe tenuto in tasca un portafortuna per scaramanzia, Hewitt ha risposto: «Come potrei? Ho un abito dal taglio perfetto, e non vorrei certo rovinarne la linea gonfiandomi le tasche».

Senza dubbio sarà un'ottima cena.

La discussione si era accesa quando si trattò di definire la data della cena: giovedì, 14 gennaio. Secondo me, il giornale doveva dare la notizia senza impegnarsi tanto. Avrebbe potuto riferire per esempio che la cena avrebbe avuto luogo "entro il mese". Wolfe aveva risposto che Hewitt, invitando i suoi amici perfezionisti, doveva pur stabilire una data. Io avevo ribattuto che poteva sempre dire che la data sarebbe stata definita in seguito, perché dipendeva dal giorno in cui Fritz riceveva la merce spedita dalla Francia. Ai buongustai piacciono le leccornie spedite dalla Francia. Ma Wolfe aveva insistito, e ormai eravamo con le spalle al muro: ci restavano solo cinque giorni. Di conseguenza, anche se l'attacco un po' indiretto che stavo conducendo verso Sara Dacos non mi piaceva troppo, non avevo altra scelta. Subito dopo colazione, avevo telefonato alla signora Althaus per chiederle se poteva concedermi dieci minuti. Aveva risposto di sì e io c'ero andato subito, naturalmente senza preoccuparmi dei pedinatori. Più mi vedevano lavorare intorno al caso Althaus, meglio era. Avevo riferito alla signora Althaus che avevamo scoperto nuovi bandoli della matassa e che le avremmo dato notizie non appena ne fossimo venuti a capo. Le avevo anche spiegato che poteva esserci utile se mi permetteva di dare un'occhiata a tutto ciò che si era trovato nell'appartamento di suo figlio, o almeno a tutto ciò che ne era rimasto. La signora aveva risposto che era rimasto tutto: il contratto d'affitto scadeva da lì a un anno, quasi, e lei non aveva neppure tentato di subaffittare l'appartamento. Nessuno aveva toccato niente: nemmeno la polizia. O almeno, non aveva chiesto il permesso di portare via qualcosa. Le avevo promesso che non avrei toccato niente neanch'io, se mi avesse permesso di recarmici a dare un'occhiata. Mi aveva teso le chiavi senza prima telefonare all'avvocato e nemmeno al marito. Forse piaccio più alle donne di mezza età che alle giovani, ma non andate a raccontarlo a Wolfe.

E così alle dieci e trentacinque di sabato mattina entrai nell'appartamento del fu Morris Althaus, chiusi la porta e misi in movimento gli occhi. A parte i quadri, non era niente male. Come aveva detto Sara Dacos, il tappeto, che copriva tutta la stanza, era spesso. C'erano un grande divano con di fronte un tavolino, una bella poltrona vicino a una lampada, altre quattro poltroncine, un tavolinetto con sopra un oggetto che sembrava costruito da un bambino con i ferri vecchi trovati nel garage del padre, una grande scrivania con sopra solo il telefono, e una macchina per scrivere su una mensola. Le pareti erano in buona parte ricoperte da mensole cariche di libri fino al soffitto. Meno parlo dei quadri che coprivano il resto delle pareti, meglio è. Sarebbero andati bene per giocare agli indovinelli. Ammesso che qualcuno fosse mai stato capace di risolverli.

Posai cappello e cappotto sul divano e mi detti da fare. Prima affrontai due armadi nel soggiorno, poi passai nel cucinino, nel bagno, nella camera da letto con il letto a una sola piazza. C'era anche un cassettone, una toilette, due poltrone, un armadio pieno di vestiti. Sulla toilette, fotografie in cornice di papà e mamma; il che significava che Althaus non aveva dato le dimissioni dalla famiglia, ma solo da Peggy Pilgrim. Ritornai nel soggiorno e cominciai a guardarmi in giro. Con le tende abbassate non c'era abbastanza luce, perciò girai l'interruttore. La polvere su tutto ciò che mi circondava era alta mezzo dito, ma io ero entrato dopo aver chiesto il permesso a chi di dovere, perciò non mi preoccupai delle impronte.

Naturalmente non mi aspettavo di trovare qualcosa che puntasse l'indice accusatore contro qualcuno in particolare, tanto più che la stanza era già stata perquisita dalla polizia. Comunque, io mi sentivo d'avere un certo vantaggio, perché mentre la polizia non aveva avuto in mente nessuno di specifico, io ce l'avevo: Sara Dacos. Sono sicuro che vorreste avere un inventario completo di quello che la casa conteneva, soprattutto a proposito degli oggetti trovati nei cassetti e negli armadi, ma mi ci vorrebbe troppo spazio. Accennerò a un unico particolare: alle 384 pagine del romanzo incompiuto. Ne lessi una pagina e mezzo. Per appurare se conteneva un personaggio che potesse riallacciarsi a Sara Dacos ci avrei messo una giornata intera, perciò lasciai perdere.

L'unico altro oggetto al quale accennerò lo trovai in fondo al cassetto inferiore del cassettone, in camera da letto. Insieme a un cumulo di articoli vari, c'erano una dozzina di fotografie. Nessuna rappresentava Sara Dacos, ma una mi colpì in modo particolare: ritraeva Morris Althaus, con indosso nient'altro che la pelle, sdraiato sul divano del soggiorno. Prima di allora non l'avevo mai visto nudo, perché le fotografie pubblicate dalla «Gazette» erano ben pudiche. Mi parve in perfetta forma: muscoli in vista, ventre piatto. Ma il retro della fotografia era ancora più interessante. Qualcuno ci aveva scritto una poesia, o parte di una poesia. In seguito mi autorizzarono a riprodurla, perciò eccola:

Non conosco certo tutte le poesie del mondo, ma Lily Rowan ha una mensola carica di libri di poesia e di tanto in tanto vuole che io gliene legga qualcuna ad alta voce. Ero sicuro di aver già letto quella della fotografia, ma mi sembrava che ci fosse qualcosa che non andava. Tentai di scoprire che cosa, ma non ci riuscii. Comunque, l'importante era: chi l'aveva scritta? Certo non Morris Althaus. Avevo visto la sua calligrafia su altri fogli, poco prima. Sara Dacos? In questo caso, il particolare poteva assumere un significato importante. Deposi la fotografia sul cassettone, passai un'altra ora a rovistare ma non trovai niente.

Avevo promesso alla signora Althaus che non avrei portato via niente senza il suo permesso, ma ero tentato di farlo. Potevo prendere la fotografia, portarla non fuori dell'edificio, ma solo al piano inferiore, bussare alla porta di Sara Dacos e se la ragazza era in casa, dato che era sabato, chiedere: "L'avete scritto voi questo?". Era una tentazione violenta, irresistibile, diretta. Troppo diretta, però. Dovevo attenermi all'attacco indiretto prestabilito. Lasciai l'appartamento e la casa, trovai un telefono, chiamai la signora Bruner, le dissi che dovevo parlarle, e lei rispose che sarebbe stata in casa fino all'una. Erano solo le dodici e venti. Uscii dalla cabina e saltai su un taxi.

La Bruner, che si trovava nel suo studio, mi stava aspettando. Mi chiese se la signorina Dacos era venuta all'appuntamento, come d'accordo. Aggiunse che pensava che la signorina le avrebbe telefonato, dopo aver parlato con noi, ma non l'aveva fatto. Risposi che era venuta ed era stata assai utile. Sottolineai quell'assai, dato che con ogni probabilità la stanza era controllata. Poi mi misi a sedere, mi chinai verso di lei e sussurrai: «Vi dispiace se parlo a bassa voce?».

Si accigliò. «Ma è ridicolo!»

«Forse» sussurrai «ma è più sicuro. Non c'è bisogno che parliate molto. Voglio semplicemente un campione della calligrafia della signorina Dacos. Sarà sufficiente... un appunto, una frase scritta. Mi rendo conto che questo vi sembrerà ancora più ridicolo, ma in realtà non lo è. Non chiedetemi di spiegarvi le ragioni: adesso non posso. Seguo delle istruzioni. O vi fidate ciecamente dell'abilità del signor Wolfe, o non c'è nulla da fare.»

«Ma perché mai...» cominciò, ma io l'interruppi con un gesto.

«Se non volete parlare a bassa voce» sussurrai «datemi ciò che vi ho chiesto e me ne vado.»

Quando uscii, cinque minuti dopo, con in tasca due campioni della calligrafia di Sara Dacos – un appunto di nove parole tracciato su un foglio di calendario e un promemoria di sei righe indirizzato alla signora Bruner – ero ormai convinto che le donne di mezza età sono la spina dorsale degli Stati Uniti. La Bruner non aveva sussurrato, ma aveva aperto un cassetto, tirato fuori il promemoria e staccato l'appunto dal calendario. Me li aveva porti e aveva detto, a voce più alta del solito: «Fatemelo sapere, quando avrete degli elementi che anch'io possa sapere». Che cliente!

In taxi studiai i due esempi di scrittura e quando salii le tre rampe di scale del numero 63 di Arbor Street ero ormai sicuro al novanta per cento. Andai a prendere la fotografia in camera da letto, mi sistemai nella bella poltrona vicino alla lampada e studiai le analogie. Non sono un grafologo, ma non era necessario esserlo. Il promemoria e l'appunto erano stati scritti dalla stessa mano che aveva tracciato la poesia dietro la foto. Con ogni probabilità, era stata Sara Dacos anche a scattare la foto, ma questo non aveva importanza.

Giunsi a una conclusione: e cioè che la memoria della ragazza aveva fatto cilecca, quando Wolfe le aveva chiesto se i suoi rapporti con Morris Althaus erano stati intimi.

Ora sorgeva un nuovo problema: dovevo telefonare alla signora Althaus per chiederle il permesso di portare con me la fotografia, o dovevo lasciarla lì? Decisi che lasciarla sarebbe stato troppo pericoloso. In un modo o nell'altro Sara poteva entrare nell'appartamento e impossessarsene. Presi dalla scrivania un foglio, lo piegai e ci misi in mezzo la fotografia. La foto era appena troppo grande per il taschino della giacca, ma riuscii ugualmente a infilarcela. Mi guardai intorno, per forza d'abitudine, mi assicurai che tutto fosse come quando ero entrato e uscii con il mio bottino. Quando passai davanti alla porta di Sara Dacos, buttai un bacio da quella parte. Poi mi venne in mente che meritava qualcosa di più di un semplice bacio, tornai indietro e detti un'occhiata alla serratura. Era della stessa marca di quella di Althaus, una Bermatt, niente di speciale.

Dallo stesso telefono dal quale avevo telefonato alla signora Bruner chiamai la signora Althaus, le dissi che avevo lasciato tutto in ordine nell'appartamento e le chiesi se voleva che le riportassi subito le chiavi.

Rispose di fare pure con comodo.

«A proposito» dissi «ho preso un oggetto, spero che non vi spiaccia... una fotografia che ho trovato in un cassetto. Ritrae un uomo e voglio vedere se riesco a trovare qualcuno che lo riconosce. Vi dispiace?»

Rispose che ero molto misterioso, ma non le dispiaceva affatto. Potevo prenderla. Avrei voluto dirle tanto che cosa pensavo delle donne di mezza età, ma i nostri rapporti non erano abbastanza intimi. Formai un altro numero, dissi alla donna che rispose, una certa Mimi, che volevo parlare con la signorina Rowan, e dopo un attimo sentii la voce che conoscevo tanto bene.

«Pranzo tra dieci minuti. Sei invitato.»

«Ma tu sei troppo giovane per me. Ho deciso che le donne sulla cinquantina sono... Sono... Non trovo il termine adatto.»

«Andrebbe bene "sterili"?»

«Niente di più errato. Ci penso sopra, poi te lo dico. Te lo dico stasera. Però due cose te le dico. Prima di tutto, per mezzanotte devo essere a casa. Dormo nello studio e... ma te lo spiegherò quando ci vediamo.»

«Santo cielo! Wolfe ha affittato la tua stanza?»

«Sì, l'ha fatto, per una notte almeno. Ma le ragioni non te le spiegherò. Aspetta un momento.» Passai il ricevitore nella mano destra e usai la sinistra per tirar fuori dal taschino la fotografia. «Ho qui una poesiola. Ascolta.» La lessi, con sentimento. «La riconosci?»

«Certo. Anche tu dovresti riconoscerla.»

«No. Non la riconosco. Cioè, mi sembra di averla sentita ma non la ricordo.»

«Male. Dove l'hai trovata?»

«Un giorno te lo dirò. Che cos'è?»

«È un rifacimento degli ultimi quattro versi della seconda stanza dall'*Ode su un'urna greca* di Keats. Piuttosto ben fatto, ma nessuno dovrebbe permettersi di scherzare con Keats. Escamillo, sei un ottimo investigatore e balli come un angelo, e possiedi altre qualità notevoli, ma non diventerai mai un intellettuale. Vieni a leggermi Keats.»

Risposi che era troppo poco sterile per i miei gusti, riattaccai, infilai la fotografia in tasca, uscii e presi il quinto taxi in cinque ore. La cliente poteva permetterselo.

Erano le due meno cinque, quando appesi cappello e cappotto all'attaccapanni nell'atrio. Mi fermai sulla soglia della sala da pranzo, dissi a Wolfe, che era a tavola, che tra poco avrebbe nevicato, e procedetti verso la cucina. Non mi unisco mai a Wolfe quando arrivo a metà di un pasto; abbiamo deciso che se uno si affretta a ingollare la carne o il pesce mentre l'altro si attarda sul dolce o sul caffè, l'atmosfera si rovina. Fritz apparecchiò il tavolo in cucina e mi portò quello che era rimasto delle trote. Gli chiesi come procedevano le cose per la cena di giovedì.

«Non ne parlo neanche» rispose lui. «Non parlo di niente, Archie. Prima del pranzo siamo rimasti nella mia camera per più di un'ora, con la televisione che andava a tutto volume. Se è tanto pericoloso, non aprirò più bocca.»

Gli dissi che le cose sarebbero tornate normali per la stagione in cui sarebbero cominciate ad arrivare le uova di alosa, e lui alzò le braccia al cielo e disse Buon Dio in francese.

Finito di mangiare andai nello studio: Wolfe era in piedi vicino al mappamondo. Lo faceva girare lentamente e lo fissava con una faccia assai scura. L'uomo che gli aveva regalato un mappamondo, il mappamondo più grosso che avessi mai visto, certo non aveva immaginato quanto utile sarebbe stato il suo regalo. Tutte le volte che una situazione si fa ingarbugliata al punto da fargli desiderare di essere altrove, Wolfe si piazza vicino al mappamondo e sceglie i posti nei quali vorrebbe trovarsi in quel momento. Splendido. Quando entrai, chiese se avevo delle novità, e alla mia risposta affermativa si avvicinò alla scrivania e accese la radio. Presi una delle sedie gialle, andai a piazzarmi accanto a lui e feci rapporto. Non ci misi molto, dato che non avevo conversazioni da raccontare, ma solo azioni. Non accennai alla telefonata a Lily Rowan perché era stata strettamente personale.

Dopo aver letto due volte la poesia, mi rese la fotografia e disse che la signorina Dacos aveva orecchio per la metrica.

«Ve l'avevo detto che non è una stupida» commentai.

«Mica male, riuscire a tirar fuori una cosa del genere dagli ultimi quattro versi della seconda stanza dell'*Ode su un'urna greca* di Keats.»

Strinse gli occhi. «Come diavolo fate a saperlo? Voi non leggete Keats.»

Mi strinsi nelle spalle. «Lo leggevo da ragazzo, nell'Ohio. Come sapete, la mia memoria funziona alla perfezione. Non me ne vanto. Mi vanto invece di quello che ho scoperto.» Picchiai l'indice sulla fotografia. «Ora sappiamo perché Sara Dacos ha mentito. Perché è coinvolta nella faccenda. Forse non a fondo. Forse si tratta semplicemente di una forma di reticenza nell'ammettere che era in rapporti intimi con Althaus, tanto intimi da aver potuto essere al corrente che lavorava a un articolo sull'FBI. O forse *molto* a fondo. Lui le ha detto che stava per sposare un'altra, e lei ha sparato, probabilmente con la sua stessa pistola. La seconda alternativa, è quella che preferiamo. Ma sarà difficile provare che è stata lei. Può essere in grado di provare che ha assistito a quella conferenza, ma non l'ora in cui è uscita. Chissà, forse non ci è neanche andata. Ha passato la serata al numero 63 di Arbor Street a farla fuori con il suo amante impudente, e ha sparato prima dell'arrivo dei *G-men*. Vi convince, come tesi?»

«Sì, mica male.»

«Allora dovrò appurare la faccenda della conferenza. Sara Dacos potrebbe avere un alibi inoppugnabile. Secondo Cramer, i *G-men* hanno lasciato la casa verso le undici, e naturalmente avevano perquisito a fondo l'appartamento, avessero ucciso o no Althaus. Senza dubbio si sono impossessati del materiale che Althaus aveva raccolto. Di conseguenza, devono essere arrivati prima delle dieci e quaranta, diciamo verso le dieci e mezzo. Se è stata lei a uccidere Althaus, dev'essersene andata prima del loro arrivo. La New School si trova nella Dodicesima Strada. Se Sara Dacos è stata vista alla New School dalle dieci e venti alle undici meno un quarto, è a posto.»

«No.»

«No?»

«No. Se si accorgessero che svolgete un controllo del genere, o sorvegliandovi o a causa di una vostra negligenza, si renderebbero conto che prendiamo seriamente in considerazione la possibilità che sia stata quella donna a uccidere Althaus, e questo avrebbe conseguenze disastrose. Dobbiamo dar loro la sensazione che siamo convinti che Morris Althaus è stato ucciso da un membro del Federal Bureau of Investigation e che ce ne stiamo procurando le prove. Altrimenti ciò che prepariamo per giovedì non servirà a niente. Per proteggerci i fianchi avevamo bisogno di appurare se la signorina Dacos aveva mentito, e voi l'avete fatto. Ha mentito. Soddisfacente. Che poi abbia mentito solo per nascondere che era in rapporti intimi con Althaus, oppure per celare un omicidio commesso da lei stessa, a noi poco importa.»

«Cramer sarebbe disposto a salire sul rogo se lo potesse sapere. Quasi quasi gli telefono per mettergli l'animo in pace.»

«Pfui. Quando avremo messo in pace le *nostre* anime concludendo il lavoro che ci è stato affidato, prenderemo in considerazione anche i nostri obblighi nei suoi confronti. Se sarà possibile farlo senza sforzi eccessivi, smaschereremo l'assassino per conto suo. Se si tratterà di un membro dell'FBI, come ci si aspetta e si spera, non ci ringrazierà, e da parte nostra non gli dovremo delle scuse.»

«Allora dobbiamo scordare quest'omicidio fino a giovedì sera?»

«Sì.»

«Bene! Oggi e domani le agenzie sono chiuse, perciò Hewitt non può cominciare le sue ricerche fino a lunedì. Se stasera avrete bisogno di me, cercatemi al Flamingo. Per esempio, se dovrete comunicarmi che ha telefonato Hewitt per dirvi che non vuole prendersi tanto disturbo e che dovete cercare qualcun altro. Domani la signorina Rowan avrà a pranzo un sacco di gente e io mi fermerò da lei per aiutarla a vuotare i portacenere. Istruzioni per questo pomeriggio?»

«Spegnete la radio» grugnì.

11

Per quattro giorni e quattro notti, da sabato pomeriggio a mercoledì mattina, la mia mente fu un turbine di pensieri e di propositi.

C'erano due aspetti del problema. Primo, se la congettura a proposito di Sara Dacos, o almeno parte di essa, era una realtà, avevo allontanato un elemento provante dalla scena del delitto e lo nascondevo alla giustizia. Certo, i poliziotti avevano avuto la possibilità di impossessarsi della stessa prova, e anzi, con ogni probabilità, avevano visto la fotografia e l'avevano lasciata lì.

Era invece il secondo aspetto della questione a preoccuparmi davvero. Cramer ci aveva conservato le licenze, almeno fino a quel momento, ed ero stato io, Archie Goodwin, a essere invitato da lui, a bere una bottiglia di latte pagata di tasca sua e a ricevere notizie riservatissime su un omicidio. Non ho niente in contrario a farla in barba ai poliziotti: a volte mi piace farlo e a volte vi sono costretto. Ma questa volta era diverso. Dovevo qualcosa a Cramer, personalmente.

Perciò la faccenda mi preoccupava. Tuttavia c'era qualcosa che mi preoccupava ancora di più: la messa in scena che Wolfe andava predisponendo, la più strana da quando lo conoscevo. Una messa in scena che non lasciava niente, o quasi, al nostro controllo. Per esempio, lunedì mattina chiamai Hewitt da una cabina telefonica per chiedergli come se la cavava e lui rispose che tutto procedeva per il meglio: aveva scritturato un attore da una certa agenzia e un altro da un'altra. Entrambi si sarebbero recati a casa sua martedì pomeriggio. Ma quando gli domandai se quello che doveva impersonare me aveva la patente e poteva quindi guidare una macchina, rispose che aveva dimenticato di chiederlo, ma che importanza aveva? Tutti possono guidare la macchina! E pensare che era un elemento d'importanza vitale, e lui lo sapeva. Comunque mi promise che l'avrebbe appurato subito: aveva il numero telefonico dell'attore. A proposito di altri particolari, invece, tutto filò liscio. Per esempio, la telefonata che Hewitt doveva fare a casa nostra martedì pomeriggio, come d'accordo. Disse a Wolfe che era dispiaciutissimo, che si scusava, ma che avrebbe potuto includere nella spedizione solo dodici *Phalaenopsis Aphrodite*, invece di venti, e nessuna *Oncidium flexuosum*. Aggiunse che avrebbe fatto del suo meglio per farle partire mercoledì mattina, in modo che arrivassero per le due. Se la cavò alla perfezione. Se la cavò altrettanto bene anche con la telefonata che fece martedì sera per comunicarci che tutto andava per il meglio a proposito delle provviste per la cena.

Fred Durkin e Orrie Cather non mi preoccupavano minimamente, perché ci avrebbe pensato Saul a manovrarli. Fosse successo anche il minimo contrattempo, Saul ci avrebbe avvertito.

Per tutto il lunedì sera e per parte del martedì mattina, Wolfe e io continuammo a dibattere un problema. Ma andammo avanti a discutere senza scaldarci, tranquillamente. Dovevo telefonare a Wragg, invitarlo da qualche parte e dirgli che Wolfe aveva raccolto prove sufficienti a proposito dell'omicidio Althaus, in modo da rendergli la vita difficile? Che io avevo deciso di lavarmene le mani e che ero pronto a dirgli tutto quello che sapevamo in cambio di dieci, venti o cinquanta dollari? Il guaio era che non lo conoscevamo, questo Wragg. Poteva anche darsi che abboccasse all'amo, ma nessuno poteva garantirci che non accadesse il contrario, che si accorgesse della trappola tesa. Alla fine, martedì verso mezzogiorno, decidemmo di non parlarne più. Era una carta troppo pericolosa e ormai il tempo stringeva.

Alle nove di mercoledì mattina, quando sentii l'ascensore che issava Wolfe nella serra, portai nello studio la mia seconda tazza di caffè, mi misi a sedere e rimuginai su un'idea che mi frullava nella testa da lunedì mattina. Non avrei avuto niente da fare finché non fosse arrivato alle due il camioncino carico di orchidee. A quanto mi risultava, e non che mi risultasse gran che, avevamo fatto tutto il fattibile. Bevuto il caffè erano appena le nove, e con ogni probabilità Sara Dacos cominciava a lavorare solo verso le nove e mezzo o le dieci. Mi avvicinai all'armadietto metallico, aprii il cassetto dove conservavamo un assortimento di chiavi e feci una scelta accurata. Non fu un lavoro complicato, dato che conoscevo il tipo di serratura. Da un altro cassetto estrassi un paio di guanti di gomma.

Alle nove e trentacinque formai il numero di casa Bruner. Sentii rispondere: «Qui lo studio della signora Bruner. Buongiorno».

«Buongiorno. La signorina Dacos?»

«Sono io.»

«Parla Archie Goodwin. Più tardi potrei aver bisogno di mettermi in contatto con la signora Bruner; ho chiamato per sapere se resterà in casa.»

Rispose che dipendeva da quanto più tardi. La signora Bruner sarebbe stata raggiungibile in ufficio dalle tre alle cinque e mezzo. Non oltre. Dissi che se avessi deciso di andare da lei avrei richiamato.

Sara Dacos era dunque già al suo posto di lavoro. Ora rischiavo solo d'imbattermi nella donna delle pulizie. Andai in cucina per dire a Fritz che uscivo per fare un paio di telefonate, passai dall'atrio a prendere cappello e cappotto e raggiunsi a piedi la Nona Avenue dove salii su un taxi.

Fino alla porta d'ingresso del numero 63 di Arbor Street potevo stare tranquillo: avevo ancora le chiavi datemi dalla signora Althaus. Quando salii al secondo piano, suonai due volte il campanello, bussai, ma nessuno rispose. Provai con una delle chiavi che avevo portato con me. Poi con un'altra e un'altra ancora. Ce la feci con la quarta: la porta si aprì dolcemente, senza far rumore. Oltrepassai la soglia e mi chiusi dentro. Ormai, in base alle leggi dello Stato di New York, potevo venir imputato per violazione di domicilio.

La disposizione delle stanze era identica a quella del piano superiore, ma l'arredamento era del tutto diverso. Tappetini qua e là, invece di un unico tappeto, divano più piccolo, carico di cuscini, nessuna scrivania e niente macchina per scrivere, meno poltrone, circa un quarto dei libri, cinque quadretti alle pareti che senza dubbio l'amante impudente aveva giudicato robaccia ammuffita. Le tapparelle erano abbassate: accesi la luce, deposi cappello e cappotto sul divano e andai ad aprire la porta di un armadio.

La donna delle pulizie avrebbe potuto arrivare da un momento all'altro, né io avevo idea di ciò che potevo trovare, ammesso che potessi trovare qualcosa. Speravo comunque che ci fosse una cosa qualunque che mi permettesse, a parte quello che poteva succedere giovedì sera, di ricambiare a Cramer il favore del latte. S'imponeva una perquisizione veloce. Passai dieci minuti nel soggiorno, poi andai nella camera da letto.

Per poco il particolare non mi sfuggì. L'armadio della camera da letto era pieno zeppo: abiti appesi, mensole cariche di scarpe, valigie, scatole. Le valigie e le scatole erano piene di abiti estivi. Lasciai perdere le cappelliere che erano nell'armadio. Avrei dato dieci dollari del *mio* denaro per sapere se la donna delle pulizie veniva il mercoledì. Ma dieci minuti dopo, mentre facevo passare a una a una tutte le fotografie che avevo trovato in un cassetto, mi resi conto che era stupido metter in disparte le cappelliere per perdere tempo con un mucchio di cartaccia che non poteva dirmi niente che già non sapessi. Perciò presi una sedia, mi avvicinai all'armadio, salii sulla sedia e tirai giù le cappelliere. Erano tre. La prima conteneva tre cosiddetti cappelli e due bikini. La seconda un grande cappello floscio. Sollevai il cappello e sul fondo vidi la rivoltella. La fissai a bocca aperta per un paio di secondi, poi la tirai fuori e l'esaminai. Era una Smith & Wesson calibro trentotto e conteneva cinque pallottole. La sesta era stata impiegata.

Ero pronto a scommettere che si trattava della stessa rivoltella per la quale era stato rilasciato il porto d'armi a Morris Althaus, la stessa che aveva espulso la pallottola con la quale Althaus era stato ucciso. Ero pronto a scommettere anche che il grilletto era stato premuto da Sara Dacos. La questione era: che cosa dovevo farne? Se la portavo con me, non sarebbe mai stata accettata come prova in un processo, dato che me l'ero procurata illegalmente. Se la lasciavo là, andavo a telefonare a Cramer e gli dicevo di farsi preparare un mandato di perquisizione per l'appartamento di Sara Dacos, la polizia avrebbe senza dubbio messo le mani sulla rivoltella; ma se l'FBI veniva a saperlo nel giro di trentasei ore, cosa sulla quale ero pronto a giurare, la grande messinscena preparata per giovedì sera andava a farsi benedire. E, naturalmente, se la lasciavo nella cappelliera e *non* telefonavo a Cramer, Sara Dacos poteva anche decidersi a buttarla nel fiume.

A questo punto, mi restava un'unica alternativa, e la questione era: dove nasconderla? Rimisi a posto le cappelliere, riportai la sedia al suo posto, chiusi l'armadio e mi guardai intorno. Nessun punto della camera da letto mi attirava a sufficienza, perciò mi trasferii nel soggiorno. Ora sì che era auspicabile non essere disturbato dalla donna delle pulizie o da chiunque altro! Esaminai il divano e scoprii che sotto l'imbottitura c'era un'intelaiatura a molle, e sotto l'intelaiatura una base di feltro. Bene. Se Sara Dacos tirava giù la cappelliera e scopriva che la rivoltella era scomparsa, certo non le sarebbe venuto in mente che poteva essere stata trasferita in un altro punto della camera. Infilai la rivoltella tra il fondo di feltro e le molle, mi guardai attorno per assicurarmi che tutto fosse come quando ero entrato, afferrai cappello e cappotto e uscii così di corsa che per poco non sbucai sul marciapiede con ancora infilati i guanti di gomma.

In taxi cercai di rispondere a un'altra domanda: glielo dicevo o non glielo dicevo, a Wolfe? Perché non aspettare che quel giovedì sera fosse trascorso? La risposta era semplice, ma in fondo a che ci serve il cervello se non a cercare scappatoie complicate per le risposte più semplici? Quando il taxi si fermò davanti alla vecchia casa di arenaria il mio cervello aveva esaurito le varie scappatoie e io mi stavo dicendo che, invecchiando, non miglioravo affatto.

Erano le undici e dieci, quindi Wolfe doveva essere sceso dalla serra. Ma non si trovava nello studio. Mi giunse parecchio rumore dalla cucina, inclusa la voce della radio tenuta a pieno volume. Mi avviai in quella direzione. Wolfe era in piedi vicino al tavolo centrale e fissava poco convinto Fritz, che era chino ad annusare uno storione affumicato. Non mi sentirono entrare, ma quando si sollevò, Fritz si accorse di me. Wolfe seguì il suo sguardo e mi domandò: «Dove siete stato?».

Risposi che avevo qualcosa da riferirgli. Lui disse a Fritz che le costolette dovevano essere pronte per le due e un quarto, non un minuto dopo, e si diresse verso lo studio. Lo seguii. Accesi la radio e mentre spostavo una delle sedie gialle vidi sulla scrivania di Wolfe tre cacciavite: uno era stato preso dal cassetto della mia scrivania, gli altri due in cucina. Non riuscii a reprimere un sogghigno. Aveva preparato i ferri del mestiere, a quanto pareva. Mi sedetti e dissi che pensavo che quel giorno avrebbe anticipato il pranzo. Rispose che mi ero sbagliato: quando si hanno ospiti, bisogna scegliere un orario conveniente per tutti.

«Allora abbiamo tempo» dissi «per discutere su ciò che desidero raccontarvi. Con tutto quello che avete per la testa, avrei preferito risparmiarvi delle novità, ma in fondo vi farà piacere sapere che siamo riusciti a mettere la cornice intorno alla seconda ipotesi. Sono uscito a fare una passeggiata e, guarda caso, sono passato per Arbor Street, giusto davanti al numero 63. Sempre per caso, mi sono trovato in tasca una chiave che andava bene per la serratura della porta di Sara Dacos. Sono entrato e ho dato un'occhiata in giro. E che cosa ho trovato in una cappelliera, sopra l'armadio? Una Smith & Wesson calibro trentotto, dalla quale mancava un proiettile. Come sapete, Cramer mi ha detto che Althaus aveva un porto d'armi per una Smith & Wesson calibro trentotto e che l'arma non era stata trovata nel suo appartamento, mentre era stata trovata una scatola di pallottole in un cassetto. Dunque, Sara Dacos...»

«Che cosa ne avete fatto?»

«L'ho trasferita. Mi è sembrata fuori posto in una cappelliera, vicino a un copricapo femminile, perciò l'ho infilata tra le molle del divano.»

Respirò profondamente, trattenne il fiato per un paio di secondi, poi buttò fuori l'aria. «E così è stata lei a ucciderlo» grufolò.

«Appunto. È quello che stavo dicendo quando mi avete interrotto.»

«Pensate che la Dacos riuscirà a trovare la rivoltella?»

«No. Anche se si accorge che manca, non cercherà in casa. Fidatevi del mio intuito in fatto di belle ragazze. Può darsi che tagli la corda. E se lo farà, mi troverò di fronte a un problema. Se lei scappa e io dico a Cramer della rivoltella, mi caccerò in un bel guaio. Se non glielo dico, non riuscirò più a dormire di notte.»

Chiuse gli occhi. Dopo due secondi li riaprì. «Avreste dovuto avvertirmi che andavate in quella casa.»

«Neanche per sogno. È stata un'iniziativa personale che è in rapporto con una bottiglia di latte. Ma anche se Sara Dacos non scappa, avrò ugualmente un problema da affrontare, nel caso la messa in scena di domani sera fallisca. Ma solo in quel caso. Poco fa volevo telefonare a Hewitt per chiedergli se le orchidee sono pronte. Devo farlo?»

«Lasciate perdere. Le rivoltelle possono essere identificate?»

«Certo. Gli esperti ci riescono anche se è stato cancellato il numero di matricola. E Cramer è senza dubbio in possesso del numero della rivoltella registrata sotto il nome di Althaus.»

«Allora non ci saranno problemi. Devo andare a dare un'occhiata a quello storione.» Si alzò e si diresse verso la porta. A pochi passi dalla soglia si bloccò, si voltò e disse: «Soddisfacente» e uscì. Scossi il capo e continuai a scuoterlo finché non ebbi messo a posto la sedia gialla. "Non ci saranno problemi! Per l'amor del cielo!" Pensai che se fossi stato presuntuoso come Wolfe sarei stato a capo dell'FBI, poi mi resi conto che non era esattamente il modo più adatto di esprimere ciò che sentivo. Rimisi chiavi e guanti nell'armadietto e, dato che avremmo mangiato più tardi del solito, andai in cucina a prendere un bicchiere di latte. Mentre bevevo, rimasi ad ascoltare quei due che discutevano sullo storione.

Dato che dovevo far passare ancora due ore, e anche di più, prima di mettermi a tavola, decisi di ispezionare i piani superiori. Prima di tutto salii al secondo piano in camera mia per assicurarmi che tutto fosse in ordine per gli ospiti che ci avrebbero dormito. Fritz non tocca mai la mia camera: è mia, inclusa la responsabilità di tenerla in ordine. Andava tutto bene, tranne i due cuscini che avevo preso dall'armadio quella mattina: non erano della stessa misura, ma non potevo farci niente. Poi mi trasferii nella camera che dà a mezzogiorno e che si trova sopra quella di Wolfe, dove avrebbero dormito altri due ospiti: non sarebbe stato necessario, dato che Fritz non commette mai errori, ma dovevo ammazzare un bel po' di tempo.

E, bene o male, lo ammazzai.

Non li aspettavo prima delle due, ma conoscendo Saul come lo conoscevo, avrei dovuto immaginare che sarebbero arrivati in anticipo. Wolfe era in cucina e io nella stanza centrale, quella vicino allo studio, quando suonò il campanello. Guardai l'orologio. Le due meno venti. Pensai che non poteva essere il furgoncino. Invece sì. Attraverso lo spioncino vidi una specie di scimpanzé con un giubbotto di cuoio. Aprii e quello mi sorrise, sbraitando: «Nero Wolfe? Orchidee per voi!».

Uscii. Accanto al marciapiede c'era un furgone verde, con la scritta in rosso NORTH SHORE TRUCKING CORPORATION. Un altro scimpanzé in giubbotto di cuoio stava aprendo gli sportelli posteriori. Dissi ad alta voce che faceva troppo freddo per le orchidee e che gli avrei dato una mano. Entrai a infilarmi il cappotto e quando ritornai fuori i due stavano scaricando uno scatolone. Ne conoscevo a memoria le misure – novantacinque centimetri di larghezza, centosessantacinque di lunghezza e cinquanta di altezza – perché avevo impacchettato spesso le orchidee dirette ai concorsi floreali. Su un fianco dello scatolone c'era scritto:

FRAGILE DELICATO
PIANTE TROPICALI
TENERE PIÙ AL CALDO POSSIBILE

Scesi sul marciapiede, ma ormai i due avevano afferrato lo scatolone e lo stavano portando in casa: non avevano proprio bisogno d'aiuto.

Wolfe era venuto nell'atrio e aspettava. Io potevo soltanto restare a far la guardia al furgone, cosa che feci. C'erano altri cinque scatoloni. Uno dei cinque sarebbe stato ben pesante anche per i due scimpanzè. Non sapevo proprio quale dei cinque fosse. Risultò che era il penultimo. Quando lo tirarono giù, uno degli scimpanzè gemette: «Accidenti, queste devono crescere in vasi di piombo». E l'altro: «No, d'oro». Mi chiesi se c'era qualche *G-man* abbastanza vicino a noi da sentire. I due scimpanzè portarono dentro lo scatolone senza inciampare neanche una volta, nonostante dovesse pesare circa un quintale e mezzo...

Così speravo, almeno. Infilato in casa l'ultimo scatolone, li seguii. Wolfe firmò una ricevuta. Io detti un dollaro a testa ai due scimpanzè, li ringraziai e attesi che se ne fossero andati, prima di chiudere la porta e di mettere il catenaccio.

Gli scatoloni erano in fila lungo la parete, la radio nello studio andava a pieno volume, e Wolfe stava usando un cacciavite sul coperchio del penultimo scatolone. Gli chiesi se era sicuro del fatto suo, e lui rispose di sì, perché c'era una X tracciata a gesso sul fianco dello scatolone. Presi un altro cacciavite. C'erano solo otto viti e in un paio di minuti le avevamo tolte tutte. Sollevai il coperchio e vidi Saul Panzer: su un fianco, le ginocchia piegate contro il mento. Feci per dargli una mano, ma Saul, che è di misure sotto il normale in tutto, tranne che nel naso e nelle orecchie, scattò fuori come una molla.

«Buongiorno» disse Wolfe.

«Mica tanto buono» rispose Saul. «Posso parlare?»

«Sì. La radio ha un volume sufficientemente alto.»

Saul si stiracchiò. «Viaggio infernale. Spero che gli altri siano vivi.»

«Voglio essere sicuro di aver capito bene i loro nomi» disse Wolfe. «Il signor Hewitt li ha dati ad Archie per telefono.»

«Ashley Jarvis, quello che deve passare per voi. Dale Kirby, quello che deve passare per Archie. Sarà meglio tirarli fuori.»

Per la prima e ultima volta nella mia vita sentii fare delle presentazioni tra Wolfe e degli uomini in scatola.

«Un momento» disse Wolfe. «Avete fornito loro delle spiegazioni complete?»

«Sì. Non devono aprir bocca a meno che non siate voi, o Archie, a chiedere qualcosa. Non sanno da chi possono essere stati inseriti eventuali microfoni in questa casa, né perché, ma hanno la parola del signor Hewitt che non corrono alcun pericolo e sono tranquilli. Hanno voluto cinquecento dollari a testa come anticipo. Voi dovrete dargliene altri cinquecento. Hanno avuto anche la dichiarazione firmata da voi. Dovrebbero funzionare bene.» Abbassò la voce. «Kirby è meglio di Jarvis, ma nel complesso se la caveranno.»

«Sanno che devono restare nelle loro camere e tenersi discosti dalla finestra?»

«Sì. Tranne quando... mmh... fanno le prove.»

«Hanno gli abiti adatti per giovedì sera?»

«Sono in quella scatola» fece Saul, e indicò uno degli scatoloni. «Ci sono anche le nostre bagattelle, armi incluse. Naturalmente indosseranno i cappotti e i cappelli che in genere usate voi e Archie.»

Wolfe fece una smorfia. «D'accordo. Prima Fred e Orrie.»

«Gli scatoloni sono contraddistinti da segni particolari» fece Saul, e prese il cacciavite dalle mani di Wolfe avvicinandosi a uno di quelli contraddistinto da un cerchio. «Orrie è quello con il triangolo» disse poi e cominciò a lavorare. Tirò fuori Fred prima che io riuscissi a tirar fuori Orrie, perché una delle mie viti aveva la testa spanata. Fred e Orrie avevano avuto l'ordine di non aprir bocca se non interrogati; quando vidi l'espressione delle loro facce pensai che era meglio così. Inarcai un sopracciglio, guardando Saul, e mi picchiai un dito sul petto; lui fece un cenno verso lo scatolone più lontano e io ci detti dentro per aprire il coperchio.

Mi rendo conto che gli attori professionisti sono abituati a tenere il becco chiuso quando la battuta non tocca a loro, ma nonostante questo devo dire che Ashley Jarvis e Dale Kirby superarono loro stessi. Avevano passato due ore d'inferno, soprattutto Jarvis che pesava né più né meno quanto Wolfe e per giunta con il peso non altrettanto ben distribuito. Dovemmo voltare lo scatolone di fianco, perché potesse uscire.

Restò immobile sul pavimento per un paio di minuti, rifiutò qualsiasi aiuto da parte nostra e si mise in ginocchio, da solo, appoggiandosi sulle mani, finché non riuscì a sollevarsi in piedi. Quando fu eretto guardò Wolfe e gli fece un inchino. Un inchino maledettamente ben riuscito. Kirby non si era inchinato davanti a me, ma neanche lui aveva aperto bocca. Mentre aspettava che Jarvis si sollevasse in piedi, si scostò di alcuni passi per fare un po' di ginnastica ritmica, battendo il tempo sulla musica della radio.

Ero d'accordo con Saul: se la sarebbero cavata benone. Kirby era più basso di me di un paio di centimetri, ma come corporatura poteva andare. Jarvis era alto esattamente quanto Wolfe. Aveva le spalle leggermente più strette e la pancia leggermente più prominente, ma con indosso il cappotto nessuno se ne sarebbe accorto. Le facce non avevano niente a che fare con le nostre, ma sarebbe stato buio e nessun *G-man* si sarebbe avvicinato al punto da guardarle nei particolari.

Wolfe ricambiò l'inchino di Jarvis e disse: «Venite, signori». Entrò nello studio. Invece di andare alla sua scrivania, portò una delle sedie gialle al centro del tappeto, che era sufficientemente spesso da soffocare qualunque rumore, poi ne prese un'altra. Io ne presi un paio, e Saul, Fred e Orrie una a testa. Ci mettemmo a sedere in cerchio, con Wolfe, Jarvis e Kirby al centro. Wolfe disse: «Il denaro, Archie» e io dovetti alzarmi di nuovo per andare alla cassaforte a prendere i due pacchetti formati ciascuno da venticinque banconote da venti dollari».

Wolfe spostò lo sguardo da Jarvis a Kirby, e ritorno. «Il

pranzo è pronto, ma prima devo chiarire alcuni punti. Questo denaro è vostro. Archie?»

Porsi un pacchetto a Kirby e uno a Jarvis. Jarvis si limitò a guardarlo distrattamente e a ficcarselo in tasca. Invece Kirby tirò fuori il portafogli, ripose le banconote con cura, poi infilò il portafogli in tasca.

«Come vi ha detto il signor Hewitt» dichiarò Wolfe «il vostro compenso ammonta a mille dollari. Perciò siete stati pagati, come promesso. Dopo avervi visto uscire da quelle scatole, penso che vi siate già guadagnati quella cifra. Tuttavia, se svolgerete il resto del vostro compito in modo soddisfacente, vi verserò altri mille dollari.»

Jarvis spalancò la bocca, si ricordò appena in tempo che stava per fare una sciocchezza e la richiuse. Accennò a Kirby, si toccò il petto e guardò Wolfe con aria interrogativa.

Wolfe annuì. «Sì, altri mille a testa. Più vicino, signor Kirby. Devo tenere la voce bassa. Voi signori resterete qui per ventotto ore. Durante questo periodo non dovrete fare il minimo rumore che possa tradire la vostra presenza in questa casa. La vostra camera è al secondo piano. Userete le scale, non l'ascensore. Se avrete bisogno di qualcosa, ci sarà un uomo sul pianerottolo. Se dovete parlare, parlate a voce bassissima. Ci sono parecchie decine di libri nella vostra stanza. Se nessuno di essi è di vostro gradimento, potrete sceglierne tra quelli di questo studio. Niente radio e niente televisione. Dovrete studiare il modo di camminare e di muoversi mio e del signor Goodwin, e avrete parecchie occasioni per farlo. Non le nostre voci: non sarà necessario.» Spinse in fuori le labbra. «Mi sembra che sia tutto. Se avete domande, formulatele a bassa voce, nel mio orecchio.»

Scossero il capo.

«Allora andiamo a pranzare. La radio verrà spenta. A tavola non parliamo mai di lavoro. Nessuno aprirà bocca tranne il signor Goodwin e io.»

Si alzò.

12

Per niente al mondo vorrei rivivere quelle ventotto ore.

Quando si attraversa una foresta sapendo che ci sono dei serpenti o dei leoni, basta tenere gli occhi aperti. Se invece *non* si sa che ci sono, ma si pensa solo che possano esserci, allora il discorso è diverso.

Non sapevamo se la casa era controllata da microfoni o da altre diavolerie, ma solo che poteva esserlo. Se Jarvis o Kirby si schiacciavano un dito nella porta del bagno e gridavano accidenti o qualcos'altro, tutto il nostro piano poteva andare a gambe all'aria, ma solo *poteva*, e questo era il guaio. Ogni volta che salivo al piano superiore per vedere se Saul, Orrie e Fred stavano bene ed erano stati nutriti al punto giusto, mi sentivo maledettamente stupido. Gli adulti che siano stati vaccinati non guardano sotto il letto tutte le sere per vedere se c'è un ladro, anche se *potrebbe* esserci.

I due pasti furono quanto di più fasullo esistesse, con me e Wolfe che chiacchieravamo senza sosta e gli altri che ci stavano a sentire senza poter aprire bocca. Provateci, qualche volta, e vedrete! Non potevo neanche chiedere che mi passassero il burro. E quando portammo gli scatoloni nella serra continuai a esprimermi a segni, senza parlare: a chi mai mi sarei rivolto?

Uscii di casa una volta sola, il mercoledì pomeriggio. Dovevo telefonare a Hewitt da una cabina per comunicargli che la spedizione era arrivata in ottime condizioni, e dovevo andare al garage a dare istruzioni a Tom Halloran.

Ci furono alcuni momenti di pausa, due mercoledì e quattro giovedì, quando Jarvis studiò a fondo Wolfe. Jarvis si metteva ai piedi delle scale per osservare Wolfe che scendeva e in cima alle scale per controllarlo quando saliva, poi nell'atrio per controllarlo faccia a faccia. Giovedì mi resi conto che Jarvis esagerava volutamente, perché l'espressione infuriata di Wolfe lo divertiva, ma siccome divertiva anche me non intervenni. Ovviamente anche Kirby studiava me, ma in modo diverso. E poi, per lui era più facile: in una giornata io salgo e scendo dalle scale almeno una dozzina di volte. L'unica cosa che non poteva studiare era il mio modo di guidare. Senza dubbio sarebbero stati pedinati fino alla casa di Hewitt, e se il suo stile di guida era troppo diverso dal mio, con ogni probabilità i *G-men* si sarebbero insospettiti. Giovedì mattina portai Kirby nello studio, accesi la radio e lo intrattenni sull'argomento per mezz'ora.

Ripensandoci a mente fredda, posso dire tranquillamente che non trascurammo nessun particolare. Verso le undici di mercoledì sera salii nella mia camera, che dà sulla Trentacinquesima Strada, come al solito lasciai le tende aperte, m'infilai il pigiama, mi misi a sedere sul letto e spensi la lampada del comodino. Dopo un paio di minuti entrarono Fred e Orrie, che si spogliarono al buio, e io me la battei. Saul dormì sul divano della stanza centrale, dove non accendemmo mai la luce: è un vano che usiamo solo di rado.

A questo punto voglio raccontarvi un particolare bizzarro: quando mercoledì sera m'infilai tra le lenzuola del divano nello studio, non pensai alla trappola che stavamo mettendo in piedi né mi chiesi se avrebbe funzionato, ma mi misi a rimuginare sul divano di Sara Dacos. Che cosa sarebbe accaduto se la donna delle pulizie avesse deciso di pulirlo a fondo? Se mi fossi fermato in casa di Sara qualche minuto ancora, senza dubbio avrei trovato un nascondiglio migliore per l'arma.

I due pasti di cui ho parlato furono il pranzo e la cena di mercoledì. La colazione e il pranzo di giovedì furono diversi, perché Fritz non era in casa. Eravamo rimasti d'accordo con Hewitt che avrebbe mandato una macchina alle otto per prendere Fritz, e la macchina arrivò puntualmente. Accompagnai Fritz fuori della porta: mi strinse la mano con aria abbattuta. Non era certo nello stato d'animo migliore per preparare una cena in onore di un gruppo di gastronomi perfezionisti. Al pranzo provvedemmo io e Saul, e mangiammo cotolette fredde, storione, cinque tipi di formaggio e bevemmo champagne.

Alle quattro e quarantacinque di giovedì pomeriggio mi trovavo nello studio con Saul, Fred e Orrie quando scese Theodore Horstmann, il balio delle orchidee, che aveva avuto l'ordine di andarsene prima del solito. Ci augurò la buona sera e uscì. Wolfe si trovava nella sua stanza.

Alle cinque e dieci salii in camera mia, accesi la luce e cominciai a cambiarmi. Avrei potuto appurare che le tende fossero ben chiuse, sedermi sulla sponda del letto e basta. Ma in genere non mi preoccupo di chiudere le tende o di abbassare le tapparelle, quando mi cambio. Noi volevamo del resto che tutto apparisse normale al cento per cento. In camera sua, Wolfe stava facendo altrettanto. Alle cinque e quaranta, vestito di tutto punto, scesi nello studio, e alle cinque e quarantacinque mi giunse il rumore dell'ascensore. Apparve Wolfe, anche lui vestito in abito da sera. Senza accendere la radio, cominciammo a parlare dei problemi del traffico. Alle cinque e cinquantacinque spuntarono Kirby e Jarvis. L'abito di Jarvis era di gran lunga in migliori condizioni di quello di Wolfe, che aveva visto tempi migliori. Quello di Kirby, invece, non era all'altezza del mio, che mi era costato ben trecento dollari. Rimasero sulla soglia. Dissi a Wolfe che l'avrei aspettato in macchina, passai nell'atrio, porsi a Kirby il mio cappotto e il mio cappello e rimasi appiattito contro il muro mentre lui apriva la porta, usciva e richiudeva. Jarvis venne accanto a me e rimase a guardare il suo collega attraverso lo spioncino. Wolfe spense le luci nello studio. Porsi il cappello e il cappotto di Wolfe a Jarvis. Dopo quello che mi parve un secolo e che in realtà furono poco più di un paio di minuti apparve la Heron e si fermò davanti alla porta. Jarvis spense la luce dell'atrio e uscì. L'osservai attraverso lo spioncino e mi dissi che i mille dollari in più se li meritava. Non posso esprimere nessun parere su Kirby, perché non ho idea di come sono quando cammino, ma guardando Jarvis che scendeva i sette gradini e saliva in macchina, avrei giurato che fosse Wolfe. La Heron si allontanò dolcemente, senza sussulti, come se al volante ci fossi stato io. Mi accorsi che stavo trattenendo il fiato.

Lo studio era al buio, come lo sarebbe stato se io e Wolfe fossimo usciti. Prima che Jarvis avesse spento la luce nell'atrio, Wolfe era andato nella cucina altrettanto buia, Orrie nella sala da pranzo, e Saul e Fred nella stanza centrale. La casa era immersa nell'oscurità e nel silenzio. M'infilai la mano in tasca per sentire se la Marley calibro trentadue era al suo posto, mi avvicinai alla porta e ne sfiorai il bordo per assicurarmi che fosse chiusa, aspettando che i miei occhi si abituassero all'oscurità, poi andai a sedermi contro la parete di fronte all'attaccapanni. Mi sentivo bene. La tensione nervosa era passata. Fino a quel momento le cose erano andate lisce e ora eravamo là senza nient'altro da fare che attendere. Spettava a loro, adesso, decidere se fare o meno il passo falso che noi ci auguravamo, ma questo riguardava la "loro" tensione nervosa.

Non so quanti passi falsi facciano di media in un anno, ma da quello che ho sentito dire devono essere parecchi. Dipendeva soprattutto dalla convinzione o meno di Wragg di credere nella colpevolezza dei suoi *G-men*. Se ci credeva, si poteva puntare dieci contro uno che sarebbero arrivati. Se invece non ci credeva, se Wragg era convinto che l'omicidio non era stato commesso dai suoi uomini, non si sarebbero fatti vivi. Comunque, ripeto, tutto dipendeva da loro, e io mi sentivo bene.

Quando decisi che doveva essere passata almeno mezz'ora mi avvicinai alla porta a vetri, che lasciava trapelare un po' di chiarore, per guardare l'orologio. E quando vidi che erano le sei e ventidue mi sentii assai meno bene. Avevo sbagliato di otto minuti. In genere riesco a calcolare il tempo al secondo. Quindi non ero tranquillo come pensavo. Invece di rimettermi a sedere, mi diressi verso la porta dello studio, e mi sentii ancora meno bene quando per due volte strusciai contro il muro. Non avevo scusanti, per un errore del genere. Conosco l'atrio della nostra casa come le mie tasche e anche nell'oscurità più completa dovrei poterlo attraversare in lungo e in largo senza sbattere contro niente. Rifeci il cammino già percorso, poi lo rifeci di nuovo e di nuovo, finché non fui soddisfatto di me: per tre volte ero andato sicuro fino alla porta e ritorno. Mi rimisi a sedere.

Non posso dirvi con esattezza a che ora arrivarono perché avevo deciso di non guardare più l'orologio fino alle sette. Comunque dovevano essere le sette meno qualche minuto. D'improvviso il chiarore fioco che trapelava dalla porta dell'atrio si fece ancora più fioco e loro erano là. Due. Un terzo probabilmente aspettava dabbasso, sul marciapiede. Uno si chinò per guardare la serratura, mentre l'altro restò con le spalle alla porta, a guardare verso la strada.

Naturalmente lo sapevano da un pezzo che la serratura era una Robson, e senza dubbio si erano portati dietro gli arnesi adatti, ma per quanto abile, il *G-man* non poteva cavarsela al primo colpo, con una Robson, perciò non c'era fretta. La porta che dall'atrio dà nella stanza centrale era aperta, a un paio di metri da me. Mi portai in silenzio sulla soglia, emisi un sibilo soffocato, buttando fuori l'aria tra i denti, e aspettai di sentire il sibilo di risposta, poi andai sulla soglia della sala da pranzo, emisi un secondo sibilo e aspettai di nuovo la risposta. Poi andai a piazzarmi sulla soglia dello studio. Non avrebbero certo acceso la luce appena entrati: si sarebbero fermati prima con le orecchie tese.

Da allora ho discusso spesso con Saul sul tempo che ci misero a forzare la serratura. Secondo lui, la porta si aprì otto minuti dopo che io avevo sibilato la prima volta, secondo me invece si aprì dopo dieci. Comunque, si aprì. E mentre si apriva, io indietreggiai fin dentro lo studio e mi appiattii contro la parete, con una mano che sfiorava l'interruttore della luce e l'altra che impugnava la Marley.

Una volta dentro, rimasero in ascolto per soli cinque secondi, dimostrando una leggerezza che non mi sarei aspettato, poi vennero diritti verso lo studio. Vidi la sottile sciabola di luce di una lampadina tascabile farsi più vicina, poi vidi loro. Entrarono, fecero tre o quattro passi, si fermarono. Quello con la lampadina cominciò a far girare la sciabola di luce. Di lì a qualche secondo mi avrebbe colpito in pieno. Prima che lo facesse, cinguettai: «Salve!» e premetti l'interruttore. E luce fu.

Uno di loro si limitò a spalancare la bocca, mentre l'altro, quello con la lampadina tascabile, la lasciò cadere per terra e si portò la mano all'ascella. Ma si trovò davanti me con la Marley già impugnata e Orrie, che era già arrivato, al mio fianco, con un'altra pistola in pugno. Dalla porta della stanza centrale Saul gridò: «Eccoci anche noi!» e i due si trovarono di fronte ad altre due rivoltelle.

«Siete messi male» dissi io. «Non abbiamo neanche bisogno di perquisirvi: non potete sparare in due direzioni in una volta. Signor Wolfe!»

Ma era già là. Doveva essere uscito dalla cucina quando mi aveva sentito dire: «Salve!».

«Girate al largo» esclamai, ma lui ci aveva già pensato da solo: infatti, stava facendo il periplo della poltroncina rossa per mettersi fuori tiro. Quando fu alla sua scrivania li guardò bene, o almeno guardò i loro profili, dato che i due erano di faccia a Orrie e a me.

«Deplorevole» disse Wolfe. «Archie, chiamate la polizia.»

Mi mossi. Non feci un periplo largo quanto quello di Wolfe, ma dato che il programma si sarebbe svolto meglio senza scontri violenti, mi tenni anch'io alla larga. A metà strada dalla mia scrivania mi fermai e dissi: «Sentite, se mi saltate addosso mentre sto formando il numero, non uscirete vivi di qui. Penso che conosciate il codice: in genere gli scassinatori lo conoscono. Siete in casa nostra, e se non state fermi dovremo solo impallinarvi per sentirci ringraziare dalla polizia».

«Balle.» Era stato il più grosso a parlare, uno piuttosto bello, con le spalle atletiche e la mascella quadrata. L'altro era più alto, ma tutt'ossa, con la faccia incavata. Il Bello mi stava gratificando di uno sguardo glaciale. «Non siamo scassinatori e lo sapete benissimo.»

«E a chi lo raccontate? Avete scassinato, no? Ma lo spiegherete alla polizia. Vi ho avvertito. State fermi. Se tentate di muovervi vi blocchiamo. Uno di questi miei amici è campione di tiro.»

Per raggiungere il telefono posato sulla mia scrivania dovevo voltare le spalle ai due. Lo feci, e mentre cominciavo a formare il numero, Bello sbottò: «Piantatela di recitare, Goodwin. Sapete benissimo chi siamo».

Si rivolse a Wolfe. «Siamo agenti del Federal Bureau of Investigation, e anche voi lo sapete. Non abbiamo toccato niente, né avevamo intenzione di farlo. Volevamo parlarvi. Abbiamo suonato, non avete risposto e la porta era aperta...»

«Mentite» disse Wolfe, con voce piatta, come se si limitasse a constatare un fatto. «Cinque uomini giureranno che la porta era chiusa a chiave e che non avete suonato. Quattro di loro vi hanno sentiti forzare la serratura. Quando la polizia vi perquisirà, vi troverà addosso gli arnesi da scasso. Federal Bureau of Investigation? Pfui. Chiamate la polizia, Archie, e dite che mandino degli uomini capaci di tenere a bada due farabutti.

Prima di rimettermi a formare il numero dissi: «Fred» e gli feci cenno con l'indice piegato. Fred si avvicinò sfiorando i due. Una volta un *G-man* gli aveva storto un braccio e lui sarebbe stato ben lieto di poter pareggiare il conto. Con la schiena appoggiata contro la scrivania di Wolfe e la rivoltella che gli ciondolava lungo il fianco, sembrava più cattivo di quanto in realtà non fosse. Fred è un bravo ragazzo, con moglie e quattro figli.

Quando cominciai a formare il numero sarei stato pronto a scommettere cento contro uno che non avrei potuto finire. E non finii. Al quarto giro del quadrante Bello esclamò, in fretta: «Fermo, Goodwin!». Mi fermai e mi voltai: stava infilando la mano sotto la giacca. Riattaccai il ricevitore e mi portai vicino a Fred. La mano del *G-man* riapparve con un portacarte di pelle. «Le mie credenziali» disse, e le tirò fuori.

Qui cominciava lo spasso. I *G-men* devono mostrare i documenti, ma hanno l'assoluta proibizione di consegnarli a qualcuno. Wolfe grugnì: «Voglio vederli io». Bello fece un passo in avanti, ma Fred allungò la mano e gli bloccò il passo. Io tesi la mano, a palmo in su, senza parlare. Bello esitò, non a lungo, poi consegnò la tessera. Dissi: «Anche voi» rivolto a Tuttossa, e allungai il braccio. Aveva già preparato la tessera di riconoscimento, che depositò sopra quella del suo collega. Mi voltai e le consegnai entrambe a Wolfe. Wolfe le esaminò attentamente, aprì il cassetto della scrivania, estrasse la lente d'ingrandimento, le studiò di nuovo attraverso la lente, prendendosela comoda, rimise la lente nel cassetto, lasciò cadere sulla lente le due tessere e richiuse il cassetto.

«Probabilmente sono false» disse poi, guardando severamente i due *G-men*. «Può stabilirlo solo il laboratorio della polizia.»

Ci volle tutto il loro autocontrollo, per restare fermi. Li avrei ammirati, se non avessi avuto altro da pensare. S'irrigidirono, ma non si mossero. Poi Tuttossa disse: «Maledetto figlio di p... obesa!».

Wolfe fece un cenno d'assenso. «Reazione comprensibile. Ma facciamo un'ipotesi. Ammettiamo, sia pure per assurdo, che siate veramente agenti del Federal Bureau of Investigation. In questo caso, avete il diritto di lamentarvi, ma non contro di me: contro i vostri colleghi che si sono fatti prendere in giro e hanno creduto che questa casa fosse veramente deserta.»

Si schiarì la gola. «Ora proseguiamo con questa tesi. Tratterrò le vostre credenziali. Potrete rientrarne in possesso, o può rientrarne in possesso la vostra organizzazione, solo attraverso un'azione legale che riveli pubblicamente come sono finite qui. Naturalmente io intraprenderò una controazione, dato che siete entrati nel mio domicilio illegalmente e siete stati colti in flagrante. Non dimenticate che ho quattro testimoni. Dubito che i vostri superiori siano disposti a pagare questo prezzo. Di conseguenza, l'iniziativa è mia. Potete andare. Tutto ciò che volevo, sempre per continuare con la tesi di cui sopra, erano delle prove per dimostrare che il Federal Bureau of Investigation è capace di commettere atti illegali e può di conseguenza essere perseguito a termini di legge. Le prove sono ora nel mio cassetto. A proposito, non ho ancora parlato dei guanti che portate. Naturalmente li abbiamo notati tutti. Saranno un particolare di più a vostro carico, se questa storia arriverà in tribunale. Potete andare, signori.»

«Accidenti a voi» disse Bello. «Sarà un tribunale federale. Quelle tessere sono di proprietà di funzionari federali!»

«Può darsi. Anche se così è, ho una valida ragione per rimanerne in possesso. Abbandonando la mia tesi, ho molti dubbi sul fatto che dei funzionari federali entrerebbero illegalmente in casa mia, e naturalmente sono giustificato se trattengo queste tessere finché non me ne sarà stata dimostrata l'autenticità.»

«Come farete a dimostrarla?»

«Vedremo. Attenderò gli eventi. Se sono autentiche, può darsi che uno dei vostri superiori si decida a farmi una visita... Magari lo stesso signor Wragg.»

«Figlio di p...!» gridò Tuttossa. Aveva un vocabolario limitato, a quanto pareva.

«Spero che vi rendiate conto» disse Wolfe «che sono assai indulgente con voi. Avete scassinato la mia porta e violato il mio domicilio, e per quanto ne so vi spacciate per quello che non siete. Due volgari delinquenti. Se siete armati, dovremmo togliervi le armi e gli attrezzi che avete portato per scassinare la porta e, con ogni probabilità, anche i cassetti di questa stanza. Anche i guanti che portate. Vi consiglio di andarvene al più presto. Questi quattro signori non hanno troppa simpatia per i criminali, ma ne hanno ancor meno per l'FBI. E avrebbero un gran piacere a umiliarvi. Maledizione, andatevene!»

Rimasero a fissarlo. La linea di visuale di Bello passava tra la spalla di Fred e la mia, e quella di Tuttossa sopra la spalla destra di Fred. Si scambiarono un'occhiata, guardarono di nuovo Wolfe e si mossero. Quando passarono nell'atrio, Orrie indietreggiò coprendoli con la rivoltella. Saul

attraversò l'atrio e accese la luce. Fred e io seguimmo i due
G-men. Quando furono vicini alla porta, Saul l'aprì; io, Fred
e Orrie ci mettemmo al suo fianco per osservarli mentre
scendevano i sette gradini. Quasi certamente ci doveva essere il terzo, in giro, ma non si vide. Svoltarono a sinistra,
verso la Decima Avenue, ma noi non uscimmo per accertar-
ci che salissero in macchina. Prima di richiudere la porta
esaminammo la serratura e la trovammo intatta. Mentre
mettevo la catena, Fred disse che dovevano avere la più
splendida collezione di chiavi del mondo.

Quando tornammo in ufficio, Wolfe era in piedi al centro
del tappeto e studiava un oggetto che aveva in mano: la
lampadina tascabile lasciata cadere da Bello. La gettò sulla
mia scrivania e tuonò: «Confessate! Avanti, felloni! Confessate!». Scoppiammo tutti a ridere.

«Offro una ricompensa» dissi. «Una fotografia in cornice
di J. Edgar Hoover a chiunque possa provare che in questa
stanza ci sono dei microfoni e che la nostra conversazione
di poco fa è stata registrata e inviata a Hoover stesso.»

«Accidenti» disse Fred «se solo avessero tentato di ribel-
larsi!»

«Voglio dello champagne» disse Saul.

«Io del whisky» aggiunse Orrie. «E ho fame.»

Erano le otto meno venti. Andammo in cucina, Wolfe incluso, parlando tutti insieme. Ormai non c'era più bisogno
che i nostri ospiti stessero zitti. Wolfe cominciò a tirare fuori roba dal frigorifero: caviale, *pâté de foie gras*, storione, e
un'intera faraona arrosto. Saul aprì il freezer per preparare
il ghiaccio per lo champagne. Orrie e io tirammo fuori le
bottiglie dalla credenza. Fred chiese se poteva telefonare a
sua moglie. Stavo per rispondergli di sì e pregarlo di salu-
tarla da parte mia, quando venni interrotto da Wolfe.

«Ditele che stanotte vi fermerete qui. Vi fermerete tutti.
Domani mattina Archie porterà quegli oggetti in banca, e
voi lo accompagnerete. Con ogni probabilità non faranno
niente, ma potrebbero tentare. Fred, non parlate di questa
storia con vostra moglie, né con nessun altro. Non è ancora
finita. È solo iniziata bene. Se desiderate qualcosa di caldo,

vi preparo una *workshire Buck*, ammesso che Archie sia disposto a sbattere le uova.»

Risposero tutti di no, e per me andò benissimo: odio sbattere le uova.

Un'ora più tardi stavamo trascorrendo una serata piacevolissima. I tre ospiti e io eravamo nella stanza centrale, immersi in una partita a dadi. Wolfe era nello studio, sprofondato nella sua poltrona, a leggere *L'FBI che nessuno conosce*, non so se per fare delle ricerche o per pascersi della sua gloria. Alle dieci dovetti assentarmi dal tavolo da gioco per qualche minuto. Wolfe mi aveva detto che a quell'ora voleva chiamare Hewitt, con la speranza che i Perfezionisti avessero finito di cenare. Andai nello studio e feci la telefonata. Quando passai la linea a Wolfe, quest'ultimo disse a Hewitt che tutto era andato per il meglio e lo ringraziò. Hewitt rispose che le nostre controfigure erano molto simpatiche: Jarvis aveva letto alcuni brani di Shakespeare e Kirby aveva imitato il presidente Johnson, Barry Goldwater e Edgar Hoover. Wolfe pregò Hewitt di salutarli da parte sua, poi riattaccò. Lui tornò al suo libro e io ai miei dadi.

Verso le undici vi fu un'altra interruzione. Suonò il telefono, e siccome Wolfe odia rispondere, mi alzai di nuovo e andai a sollevare il ricevitore dell'apparecchio posato sulla mia scrivania.

«Qui la casa di Nero Wolfe. Parla Archie Goodwin.»

«Sono Richard Wragg, Goodwin.» La voce era controllata, bassa, con la dizione perfetta. «Voglio parlare con Wolfe.»

Wolfe aveva previsto che poteva accadere e mi aveva dato istruzioni.

«Temo che non possiate, Wragg. È occupato.»

«Desidero vederlo.»

«Buona idea. L'aveva pensato che l'avreste desiderato. Diciamo domani mattina alle undici qui, nel suo studio.»

«Voglio vederlo stasera. Subito.»

«Spiacente, Wragg, ma è impossibile. È molto occupato. Non può ricevervi prima di domani mattina alle undici.»

«È occupato a fare che?»

«Sta leggendo un libro: *L'FBI che nessuno conosce*. E tra mezz'ora va a letto.»

«Sarò lì alle undici.»

Mi parve che riattaccasse con violenza, ma forse me lo sono solo immaginato. Mi voltai verso Wolfe.

«L'ho chiamato Wragg perché così si chiama. E poi, anche lui non usa il "signore". Domani mattina alle undici. Come pensavamo.»

«E desideravamo. Dobbiamo parlare un po' quando avrete finito la partita.»

Mi alzai. «Non ci metterò molto; stavo per sbancarli.»

13

Ho bisogno di otto ore di sonno, per star bene, e quasi sempre riesco ad averle, ma quella notte ne dormii solo sei. All'una e dieci, quando Wolfe, Saul, Orrie e Fred se n'erano andati a letto, stavo per infilarmi tra le lenzuola del divano dello studio quando suonò il campanello. Andai ad aprire: era Fritz con Jarvis e Kirby. Quando Kirby superò la soglia barcollando mi chiesi in quale fosso era finita la Heron. Lo domandai anche a Kirby, ma lui si limitò a guardarmi e a scuotere la testa, ridendo. Pensando che si stesse attenendo ancora alle istruzioni, gli dissi che ormai poteva parlare, e Fritz mi rispose che non poteva perché era ubriaco. Aggiunse che non sapeva come avevano fatto ad arrivare fin lì, ma che comunque la Heron era sana e salva. Andai a mettermi un paio di scarpe, m'infilai il cappotto sul pigiama e portai la macchina in garage: neanche un graffio.

Il primo numero del programma di venerdì era previsto per le otto e mezzo. Alle sette e quarantacinque chiamai a raccolta tutta la mia volontà, rotolai giù dal divano, raccolsi le coperte, le lenzuola e il cuscino e salii in camera mia. Quando uscii dal bagno, lavato e rasato, Fred e Orrie erano seduti sul bordo del letto a sbadigliare. Dissi che dovevamo muoverci entro un'ottantina di minuti e loro mi risposero di non scocciarli. Quando scesi dabbasso ero convinto che avrei dovuto prepararmi la colazione da solo, ma mentre passavo davanti alla porta di Wolfe vidi emergere Fritz con il vassoio e i resti della colazione. Erano le otto e ventotto. Andai nello studio, formai il numero della signora Bruner, mi scusai per averla disturbata a quell'ora, le dissi che avevo una cosa importante da comunicarle e che la pregavo di chiamarmi da una cabina telefonica alle nove e quarantacinque al numero che stavo per darle. Rispose che le avrebbe mandato all'aria un impegno e mi chiese se era veramente importante. Risposi di sì e lei disse: «D'accordo».

Uscii di casa con la mia guardia del corpo alle nove e quaranta, andai fino al bar più vicino e m'installai vicino alla cabina. Avevo già in tasca le credenziali dei *G-men*. Alle nove e quarantasei squillò il telefono. Un uomo si avvicinò alla cabina, ma io lo battei in velocità, chiedendomi se poteva essere un *G-man*. Decisi di no: non era il tipo. La signora Bruner mi disse che sperava si trattasse di qualcosa di veramente importante, perché aveva dovuto rimandare il suo appuntamento.

«Non potete avere un appuntamento importante come quello che sto per darvi io» risposi «perciò dimenticatelo. Il signor Wolfe vi aspetta nel suo studio alle undici meno un quarto, non un secondo più tardi.»

«Stamattina? Non posso.»

«Potete e dovete. Mi avete detto già due volte che il mio tono non vi piace, ma il tono che ho usato allora è niente in confronto a quello che sentirete se non mi assicurate che sarete da noi alle undici meno un quarto. Il signor Wolfe potrebbe addirittura restituirvi i centomila dollari.»

«Ma perché? Di che si tratta?»

«Io sono semplicemente il passa-ordini. Lo saprete quando verrete. Non è solo importante: è vitale.»

Breve silenzio. «Alle undici meno un quarto?»

«Qualche minuto prima, anche, se possibile.»

Altro silenzio. «Va bene, ci sarò.»

«Splendido. Siete una cliente perfetta. Se non foste ricca vi sposerei.»

«Che cos'avete detto?»

«Niente.» Riattaccai.

Non mi sentivo pieno di vita, con solo sei ore di sonno,

ma mi sentivo importante, mentre mi dirigevo verso la Continental Bank di Lexington Avenue con il vento invernale alle spalle. Non sono molti quelli che hanno una guardia del corpo come quella che avevo io: il migliore investigatore privato tra i due oceani più altri due maledettamente abili. Se pensate che esageravamo, vi sbagliate. Che cosa sarebbe accaduto se fossi inciampato e mi fossi rotto la testa? O se dalla strada fosse sorta una sirena a incantarmi e avessimo scoperto in seguito che si trattava di una *G-woman*? Tanto più che Saul, Orrie e Fred erano in casa con me e una passeggiata non poteva fargli male. Alla banca, scesi nel sotterraneo per riporre le credenziali nella cassetta di sicurezza, poi risalii e incassai un assegno di cinquemila dollari per completare la riserva di liquidi della cassaforte. Pensai che erano passati esattamente nove giorni da quando era andato a depositare l'anticipo. Allora ero convinto che non avevamo una sola probabilità su un milione... Ora...

Dovemmo mettercela tutta per tornare alla vecchia casa di arenaria per le undici meno un quarto. Eravamo nell'atrio a toglierci i cappotti quando vidi arrivare la Rolls Royce della signora Bruner. La ricevetti sulla soglia. Fred e Orrie fecero per andarsene, ma io li richiamai.

«Signora Bruner» dissi «vi presento tre signori che per lavorare per voi hanno percorso novanta chilometri raggomitolati in uno scatolone con il coperchio ben chiuso e che sono rimasti per venti minuti con le pistole puntate contro due *G-men* mentre Wolfe esprimeva a quei signori il suo parere.»

«Sono... sono commossa.»

«Lo sapevo. Dunque: Saul Panzer, Fred Durkin e Orrie Cather. Passerete un po' di tempo con il signor Panzer. Porterò la vostra pelliccia nella stanza centrale. Richard Wragg, il *G-man* numero uno di New York, sta per arrivare e non deve vederla.»

Aveva gli occhi sbarrati ma la bocca chiusa. Decisi di sposarla nonostante i suoi quattrini. Mentre portavo via la pelliccia, Fred e Orrie si diressero verso la stanza che dà a mezzogiorno, per impedire a Kirby e a Jarvis di scendere a interrompere la conversazione.

Nell'atrio, dalla parte della cucina, c'è un rientro nel muro e nel rientro, ad altezza d'occhio, c'è un foro. Il foro è ricoperto da un pannello movibile dalla parte dell'atrio e da un quadro dalla parte dello studio. Il quadro è fatto in modo che ci si possa vedere attraverso e rappresenta una cascata. Naturalmente, si possono sentire anche le voci.

Condussi la signora Bruner verso la rientranza del muro, spostai il pannello e le mostrai il foro. «Come ho detto» spiegai «sta per arrivare Wragg. Egli si tratterrà nello studio con Wolfe e con me. Il signor Panzer prenderà uno sgabello, in cucina, e voi vi siederete qui, mentre lui vi resterà vicino in piedi. Può durare dai dieci minuti alle due ore. Non lo so. Non capirete tutto ciò che sentirete, ma capirete comunque abbastanza. Se vi viene da starnutire o da tossire, andate in cucina, in fretta e in punta di piedi. Saul vi farà un cenno se...»

Suonò il campanello. Guardai oltre l'angolo della rientranza. Doveva essere Wragg: con cinque minuti di anticipo. Dissi a Saul di andare a prendere lo sgabello, e lui era già diretto verso la cucina mentre io attraversavo l'atrio. Alla porta, mi voltai, Saul mi fece un cenno d'assenso e sparì nel rientro con lo sgabello.

Aprii.

Richard Wragg aveva quarantaquattro anni. Abitava in un appartamento a Brooklyn con la moglie e due figli e faceva parte dell'FBI da quindici anni. Gli investigatori privati queste cose devono saperle. Era alto quanto me, aveva la faccia lunga e il mento puntuto, e nel giro di un paio d'anni sarebbe stato calvo. Non mi tese la mano, ma mi voltò le spalle per farsi togliere il cappotto, perciò doveva fidarsi di me, almeno in parte. Quando lo accompagnai nello studio e gli feci cenno di sedersi sulla poltroncina di pelle rossa, rimase in piedi a guardarsi in giro; pensai che si stesse interessando al quadro con la cascata, ma forse mi sbagliavo.

Era ancora in piedi quando giunse il rumore dell'ascensore e Wolfe entrò.

«Il signor Wragg?» Wolfe si era fermato accanto alla scrivania. «Sono Nero Wolfe. Accomodatevi.»

Wolfe si sistemò sulla poltrona e Wragg si calò lentamente sulla poltroncina rossa, ma si accorse di essersi appena appollaiato sul bordo e scivolò più indietro.

I loro occhi s'incontrarono. Da dove mi trovavo non potevo vedere quelli di Wolfe, ma quelli di Wragg erano diretti e tranquilli.

«Ho sentito parlare di voi» disse Wragg «ma non vi conoscevo.»

Wolfe annuì. «Certe strade non s'incontrano facilmente.»

«Ma ora le nostre si sono incontrate. Penso che quanto diremo verrà registrato.»

«No. Abbiamo un registratore, ma non è in funzione. Possiamo ignorare simili futilità. Per una settimana ho pensato che tutto ciò che veniva detto in questa casa poteva essere ascoltato dal di fuori. Voi stesso potreste avere indosso un apparecchio. Da parte mia, avrei potuto mettere in funzione il mio registratore... Ma come ho detto, non l'ho fatto. Ignoriamo simili futilità.»

«Non abbiamo mai inserito microfoni in questa casa.»

Wolfe sollevò le spalle di un paio di millimetri, poi le lasciò cadere. «Lasciamo perdere. Desiderate parlarmi?»

Wragg teneva le mani posate sui braccioli della poltrona, a suo agio. «Come vi aspettavate. Ma non facciamo schermaglie inutili. Voglio le credenziali che avete sottratto con la forza ai miei due uomini.»

Wolfe sollevò una mano. Anche lui si sentiva a suo agio. «Ritirate l'espressione "con la forza". Sono stati loro a cominciare con la forza. Sono entrati in questa casa con la forza. Io mi sono limitato semplicemente a controbattere.»

«Voglio quelle credenziali.»

«Ritirate quella frase?»

«No. Ammetto che la vostra reazione è giustificabile. Rendetemi le credenziali, così potremo parlare alla pari.»

«Pfui. Siete uno sciocco o pensate che lo sia io? Non ho nessuna intenzione di parlare alla pari con voi. Siete venuto qui perché vi ci ho costretto, ma se siete venuto per dire delle sciocchezze potete anche andarvene. Devo descrivere la situazione così come la vedo io?»

«Sì.»

Wolfe voltò la testa. «Archie, la lettera con la quale la signora Bruner mi ha dato l'incarico.»

Quando tornai dalla cassaforte Wolfe fece un cenno verso Wragg, e io gli porsi la lettera. Rimasi accanto alla poltroncina rossa e quando Wragg ebbe finito di leggere tesi la mano. Lui la lesse di nuovo, poi me la porse senza neanche sollevare lo sguardo verso di me. Io andai alla mia scrivania e riposi la lettera nel cassetto.

«Documento interessante» disse Wragg. «Anche se avessimo svolto delle indagini sul conto della signora Bruner e della sua famiglia, cosa che non ammetto, lo avremmo fatto per ragioni di sicurezza.»

Wolfe fece un cenno d'assenso. «Mi aspettavo che lo diceste. È la menzogna usata di solito. Ma lasciatemi descrivere la situazione. I vostri uomini se ne sono andati, ieri sera, lasciando le loro credenziali in mio possesso, perché non avevano il coraggio di chiamare la polizia per farsele rendere. Sanno che se un cittadino è in grado di denunciarli per violazione di domicilio ed è deciso ad arrivare in fondo alla cosa, la polizia e la procura distrettuale appoggeranno il cittadino. Lo sapete anche voi. Non siete disposto a intraprendere un'azione legale per rientrare in possesso delle credenziali, e quindi non le riavrete. Impegnatevi a sospendere qualunque forma di indagine sulla signora Bruner e sulla sua famiglia e a non controllare più il suo telefono e...»

«Non ho detto che la signora Bruner è sottoposta a indagini.»

«Puah. Se... No. Cercherò di essere più semplice. Lasciamo perdere il passato. Impegnatevi a sospendere da oggi alle sei qualunque forma di sorveglianza sulla signora Bruner, sulla sua famiglia, sulla sua casa e sul suo telefono. Impegnatevi inoltre a sospendere qualunque forma di sorveglianza sul signor Goodwin, su me e sulla nostra casa. Da parte mia, m'impegnerò a non intraprendere alcuna azione legale contro i vostri uomini e a non rendere pubblica l'illegalità da essi commessa. Questa è la situazione. E questa è la mia offerta.»

«Intendete dire che dobbiamo impegnarci per iscritto?»

«No, a meno che non lo preferiate.»

«Io? Neanche per sogno. Sentite, Wolfe, devo riavere quelle credenziali.»

«Non le riavrete mai.» Wolfe alzò l'indice. «Cercate di capire, signor Wragg. Riuscirete a strapparmi le credenziali solo quando un tribunale vi avrà dato ragione, e vi assicuro che prima mi batterò con tutte le mie risorse e con tutte le risorse della mia cliente. Potete...»

«Accidenti, avete quattro testimoni!»

«Lo so. Vi assicuro che non mi interessa assolutamente di procurare grane a voi o alla vostra organizzazione. Voglio solo portare a termine un lavoro che mi è stato affidato. Se v'impegnate a non infastidire più né la mia cliente né me, non userò quelle credenziali contro di voi.»

Wragg guardò me. Pensai che stesse per chiedermi qualcosa, invece no: cercava solo qualcosa su cui riposare gli occhi dopo lo scontro oftalmico con Wolfe. Ci mise un po'. Alla fine, riportò gli occhi sul mio padrone.

«Avete dimenticato una cosa» disse. «Avete affermato che volete semplicemente portare a termine un lavoro che vi è stato affidato. Allora perché avete svolto delle indagini su un omicidio che non ha rapporti con questo lavoro? Perché Goodwin è andato due volte dalla signora Althaus, e due nell'appartamento di Morris Althaus, e perché voi avevate qui tutta quella gente giovedì sera?»

Wolfe annuì. «Pensate che Morris Althaus sia stato ucciso da uno dei vostri uomini?»

«Neanche per sogno. È un'ipotesi assurda.»

Wolfe s'irritò. «Maledizione, signor Wragg, possibile che non vi rendiate conto della situazione? Che cosa cercavano, i vostri uomini, quando hanno invaso la mia casa? Temevate che avessi scoperto, come in realtà è avvenuto, che tre dei vostri uomini erano stati in casa di Morris Althaus la sera del delitto. Quei tre vi hanno assicurato che Althaus era già morto, quando sono arrivati, ma voi non ci avete creduto. O quantomeno lo avete messo in dubbio. Non so perché, ma voi che li conoscete dovete aver avuto le vostre ragioni per dubitare. Comunque, avete temuto che avessi anche scoperto prove della loro colpevolezza. Parliamoci chiaro, Wragg.»

«Ancora non mi avete spiegato perché avete svolto delle indagini su quell'omicidio.»

«Non vi sembra ovvio? Perché avevo saputo che i vostri tre uomini erano stati in quella casa.»

«Come avete fatto a saperlo?»

Wolfe scosse il capo. «È un'informazione confidenziale.»

«Siete stato in contatto con l'ispettore Cramer?»

«No. Non lo vedo da mesi.»

«Con l'ufficio del Procuratore distrettuale, allora?»

«No.»

«Continuerete l'indagine?»

Wolfe sollevò un angolo della bocca. «Signor Wragg, sono propenso a sollevarvi da questa preoccupazione, ma prima devo accertarmi di aver svolto il mio compito. Avete accettato la mia offerta? Mi assicurate che da oggi pomeriggio alle sei il vostro ufficio non si occuperà più della signora Bruner o delle persone che le sono vicine?»

«Sì. Su questo punto siamo d'accordo.»

«Soddisfacente. Ora vi chiedo un'altra promessa. Dovete promettermi di tornare qui, quando vi pregherò di farlo, e di portare con voi la pallottola che uno dei vostri uomini ha trovato sul pavimento del soggiorno di Morris Althaus.»

Non dev'essere facile sbalordire Richard Wragg. Non si diventa il numero uno dei *G-men* di una città come New York se non si hanno i nervi saldi. La frase di Wolfe, comunque, lo lasciò a bocca aperta.

«Avete una faccia di bronzo» disse Wragg. Ora non aveva più la bocca aperta: anzi, teneva gli occhi socchiusi, stretti come feritoie. «Se avessi quella pallottola pensate forse che la porterei a voi?»

«Oh, ce l'avete.» Wolfe si dimostrava paziente. «Che cosa avvenne quella sera nell'appartamento di Morris Althaus? Una persona che chiamerò X – potrei darle un nome più preciso, ma per ora accontentiamoci di X – uccise Althaus con la sua stessa rivoltella. La pallottola attraversò il corpo, rimbalzò contro la parete e cadde a terra. X se ne andò, portando con sé la rivoltella. Subito dopo arrivarono i vostri tre uomini, ed entrarono così come sono entrati ieri sera in questa casa. Devo scendere in particolari?»

«Sì.»

«Qui da noi non suonarono il campanello perché pensavano di poter essere sicuri che la casa fosse deserta. L'avevano sorvegliata per giorni. Da Althaus, invece, suonarono. E forse, prima di andarci, telefonarono anche. Ma nessuno rispose perché Althaus era morto. Dopo aver perquisito l'appartamento e aver trovato quello che cercavano, pensarono che con ogni probabilità voi li avreste sospettati di aver ucciso Althaus, e per provarvi che non l'avevano fatto portarono via la pallottola trovata sul pavimento. La loro azione violava una delle leggi dello Stato di New York, ma ne avevano già violata una, quindi perché preoccuparsi? Come dicevo, presero la pallottola e la consegnarono a voi insieme al loro rapporto.» Alzò una mano. «Con ogni probabilità, quella pallottola, invece di convincervi della loro innocenza, sortì l'effetto contrario. Ma non mi addentrerò nel vostro processo mentale. Come ho già detto, avrete le vostre buone ragioni per non fidarvi dei vostri uomini. Sta di fatto che la pallottola è in vostro possesso, e io la voglio.»

Gli occhi di Wragg erano ancora simili a feritoie. «Sentite, Wolfe. Ci avete già messo in trappola una volta, accidenti a voi. Ci avete messo in trappola come mai nessuno al mondo. Ma non ci riuscirete per la seconda volta. Se anche avessi quella pallottola, non sarei certo tanto suonato da darla a voi.»

«Sareste suonato se non me la deste.» Wolfe fece una smorfia. Esistono delle parole di gergo che, a volte, Wolfe usa, ma "suonato" non ne faceva parte, e l'aveva pronunciata. «Mi preoccupo di questa storia perché ho contratto un obbligo nei confronti della persona dalla quale ho saputo che i vostri uomini erano sulla scena del delitto all'ora in cui Althaus venne ucciso. E gli obblighi non mi piacciono. Se risolverò quell'omicidio mi libererò di ogni forma di riconoscenza nei confronti di questa persona, e per giunta vi solleverò dai vostri dubbi. Non vorreste forse sapere che Althaus non è stato ucciso da uno dei vostri uomini? Portatemi quella pallottola e ve lo proverò. Anzi, facciamo un patto: se entro un mese dal giorno in cui mi avrete consegnato la pallottola l'assassino non sarà stato smascherato, vi restituirò quelle credenziali. Ma non ci metterò un mese. Con ogni probabilità, risolverò il caso in meno di una settimana.»

Stavolta gli occhi di Wragg erano ben aperti. «Mi restituirete le credenziali?»

«Certamente.»

«Avete detto "smascherato". Smascherato di fronte a chi?»

«A voi. Smascherato al punto di convincervi dell'innocenza dei vostri uomini. Dell'innocenza a proposito dell'omicidio, naturalmente.»

«Avete fatto un'offerta. Che garanzie ho?»

«La mia parola.»

«Quanto vale, la vostra parola?»

«Più della vostra. Molto di più, se devo credere a quel libro. Nessuno al mondo può dire che ho mancato qualche volta di parola.»

Wragg ignorò la stoccata. «Quando volete la pallottola... ammesso che ce l'abbia?»

«Non so. Forse più tardi. O domani. Ma voglio che me la consegniate personalmente.»

«Ammesso che ce l'abbia» fece Wragg alzandosi «devo pensarci sopra. Non prometto niente. Ho...»

«Avete già promesso. Niente sorveglianza nei confronti della mia cliente, o nei nostri...»

«Questo sì. Intendevo parlare di... Sapete benissimo di che cosa intendevo parlare.» Si mosse, si fermò e si voltò. «Resterete in casa tutto il giorno?»

«Sì. Ma se telefonate, ricordatevi che la mia linea è intercettata.»

Wragg non trovò la cosa divertente. Dubito che fosse in grado di trovare divertente qualcosa, in quel momento. Lo seguii nell'atrio e gli porsi cappello e cappotto, ma lui non si accorse della mia presenza. Quando ebbi chiuso la porta, mi voltai e vidi la cliente che entrava nello studio, con Saul alle calcagna. Decisi che non l'avrei più sposata. Avrebbe dovuto aspettare me per farsi scortare. Quando entrai nello studio mi trovai di fronte a un bel quadretto: la signora Bruner e Saul, fianco a fianco, erano chini sulla scrivania a guardare Wolfe, e lui era adagiato contro lo schienale della poltrona, gli occhi chiusi. Mi fermai sulla soglia a godermi la scena. Mezzo minuto. Un minuto. Bastava così: la signora Bruner aveva degli impegni. Attraversai lo studio e chiesi: «Avete potuto sentire bene?».

Wolfe aprì gli occhi. Invece di rispondere a me, la signora Bruner si rivolse a Wolfe. «Siete un tipo incredibile. Incredibile. Non sono mai stata veramente convinta che ce l'avreste fatta. Incredibile, vi dico. Esiste qualcosa che non potete fare?»

Wolfe si eresse. «Sì, signora. C'è. Non potrò mai mettere della grigia materia nel cervello di uno sciocco. Ho tentato, naturalmente. Comunque, capite perché vi ho fatto venire, vero? La vostra lettera dice "se otterrete i risultati da me sperati". Siete soddisfatta?»

«Certo che lo sono. Incredibile.»

«Anch'io sono meravigliato, non ve lo nascondo. Sedetevi, devo dirvi una cosa.»

«Altro che una!» La signora si mise a sedere sulla poltroncina rossa. Saul prese una di quelle gialle e io mi piazzai alla scrivania. «Parlatemi della trappola che avete organizzato.»

Wolfe scosse il capo. «No, questo può aspettare. Il signor Goodwin vi fornirà tutti i particolari, non appena possibile. Ora devo dirvi non quello che è stato fatto, ma quello che resta da fare. Siete mia cliente e devo proteggervi da ogni fastidio. Fino a che punto sapete essere discreta?»

Lei si accigliò. «Perché me lo chiedete?»

«Rispondete. Fino a che punto sapete essere discreta? Sapete mantenere un segreto?»

«Sì.»

Wolfe mi guardò. «Archie?»

Accidenti a lui. Mica gliene importava di dare fastidio a me. E se avessi deciso di nuovo di sposarla?

«Sì» risposi. «So dove volete arrivare e penso che vi possiate fidare di lei.»

«Bene.» Alla signora Bruner: «Voglio togliervi il fastidio di vedere la vostra segretaria fermata nel vostro studio dalla polizia, magari in vostra presenza, per essere interrogata a proposito di un omicidio probabilmente commesso da lei stessa».

Aveva sbalordito Wragg: con la cliente, ottenne un'immobilità assoluta. La Bruner non spalancò la bocca. Restò come pietrificata.

«Ho detto probabilmente» continuò Wolfe «ma vorrei dire sicuramente. La vittima è Morris Althaus. Il signor Goodwin vi fornirà i particolari anche di questo lato della faccenda, ma solo dopo che l'avremo risolta. Avrei preferito non dirvi niente fino ad allora, ma come mia cliente avete diritto alla mia protezione. Voglio darvi un consiglio.»

«Non ci credo» sbottò lei. «Datemeli subito, i particolari.»

«No» fece Wolfe in modo brusco. «Ho avuto una settimana, e adesso una giornata e una notte sfibranti. Se continuate su questo tono, io lascio questa stanza e voi lasciate questa casa, e con ogni probabilità parlerete con la signorina Dacos. La signorina Dacos fuggirà, verrà riacciuffata dalla polizia e voi vi troverete nelle condizioni di dover rispondere a molte domande da parte delle autorità. Preferite quest'alternativa?»

«No.»

«Pensate che sono il tipo capace di formulare un'accusa tanto grave senza averne una ragione?»

«No.»

«Allora seguite il mio consiglio.» Wolfe guardò l'orologio appeso alla parete. Mezzogiorno e cinque. «A che ora la signorina Dacos va a mangiare?»

«A seconda. In genere mangia là, verso l'una.»

«Allora il signor Panzer verrà con voi. Ditele che avete intenzione di rimettere in ordine lo studio... Che volete farlo decorare, o arredare a nuovo di sana pianta, o quello che volete, e che non avrete bisogno di lei per il resto della settimana. Il signor Panzer comincerà immediatamente i preparativi. Lei, la vostra segretaria, sarà fermata, ma se non altro non sarà fermata in casa vostra. Non mi va che gli assassini vengano arrestati in casa dei miei clienti. Preferite che succeda questo?»

«No.»

«Né vorreste avere la sgradita sorpresa di vedere la polizia fare irruzione nel vostro studio per arrestare la signorina Dacos sotto i vostri occhi.»

«No, certo.»

«Allora dovreste ringraziarmi, perché vi do la possibilità di evitarlo. Ma non siete nello stato d'animo di ringraziare nessuno, per il momento. Volete che il signor Panzer venga con voi, in macchina, o preferite che vi segua? Potreste parlarne con lui, strada facendo. Non è uno sciocco.»

Guardò me, poi riguardò lui. «Il signor Goodwin non può venire?»

Non cambiai parere sulla questione matrimonio perché preferisco corteggiare che essere corteggiato, comunque la cosa mi lusingò. Wolfe le rispose che il signor Goodwin aveva del lavoro da svolgere, e la povera donna dovette accontentarsi di Saul. Quest'ultimo andò a prendere la pelliccia e aiutò la signora Bruner a infilarla. Ammetto che provai una fitta al cuore. Quando fossero arrivati nella Settantaquattresima Strada lei avrebbe cominciato ad apprezzarlo. Non volendo intromettermi nei loro rapporti, non li accompagnai nell'atrio.

Quando ci giunse il rumore della porta che si chiudeva, Wolfe piegò la testa da un lato, mi guardò e borbottò: «Dite qualcosa».

«Supercalifragilistichespiralidoso» risposi. «Può andare? Una ragazza in un certo film usa questo termine come toccasana.»

«Soddisfacente.»

«D'accordo.»

«La nostra linea telefonica è ancora controllata. Siete disposto a vedere il signor Cramer prima di pranzo?»

«Dopo sarebbe meglio. Sarà di umore migliore. Ci metterà solo un'ora per procurarsi il mandato.»

«Benone. Ma... Sì, Fred?»

Durkin, dalla soglia, annunciò: «Hanno fame».

14

L'ufficio dell'ispettore che comanda la Squadra Omicidi della zona sud della città, nella Ventesima Strada, non è squallido, ma neanche estremamente accogliente. Il linoleum che ricopre il pavimento è malandato, la scrivania di Cramer avrebbe bisogno di una buona lucidata, le finestre non sono mai pulite, e le sedie, tutte tranne quella di Cramer, sono oneste sedie di legno, dallo schienale scomodo. Quando posai il deretano su una di esse, alle due e trentacinque di quel giorno, Cramer sbottò: «Vi avevo detto di non venire e di non telefonare!».

Annuii. «Non vi preoccupate, adesso non avete più niente da temere. Il signor Wolfe...»

«Che cosa intendete dire?»

«Che il signor Wolfe si è guadagnato i centomila dollari e per sorappiù un onorario.»

«Non raccontate balle. È riuscito a convincere l'FBI a lasciar perdere la signora Bruner?»

«Sì. Ma non siamo riusciti ad assolvere il compito che ci avete affidato voi. Abbiamo...»

«Non vi ho affidato nessun compito.»

«E va bene. Abbiamo appurato che non è stato un *G-man* a uccidere Morris Althaus. Pensiamo di conoscere l'identità dell'assassino, così come pensiamo di poterlo mettere con le spalle al muro. Non vi spiegherò come abbiamo fatto a immobilizzare l'FBI. Quando avrà tempo, il signor Wolfe ve lo racconterà personalmente, e voi vi divertirete un mondo ad ascoltarlo. È stato il colpo più sensazionale della sua carriera e ha fatto centro. Sono qui per parlare di omicidi.»

«Avanti. Vi ascolto.»

M'infilai la mano in tasca e tirai fuori qualcosa che gli porsi. «Dubito che l'abbiate già vista» dissi. «Ma sono pronto a scommettere che i vostri uomini l'hanno avuta in mano. Era in un cassetto della camera da letto di Althaus. Ho avuto le chiavi dell'appartamento dalla madre della vittima, perciò non sperate di potermi accusare di violazione di domicilio. Giratela.»

La voltò e lesse la poesia.

«È un rifacimento degli ultimi quattro versi della seconda strofa dell'*Ode su un'urna greca* di Keats. Mica male. È stato scritto dalla signorina Sara Dacos, la segretaria della signora Bruner, che abita al numero sessantatré di Arbor Street, sotto l'appartamento di Althaus. Ho confrontato la calligrafia con due autografi fornitimi dalla Bruner. Eccoli qui.» Li cavai di tasca e glieli consegnai. «A proposito, Sara Dacos ha visto i tre *G-men* uscire dalla casa. Li ha visti dalla finestra. Ricordatevelo, quando la interrogherete.»

«Quando la interrogherò per che cosa? Per questo?» Picchiò l'indice sulla fotografia.

«No. La ragione principale per la quale sono qui è che voglio fare con voi una scommessa. Cinquanta contro uno che, se vi procurate un mandato di perquisizione e perquisirete il suo appartamento, troverete qualcosa d'importante. Prima agite, meglio è.» Mi alzai. «Per il momento non c'è altro. Dobbiamo...»

«Mettetevi a sedere!» Il suo faccione rosso era ancora più rosso del solito. «Vi ripeto, mettetevi a sedere! Tanto per cominciare, interrogo voi! Che cosa troveremo, se dovessimo deciderci ad andare in quella casa? E quando ce l'avete messa, là dentro, la cosa che troveremo?»

«Mai. Sentite, quando avete a che fare con me è come se aveste a che fare con il signor Wolfe. Sapete benissimo che devo attenermi alle sue istruzioni. Per il momento non ho altro da dirvi e non aprirò bocca. Sprecherete del tempo, se

continuate ad abbaiarmi contro. Procuratevi il mandato e
andate a perquisire quella casa. Se troverete qualcosa, il signor Wolfe sarà lieto di spiegarvi la situazione.»

«Prima ne parlerò con voi, perciò non ve ne andrete di
qui.»

«Allora arrestatemi.» Cominciavo a seccarmi. «Ma che
cosa pretendete? Avete avuto per le mani quest'omicidio
per due mesi! A noi è bastata una settimana.»

Mi voltai e uscii. Ero pronto a scommettere alla pari che
mi avrebbero fermato: se non subito, mentre stavo per uscire dall'edificio. Ma non accadde. L'agente di guardia alla
porta, che mi conosceva di vista, mi fece un cenno di saluto. Non cordiale, ma quasi umano.

Andai fino alla Sesta Avenue, poi svoltai verso sud. Tutto
era sotto controllo, alla vecchia casa di arenaria. Ashley
Jarvis e Dale Kirby, ormai tornati sobri, avevano fatto
un'abbondante colazione, avevano intascato gli altri mille
dollari a testa e se n'erano andati. Fred e Orrie avevano ricevuto trecento dollari l'uno per i due giorni di lavoro svolti
e se n'erano andati a loro volta. Saul era nello studio della
Bruner, pronto a dare inizio ai lavori di decorazione o di arredamento, a seconda di quanto deciso dalla signora. Senza
dubbio Wolfe stava leggendo un libro, ma non L'*FBI che nessuno conosce*, perché ormai lui lo conosceva. E alle quattro
sarebbe salito nella serra, la prassi quotidiana. Io non dormo mai il pomeriggio, neanche se la notte non ho chiuso
occhio, perciò decisi di fare una passeggiata.

Mi fermai nella strada di fronte ad Arbor Street e osservai le finestre del numero 63. Dato che avevo ancora in tasca le chiavi, tanto valeva dare retta all'istinto. Salii i tre
piani di scale che portavano all'appartamento di Morris
Althaus. Ve lo racconto non perché questa mia azione cambiò le cose, ma per spiegarvi il mio stato d'animo. Erano
passate cinquantatré ore da quando avevo infilato la pistola
tra le molle del divano: più che sufficienti per consentire a
una ragazza sveglia di trovarla e di metterla altrove. Se la
pistola non era più al suo posto mi sarei trovato nei guai,
dopo quello che avevo detto a Cramer. Cramer sapeva be-

nissimo che Wolfe non mi aveva mandato da lui basandosi solo su una supposizione o su un sospetto. Era certo di trovare qualcosa di scottante nell'appartamento. E se non l'avesse trovato, mi avrebbe fatto passare dei guai. Se gli spiegavo la storia della pistola, mi avrebbe accusato di aver fatto sparire delle prove. Se non gliela spiegavo, mi avrebbe sospettato di qualcosa di peggio, e addio licenze.

A voi, magari, il mio stato d'animo può anche non interessare, ma a me sì. Mi avvicinai a una delle finestre del soggiorno di Morris Althaus, spostai una tenda e schiacciai la fronte contro il vetro, per guardare il marciapiede. Un atto inutile, l'ammetto, ma certi stati d'animo portano a fare atti inutili. Erano le tre e venticinque. Avevo lasciato Cramer solo trentacinque minuti prima. Ci avrebbe impiegato almeno un'ora per procurarsi il mandato, perciò che cosa mi aspettavo di vedere? Per giunta, il vetro era freddo. Tirai indietro la testa di un paio di centimetri. Ma avevo i nervi tesi e di tanto in tanto continuai ad appoggiare la fronte al vetro. Alla fine qualcosa vidi. Sul marciapiede apparve Sara Dacos, con un grosso sacco di carta scura sotto il braccio, ed entrò nella casa. Erano le quattro meno dieci. Vederla non migliorò il mio stato d'animo. Non avevo niente contro Sara Dacos. Naturalmente non avevo niente neanche pro. Una donna capace di infilare una pallottola nelle budella di un individuo può o non può meritare comprensione, ma certo non può aspettarsi che un tizio si metta sulla sua traiettoria, quando la vede.

Aguzzai le orecchie e sentii chiudere la porta del suo appartamento.

Alle quattro e un quarto di fronte all'ingresso si fermarono due macchine della polizia. Riconobbi tutti e tre gli agenti della Squadra Omicidi che scesero e si diressero verso il numero 63. Uno di loro, il sergente Purley Stebbins, pensava certo a me quando premette il campanello. Costui detesta di trovarsi tra i piedi me o Wolfe quando si occupa di un omicidio, e ora eccolo là a fare un lavoro del quale ero responsabile io. Avrei voluto andare sulle scale per sentire che cos'avrebbe detto Sara Dacos nel vedere il mandato di perquisizione, ma ci rinunciai. Se Stebbins annusava la mia presenza, era capace di sospendere le ricerche. Ci misero meno di dieci minuti a trovarla. Erano entrati nell'appartamento alle quattro e ventuno e Purley ne uscì con Sara Dacos alle quattro e quarantatré. Concedo a Purley una dozzina di minuti per rivolgere delle domande a Sara Dacos, dopo aver trovato la pistola. Rimasi alla finestra finché la macchina non si fu allontanata, poi andai a sedermi sul divano. Poiché Stebbins aveva portato via la ragazza, la rivoltella era stata trovata.

Rimasi sul divano finché il mio stato d'animo non migliorò. Poi presi cappello e cappotto e me ne andai. C'era ancora l'altra macchina della polizia, davanti all'ingresso: aspettava evidentemente i due agenti rimasti di sopra. Poteva darsi che l'autista mi conoscesse, ma con questo? Quando passai vicino alla macchina mi lanciò un'occhiata sospettosa, ma forse lo fece solo perché mi aveva visto uscire da quella casa.

Tornai a piedi fino alla casa di arenaria. Quando ci arrivai, erano le cinque e mezzo passate, ed era già buio. Andai in cucina, presi un bicchiere di latte e chiesi a Fritz: «Ti ha detto che non siamo più nei guai?».

«No.» Stava tagliando delle carote.

«Bene. Te lo dico io. Ora puoi dire quello che vuoi, quando telefoni. Riprendi pure i contatti con le tue ragazze. Se uno sconosciuto ti rivolge la parola, rispondi liberamente. Vuoi un consiglio?»

«Sì.»

«Chiedi un aumento. Lo chiedo anch'io. A proposito, non mi sono informato di com'è andata la cena, ieri sera.»

Sollevò lo sguardo. «Archie, preferisco non parlarne mai più. Una giornata orribile. *Epouvantable*. Il mio cervello era qui con voi. Non so che cos'ho fatto da mangiare. Non so che cos'ho servito. Preferirei dimenticare questa storia, se possibile.»

«Hewitt ha telefonato per dirci che si sono alzati tutti per applaudirti.»

«Certo. Sono stati educati. Io so una cosa: ho messo i tartufi nella salsa *Périgourdine*.»

«Santo cielo! Meno male che non c'ero. Posso avere una carota?»

Rispose di servirmi pure, e io mi servii.

Ero alla mia scrivania, quando Wolfe scese dalla serra. Anche se non l'aveva detto, sapevo che era nervoso quanto lo ero stato io. Aspettai che si fosse seduto, poi dissi: «Rilassatevi. Hanno trovato la rivoltella».

«Come fate a saperlo?»

Glielo spiegai, cominciando dal colloquio con Cramer e finendo con il colloquio con Fritz. Mi chiese se mi ero fatto dare una ricevuta per la fotografia.

«No» risposi. «Non era nello stato d'animo adatto per rilasciare ricevute. Gli avevo appena detto che Morris Althaus non era stato ucciso da un *G-man* e la cosa gli scottava.»

«Lo credo. Pensate che il signor Wragg sia in ufficio?»

«Può darsi.»

«Chiamatelo.»

Feci per sollevare il ricevitore, ma suonò il campanello. Andai a dare un'occhiata attraverso lo spioncino, ritornai sui miei passi e feci: «Potete chiedergliela voi la ricevuta».

Respirò profondamente. «È solo?»

Risposi di sì, tornai nell'atrio e aprii la porta. Stavolta Cramer non aveva bottiglie di latte per me. Non ebbe niente, per me, neanche un cenno di saluto. Quando tornai nello studio, dopo aver appeso il suo cappotto, era piazzato nella poltroncina di pelle rossa e stava parlando. Potei afferrare solo l'ultima frase: «...Avrei dovuto immaginarlo. Lo sa il Padreterno se avrei dovuto immaginarlo». Si voltò verso di me, mentre mi sedevo. «Dove avete preso quella pistola e quando l'avete messa là?»

«Maledizione» grufolò Wolfe «non sareste dovuto venire. Avreste dovuto aspettare di essere nel pieno possesso delle vostre facoltà. Archie, chiamate il signor Wragg.»

Quando Cramer bolle non è facile soffocare il vapore, ma il nome di Wragg fece il miracolo. Non lo vidi serrare la mascella e fissare Wolfe con occhi di fuoco, ma sono sicuro che lo fece, anche se in quel momento gli voltavo le spalle e formavo il numero. Pensavo che ci sarebbe voluta tutta la mia forza di persuasione, per farmi passare l'interno Uno, ma non fu necessaria. Evidentemente, il centralinista aveva avuto l'ordine di far proseguire immediatamente qualsiasi comunicazione di Wolfe. Buon segno. Dopo pochi attimi mi giunse la voce bassa, controllata, dalla dizione perfetta. Giunse anche all'orecchio di Wolfe, perché aveva sollevato il ricevitore del suo apparecchio. Rimasi in ascolto.

«Wolfe?»

«Sì. Wragg?»

«Sì.»

«Sono pronto per quella pallottola. Subito anche, come d'accordo. Portatemela e se non otterrete quello che volete nel giro di un mese, vi restituirò quelle credenziali. Ma penso che risolveremo tutto prima, molto prima.»

Nessuna esitazione. «Arrivo.»

«Subito?»

«Sì.»

Quando riattaccammo, Wolfe mi chiese: «Quanto ci impiegherà?». Risposi una ventina di minuti, o meno, e Wolfe si rivolse a Cramer. «Il signor Wragg sarà qui tra venti minuti. Vi consiglio...»

«Wragg dell'FBI?»

«Sì. Vi consiglio di rimandare le vostre esplosioni di collera fino a dopo il suo arrivo. Nel frattempo, vi metterò al corrente di un'operazione già conclusa. Ho promesso a Wragg che non avrei rivelato la cosa pubblicamente, ma voi non siete il pubblico, e dato che devo a voi se sono riuscito ad arrivare in porto, avete il diritto di sapere tutto. Ma se risponderete a due mie domande mi faciliterete il colloquio con Wragg. Avete trovato una rivoltella nell'appartamento della signorina Dacos?»

«Certo. Ho appena chiesto a Goodwin quando ce l'ha messa. E glielo chiederò di nuovo.»

«Quando avremo finito la discussione con Wragg non ne avrete più bisogno. Era la pistola per la quale il signor Althaus aveva un porto d'armi?»

«Sì.»

«Bene. Questo semplifica molto le cose. Ma torniamo all'operazione di cui vi parlavo...»

La descrisse in tutti i particolari. Wolfe è abile quanto me, a raccontare le cose. Più abile, forse, se voi siete tipi che preferite i racconti a base di parole difficili. Quando arrivò alla scena nello studio, con i due *G-men* circondati dalle pistole e lui che lasciava cadere le credenziali nel cassetto, vidi qualcosa che non avevo mai visto prima e che probabilmente non vedrò più: un largo sorriso sulla faccia dell'ispettore Cramer. Il sorriso riapparve quando Wolfe riferì il colloquio di quella mattina con Wragg e si soffermò su quando aveva detto che la sua parola valeva più di quella dei *G-men*. Pensai che Cramer poteva anche arrivare ad alzarsi per dare una manata a Wolfe, ma in quel momento suonò il campanello.

Ho già detto che Wragg era rimasto sbalordito quando Wolfe gli aveva chiesto di portare la pallottola, ma non era stato niente al confronto di come rimase quando si trovò di fronte a Cramer. Non vidi l'espressione della sua faccia, perché gli stavo di spalle, ma notai come s'irrigidì e come strinse i pugni. Cramer si alzò, tese la mano, poi la ritirò in fretta.

Mentre gli porgevo una delle sedie gialle, Wragg disse a Wolfe: «La vostra parola varrebbe più della mia? Maledetto saltimbanco!».

«Mettetevi a sedere» disse Wolfe. «La mia parola può non valere più della vostra, ma il mio cervello sì. Non giudico mai una situazione prima di capirla. Il signor Cramer è...»

«Ogni accordo fra noi è annullato.»

«Pfui. Non siate sciocco! Il signor Cramer è dispiaciuto per aver pensato che un membro della vostra organizzazione possa essere stato colpevole di omicidio. Se vi calmate e vi mettete a sedere, ve lo dirà lui stesso.»

«Non ho niente da dire a nessuno» sbottò Cramer. Si voltò per assicurarsi che la poltroncina rossa fosse ancora là e si mise a sedere. «Chiunque nasconda delle informazioni utili per...»

«No» sbottò Wolfe. «Se avete intenzione di litigare tra voi, sono affari vostri. Ma non lo farete in casa mia. Voglio risolvere una situazione; non complicarla. Wragg, preferisco sempre conversare con gente che abbia gli occhi allo stesso livello dei miei. Sedetevi, dunque.»

«Come intendete risolverla?»

«Sedetevi e ve lo dirò.»

Wragg guardò Cramer, poi me, come un generale che osserva un campo di battaglia per proteggersi i fianchi. La cosa non gli garbava, ma si sedette.

Wolfe sollevò una mano, con il palmo rivolto verso l'alto. «In realtà, la situazione non è affatto complicata. Tutti vogliamo la stessa cosa. Io voglio togliermi dalle spalle un obbligo. Voi, signor Wragg, volete appurare che i vostri uomini non sono colpevoli d'omicidio. Voi, signor Cramer, volete smascherare l'assassino di Morris Althaus. Semplice. Signor Wragg, consegnate al signor Cramer la pallottola che avete in tasca e ditegli da dove proviene. Signor Cramer, fate esaminare la pallottola dai vostri esperti e stabilite se è stata espulsa dalla rivoltella che avete trovato oggi in quell'appartamento. Questo, assommato alle prove che senza dubbio i vostri uomini stanno cercando, dovrebbe essere sufficiente per risolvere il caso. Non c'è...»

«Non ho detto che ho in tasca una pallottola.»

«Sciocchezze. Vi consiglio di usare un altro tono. Il signor Cramer ha ottime ragioni per credere che abbiate indosso una prova riguardante un omicidio commesso nella sua giurisdizione. Le leggi dello Stato di New York lo autorizzano a perquisirvi, immediatamente, e a sottrarvi quella prova. Giusto, signor Cramer?»

«Sì.»

«Ma» disse Wolfe a Wragg «non sarà necessario. Ripeto, non siete uno sciocco. È nel vostro interesse, e in quello della vostra organizzazione, consegnare la pallottola al signor Cramer.»

«Questo lo dite voi!» sbottò Wragg. «Volete forse che uno dei miei uomini salga sul banco dei testimoni e riveli, sotto giuramento, che è stato in quell'appartamento e ha portato via la pallottola? Andate a quel paese!»

Wolfe scosse il capo. «No. Non accadrà niente del genere.

Voi date la vostra parola al signor Cramer, qui, in forma privata, che la pallottola viene di là, e sarà uno dei suoi uomini a salire sul banco dei testimoni e a dichiarare sotto giuramento che l'ha presa in quell'appartamento.»

«I miei uomini non sono spergiuri» sbraitò Cramer.

«Puah. Questa conversazione non viene registrata, perciò smettetela di dire sciocchezze. Se il signor Wragg vi consegna una pallottola e vi garantisce che è stata trovata sul pavimento della casa di Morris Althaus verso le undici di sera di venerdì, venti novembre, gli crederete?»

«Sì.»

«Allora conservate i vostri atteggiamenti per chi li sappia apprezzare più di me. Io li considero alquanto primitivi. Non credo...»

«Potrebbe fare sul serio» intervenne Wragg. «È capace di salire lui, sul banco dei testimoni, e di raccontare come ha avuto la pallottola. Così trascina anche me, in tribunale.»

Wolfe annuì. «Giusto. Potrebbe. Ma non lo farà. Se lo facesse, saremmo chiamati in tribunale anche io e il signor Goodwin, e tutta l'opinione pubblica americana saprebbe che nel giro di pochi giorni ho risolto un caso d'omicidio che la polizia e l'ufficio del Procuratore distrettuale non erano riusciti a mettere in chiaro in otto settimane.»

«Accidenti a voi» disse Cramer. «Accidenti a tutti e due.»

Wolfe guardò l'orologio. «Signori, sono già in ritardo per la cena. Ho detto tutto quello che dovevo dire e mi sono liberato dei miei obblighi. Volete risolvere la questione o preferite andare da qualche altra parte a complicarla?»

Wragg guardò Cramer. «Ci vedete qualcosa che non va, nella sua proposta?»

Gli occhi del poliziotto e quelli del *G-man* s'incontrarono e sostennero lo sguardo.

«No» disse Cramer. «E voi?»

«No. Avete quella pistola?»

«Sì.»

Cramer si rivolse a Wolfe. «Avete detto che dopo aver parlato con Wragg non l'avrei più chiesto a Goodwin. E non lo farò.» Riportò lo sguardo su Wragg. «Dipende da voi.»

Wragg s'infilò una mano in tasca e tirò fuori una capsula di plastica.

Poi si alzò e fece un passo. «Questa pallottola» disse «è stata trovata nell'appartamento di Morris Althaus, nel soggiorno, verso le undici di venerdì sera, venti novembre. Ora è vostra. Io non l'ho mai vista.»

Cramer si alzò per prenderla. Svitò il coperchio della capsula, si fece scivolare sul palmo della mano la pallottola, la studiò, e la rimise nella capsula.

«E come, se è mia!» disse.

15

Tre giorni dopo, verso le sei e mezzo di lunedì, Wolfe e io ci trovavamo nello studio a discutere sul modo migliore di stendere la nota spese che dovevamo presentare alla Bruner. Lo ammetto, era una questione di poco conto, ma rappresentava un principio morale. Secondo lui, sarebbe stato giusto e onesto includere il pranzo al Rusterman: in realtà i pasti che consumavamo in quel ristorante, infatti, non erano gratuiti. Gli venivano offerti grazie ai servizi resi e da rendere al suddetto ristorante. Secondo me, invece, i servizi resi erano ormai resi, e quelli da rendere li avremmo resi anche se non ci avessero offerto neanche una tazza di caffè.

«Mi rendo conto del vostro problema» dissi. «Anche se spingete la cifra al massimo, diciamo a un altro centinaio di migliaia di dollari, non vi basterà per tutto l'anno. E diciamo che verso novembre dovrete accettare un altro incarico. Di conseguenza, cercate di spremere da questo affare quanto più è possibile, se volete, ma la signora Bruner è stata una cliente meravigliosa, e voi dovreste avere della considerazione per lei. Ha avuto un sacco di spese e ora dovrà sborsare degli altri quattrini per pagare l'avvocato di Sara Dacos. Quella donna ha un cuore.»

«Come sapete, la signorina Dacos ha confessato.»

«Appunto per questo avrà ancora più bisogno di un buon avvocato. Ma torniamo alla questione che stavamo discutendo. Sono stato io a invitare la signora Bruner, e se metterete il pranzo sul conto spese le dirò che non l'abbiamo pagato. In questo caso...»

Suonò il campanello. Andai nell'atrio e attraverso lo spioncino vidi un tizio che non conoscevo, ma del quale avevo avuto sotto gli occhi decine di fotografie. Tornai nello studio e dissi: «Bene, bene. Il pesce più grosso di tutti».

Mi guardò, accigliato, si alzò e fece una cosa che non aveva mai fatto. Venne nell'atrio e restò al mio fianco a guardare attraverso lo spioncino. Il visitatore posò di nuovo il dito sul pulsante, e il campanello suonò ancora.

«Non ha un appuntamento» dissi. «Devo portarlo nella stanza centrale e farlo aspettare per un po'?»

«No. Non ho niente da dirgli. Lasciate che s'indolenzisca il dito.»

Si voltò e ritornò alla sua scrivania.

Lo seguii. «Con ogni probabilità è venuto apposta da Washington per vedervi. Che onore.»

«Pfui. Venite qui. Voglio risolvere questa questione della nota spese.»

Ritornai alla mia scrivania. «Come dicevo, potrei mettere la signora Bruner al corrente del fatto che il pranzo non è stato pagato.»

Il campanello suonò di nuovo.

REX STOUT

In Oscar Scrittori moderni

REX STOUT

········· LE INCHIESTE DI NERO WOLFE ·········

La Lega
degli Uomini Spaventati

OSCAR MONDADORI

LA LEGA DEGLI UOMINI SPAVENTATI

Vittima di uno scherzo goliardico, Paul Chaplin è rimasto meno-
mato a vita. Dopo anni ai suoi amici di un tempo capitano strani
incidenti. È Paul l'assassino? A scoprire l'inimmaginabile verità,
come sempre, sarà l'ineguagliabile Nero Wolfe, in quello che il
grande John Dickson Carr ha definito "uno dei dieci gialli più
belli del mondo".

REX STOUT

In Oscar Scrittori moderni

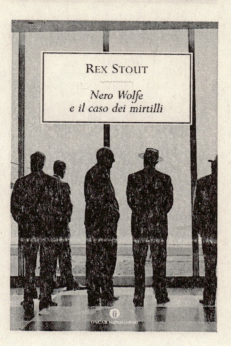

NERO WOLFE
E IL CASO DEI MIRTILLI

Mentre è in Montana per una vacanza, il giovane Archie Goodwin è costretto, suo malgrado, ad occuparsi di una morte misteriosa. Un'indagine difficile, che ben presto sfocia in un vicolo cieco. Da cui Archie potrà uscire solo chiedendo aiuto al suo egocentrico, burbero, eccentrico capo: il geniale Nero Wolfe.

REX STOUT

In Oscar Scrittori moderni

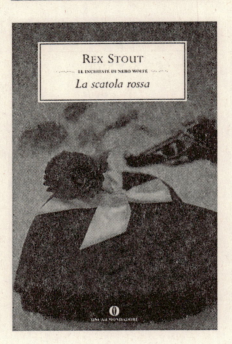

LA SCATOLA ROSSA

Molly Lauck viene uccisa con un candito al cianuro nella casa di moda McNair, dove lavora come modella. Anche Helen Frost lavora alla McNair e suo cugino Lew decide di ingaggiare il miglior investigatore di New York, Nero Wolfe, che scopre subito importanti indizi: per esempio viene a sapere che la scatola di canditi non era destinata a Molly, e che qualcuno sapeva bene cosa conteneva...

REX STOUT

In Oscar Scrittori moderni

LA GUARDIA AL TORO

Nero Wolfe si sta recando a una mostra di orchidee nell'auto guidata dal fido Archie Goodwin, quando la vettura si guasta e i due rimangono intrappolati in mezzo a un campo, dove si aggira un pericolosissimo toro, con il quale l'investigatore sarà costretto a misurarsi in una gustosissima sfida. Un grande romanzo, che Stout stesso considerava l'avventura più riuscita di Nero Wolfe.

REX STOUT

In Oscar Scrittori moderni

I QUATTRO CANTONI

Una giovane ereditiera che sta per ricevere otto milioni di dollari si fa ospitare da Archie Goodwin, l'aiutante dei Nero Wolfe. E quando la ragazza viene trovata morta, i sospetti si concentrano proprio su Archie. Che a questo punto ha solo una speranza di cavarsela: ricorrere, per una volta da cliente, al fiuto del suo ciclopico principale...

REX STOUT

In Oscar Scrittori moderni

CHAMPAGNE PER UNO

Faith Usher racconta a tutti di volersi togliere la vita. E quando muore uccisa da una coppa di champagne avvelenato, l'unico a non credere che si sia trattato di suicidio è Archie Goodwin. Ora toccherà a lui e a Nero Wolfe provare che si è trattato di omicidio. E scoprire l'identità dell'assassino, che sembra proprio aver compiuto il delitto perfetto...

REX STOUT

In Oscar Scrittori moderni

NERO WOLFE FA LA SPIA

Nero Wolfe torna in Europa, nel Montenegro, sua terra d'origine.
E qui scala montagne e arranca su e giù per i boschi. Quale
straordinario fatto può averlo spinto a trascorrere una settimana
così faticosa? Un'insolita avventura in cui i più raffinati meccanismi narrativi del giallo si fondono con la descrizione di stupendi
paesaggi e gli intrighi della politica internazionale all'indomani
della Seconda guerra mondiale.

REX STOUT

In Oscar Scrittori moderni

LA TRACCIA DEL SERPENTE

Nero Wolfe si trova alle prese con l'omicidio di un giovane immi-
grato italiano. Alcuni indizi sembrano collegare questo delitto
con l'assassinio di un filantropo direttore di college. Ma quando
Nero riceve il pericoloso dono di un velenosissimo serpente, sa
che per l'assassino le ore sono contate...

and Nagasaki with the thought that the dropping of these atomic bombs had ended the war and so been a means of saving lives. What would the attitude of these people have been towards a massacre committed by the Spanish Republicans, a counter-Guernica? The question is rhetorical: they would have said that such a massacre was impossible, that 'our' troops would not do such a thing. When those on 'our' side killed, the conscience rested in momentary abeyance, as this poem by Bernard Spencer conveys.

> I read of a thousand killed.
> And am glad because the scrounging imperial paw
> Was there so bitten:
> As a man at elections is thrilled
> When the results pour in, and the North goes with him
> And the West breaks in the thaw.
>
> (That fighting was a long way off.)
>
> Forgetting therefore an election
> Being fought with votes and lies and catch-cries
> And orator's frowns and flowers and posters' noise,
> Is paid for with cheques and toys:
> Wars the most glorious
> Victory-winged and steeple-uproarious
> . . . With the lives, burned-off,
> Of young men and boys.

Slowly, almost imperceptibly, liberals found themselves acknowledging simultaneously pleasure in reading of a thousand dead and sorrow that war meant burned-off lives; swiftly and delicately they touched violence to see if it burned, as a child puts a finger through the flame. In their adherence to collective security there was a masochistic feeling for violence, a longing for immersion in the virtuous strength of the Soviet Union, a desire to identify goodness with success. It was not until the end of the Spanish Civil War that the dreamers drew back, distressed by the discovery that the finger held too long in the flame actually burned.

tists who were delighted to receive this ready-made guide to a philosophy of action, but also of many among the Audience at the base of the pyramid, who found themselves emotionally compelled to believe in the virtue of the Soviet Union as the viciousness of German Fascism became apparent.

The psychological effects of this adherence to a vaguely-held idea of collective action are interesting. As individuals the members of the Audience were still tender-minded, but as a group they had come to accept violence as a necessity, and even perhaps to desire it. It was a psychological need for the solutions to life that appeared to be offered by violence that prompted many pacifically-minded people to reject pacifism. The general attitude of these people towards Communism was one of regretful sympathy. The future, they agreed with Strachey, belonged to Communism, but they believed strongly that their own infusion of liberal feeling would temper Communist harshness, perhaps even change the nature of Communism in Britain.

Once the importance of achieving collective security, through some means other than the League of Nations, had been understood, every event seemed to reinforce this view. The invasion of Abyssinia by Mussolini's Italy had been preceded by the Italian delegation walking contemptuously out of the League; the attempt to apply economic sanctions failed completely: and to let Mussolini go ahead was felt to involve a sort of complicity in his agression. He should be stopped, then: and how could he be stopped but by a coalition of progressive groups and parties, in which, quite naturally, the Communist Party—as representative, so to speak, of the Soviet Union—must play a leading part? The liberals who accepted this argument never really understood that participation in such a coalition implied an infinite pliability on their own part, a slow stretching of the liberal conscience. This conscience can be seen growing more and more elastic through the years, so that many who were horrified by the German attacks on Jews in 1933, and deeply shocked by the destruction of Guernica in the Spanish Civil War, felt that the bombing of civilians in the Second World War was sad but necessary, and consoled themselves after Hiroshima

Foreword

Since 1941, annually revised editions of this Handbook have aided thousands of people who have coins to sell or are actively engaged in collecting United States coins. The popular coin folder method of collecting by date has created ever-changing premium values, based on the supply and demand of each date and mint. Through its panel of contributors the Handbook has, over the years, reported these changing values. It also serves as a source of general numismatic information to all levels of interest in the hobby.

The premium list gives representative prices paid by dealers for various United States coins. These are averages of prices assembled from many widely separated sources. On some issues slight differences in price among dealers may result from proximity to the various mints or heavily populated centers. Other factors, such as local supply and demand or dealers' stock conditions, may also tend to cause deviations from the prices listed. While many coins bring no premium when circulated, they usually bring premium prices in Uncirculated and Proof condition.

The publisher of this book does not deal in coins; therefore, the values shown here are not offers to purchase (or sell) but are included only as general information.

CONTRIBUTORS

Lee F. Hewitt, the former editor and publisher of the NUMISMATIC SCRAPBOOK MAGAZINE, was an early contributor, having supplied many of the historical references and explanations which appear throughout this book.

Charles E. Green gave valuable counsel when the first edition of the HANDBOOK was undertaken. He supplied most of the original mint data and was a regular contributor to each revised edition until his death in 1955.

CONTRIBUTORS TO THE FORTY-SIXTH EDITION

Kerry Emmrich — *Project Coordinator*

Michael Aron
Michael Aron Rare Coin Auctions
P.O. Box 4388
San Clemente, CA 92672

Robert F. Batchelder
Robert F. Batchelder Company
1 West Butler Avenue
Ambler, PA 19002

Gerald L. Bauman
MTB Banking Corporation
90 Broad Street
New York, NY 10004-2290

Aubrey E. Bebee

Lee J. Bellisario

Philip E. Benedetti

George H. Blenker
Box 56
Blenker, WI 54415

Phil Bressett
P.O. Box 85414
Racine, WI 53408

Hy Brown
P.O. Box 1269
Mentor, OH 44061-1269

Judy Cahn
P.O. Box 49824
Los Angeles, CA 90049

Bill Causey

J. H. Cline
Cline's Rare Coins
P.O. Box 1180
Palm Harbor, FL 34682

Marc A. Dixon

Kurt Eckstein

Jack Ehrmantraut

Chuck Furjanic
c/o Heritage R.C.G.
311 Market Street
Dallas, TX 75202

William G. Gay

Dorothy Gershenson
P.O. Box 395
Bala Cynwyd, PA 19004

Harry Gittelson

Ira M. Goldberg

Lawrence S. Goldberg

Kenneth M. Goldman
P.O. Box 1477
Boston, MA 02104

David J. Hendrickson

Leon E. Hendrickson

Gene L. Henry
Rare Coin Galleries of Seattle, Inc.
1416 3rd Avenue
Seattle, WA 98101

Ed Hipps
9100 N. Central Ex.
Dallas, TX 75231

Ronald M. Howard
P.O. Box 19241
Irvine, CA 92714

John Hunter
Silver Towne Numismatic Portfolios, Inc.
P.O. Box 507
Winchester, IN 47394

Jesse Iskowitz

Robert H. Jacobs

Floyd O. Janney
Universal Numismatics Corp.
P.O. Box 469
Richland Center, WI 53581

James J. Jelinski

A.M. Kagin
Paul S. Kagin
Kagin's Numismatic Investment Corp.
910 Insurance Exchange Building
Des Moines, IA 50309

Donald H. Kagin

Stanley Kesselman

Mike Kliman
Numismatic Enterprises
P.O. Box 365
South Laguna, CA 92677

Abner Kreisberg
344 North Beverly Drive
Beverly Hills, CA 90210

Greg Lauderdale
311 Market Street
Dallas, TX 75202

David Leventhal
Edwin Leventhal
J.J. Teaparty Coin Company
51 Bromfield Street
Boston, MA 02108

Denis W. Loring

Robert T. McIntire
27 Crestview Plaza
P.O. Box 546
Jacksonville, AR 72076

Glenn Miller
Professional Numismatist
P.O. Box 1109
Boston, MA 02103

Michael C. Moline
Advance Coin & Stamp Co.
Beverly Hills, CA

Sylvia Novack
San Bernardino, CA

Sidney L. Nusbaum
Arch City Supply Co.
St. Louis, MO

William P. Paul
American Heritage Minting, Inc.
Benjamin Fox Pavilion
Suite 510, Box 1008
Jenkintown, PA 19046

Joe Person
Joe Person & Co., Inc.
Southtrust Bank Bldg.—Suite 2
1101 Pasadena Ave., South
St. Petersburg, FL 33707

Joel D. Rettew
Rare Coin Investments
1000 Bristol Street North
Newport Beach, CA 92660

Maurice Rosen
Numismatic Counseling, Inc.
1120 Old Country Road
Suite 208
P.O. Box 38
Plainview, NY 11803

Gerald R. Scherer, Jr.
Silver Towne Numismatic Portfolios, Inc.
P.O. Box 507
Winchester, IN 47394

Robert R. Shaw

William J. Spencer
American Coin & Stamp Supply, Inc.
2724 Sixteenth Street
Racine, WI 53405

Paul Spiegel

Maurice A. Storck
P.O. Box 644
Portland, ME 04104-0644

Charles Surasky
Gold & Silver Financial Group
Encino, CA

Douglas A. Winter
Douglas Winter Numismatic Consulting
P.O. Box 605
Lincoln, NH 03251

Mark Yaffe

Gary L. Young
Gary L. Young, Numismatist
P.O. Box 455
Manton, CA 96059

COLLECTING COINS

Numismatics or coin collecting is one of the world's oldest hobbies, dating back several centuries. Coin collecting in America did not develop to any extent until about 1840, as our pioneer forefathers were too busy carving a country out of wilderness to afford the luxury of a hobby. The discontinuance of the large-sized cent in 1857 caused many persons to attempt to accumulate a complete set of the pieces while they were still in circulation. One of the first groups of collectors to band together for the study of numismatics was the Numismatic and Antiquarian Society of Philadelphia, organized on January 1, 1858. Lack of an economical method to house a collection held the number of devotees of coin collecting to a few thousand until the Whitman Publishing Company and other manufacturers placed the low-priced coin boards and folders on the market some years ago. Since that time the number of Americans collecting coins has increased many-fold.

The Production of Coins

To collect coins intelligently it is necessary to have some knowledge of the manner in which our coins are produced. They are made in factories called "mints." The Mint of the United States was established at Philadelphia by a resolution of Congress dated April 2, 1792. The Act also provided for the coinage of gold eagles ($10), half-eagles and quarter-eagles, the silver dollar, half-dollar, quarter-dollar, dime (originally spelled "disme") and the half-disme or half-dime; the copper cent and half cent. According to the Treasury Department, the first coins struck were one-cent and half-cent pieces, in March of 1793 on a hand-operated press. Most numismatic authorities consider the half-disme of 1792 as the first United States coinage, quoting the words of George Washington as their authority. Washington, in his annual address, November 6, 1792, having said, "There has been a small beginning in the coining of the Half-Dimes, the want of small coins in circulation calling the first attention to them." In the new Philadelphia Mint are exhibited a number of implements, etc., from the original mint, and some coins discovered when the old building was wrecked. These coins included half-dismes, and the placard identifying them states that Washington furnished the silver and gave the coined pieces to his friends as souvenirs.

Prior to the adoption of the Constitution, the Continental Congress arranged for the issuance of copper coins under private contract. These are known as the "Fugio cents" from the design of the piece, which shows a sundial and the Latin word "fugio"—"I Fly" or, in connection with the sundial, "Time Flies." The ever appropriate motto, "Mind Your Business," is also on the coin.

In the manufacture of a given coin the first step is the cutting of the "die." Prior to the latter part of the nineteenth century dies for United States coins were "cut by hand." Briefly this method is as follows: The design having been determined, a drawing the exact size of the coin is made. A tracing is made from this drawing. A piece of steel is smoothed and coated with transfer wax, and the tracing impressed into the wax. The engraver then tools out the steel where the relief or raised effect is required. If the design is such that it can all be produced by cutting away steel, the die is hardened and ready for use. Some dies are not brought to a finished state, as some part of the design can perhaps be done better in relief. In that case, when all that can be accomplished to advantage in the die is completed, it is hardened, a soft-steel impression is taken from it, and the unfinished parts are then completed. This piece of steel is in turn hardened and, by a press, driven into another piece of soft-steel, thus making a die which, when hardened, is ready for the making of coins.

This hand method of cutting dies accounts for the many die varieties of early United States coins. Where the amount of coinage of a given year was large enough to wear out several dies, each new die placed in the coining press created another die variety of that year. The dies being cut by hand, no two were exactly alike in every detail, even though some of the major elements (head, wreath, etc.) were sunk into the die by individual master punches. Of the cents dated 1794, over sixty different die varieties have been discovered.

Hundreds of dies are now used by the mints of the United States each year, but they are all made from one master die, which is produced in the following manner:

After the design is settled upon, the plaster of paris or wax model is prepared several times the actual size of the coin. When this model is finished an electrotype (an exact duplicate in metal) is made and prepared for the reducing lathe. The reducing lathe is a machine, working on the principle of the pantograph, only in this case the one point traces or follows the form of the model while another and much smaller point in the form of a drill cuts away the steel and produces a reduced size die of the model. The die is finished and details are sharpened or worked over by an engraver with chisel and graver. The master die is used to make duplicates in soft-steel which are then hardened and ready for the coining press. To harden dies, they are placed in cast-iron boxes packed with carbon to exclude the air, and when heated to a bright red are cooled suddenly with water.

In the coinage operations the first step is to prepare the metal. The alloys used are: silver coins, 90% silver and 10% copper; five-cent pieces, 75% copper and 25% nickel; one-cent pieces, 95% copper and 5% zinc. (The 1943 cent consists of steel coated with zinc; and the five-cent piece 1942-1945 contains 35% silver, 56% copper and 9% manganese.) Under the Coinage Act of 1965, the composition of dimes, quarters and half dollars was changed to eliminate or reduce the silver content of these coins. The copper-nickel "clad" dimes, quarters, halves and dollars are composed of an outer layer of copper-nickel (75% copper and 25% nickel) bonded to an inner core of pure copper. The silver clad half dollar and dollar have an outer layer of 80% silver bonded to an inner core of 21% silver, with a total content of 40% silver. Current cents are made from a core of 99.2% zinc, 0.8% copper, with a plating of pure copper.

Alloys are melted in crucibles and poured into molds to form ingots. The ingots are in the form of thin bars and vary in size according to the denomination of the coin. The width is sufficient to allow three or more coins to be cut from the strips.

The ingots are next put through rolling mills to reduce the thickness to required limits. The strips are then fed into cutting presses which cut circular blanks (planchets) of the approximate size of the finished coin. The blanks are run through annealing furnaces to soften them; next through tumbling barrels, rotating cyclinders containing cleaning solutions which clean and burnish the metal, and finally into centrifugal drying machines.

The blanks are next fed into a milling machine which produces the raised or upset rim. The blank is now ready for the coining press.

The blank is held firmly by a collar, as it is struck under heavy pressure varying from 40 tons for the one-cent pieces and dimes to 170 tons for silver dollars. Upper and lower dies impress the design on both sides of the coin. The pressure is sufficient to produce a raised surface level with that of the milled rim. The collar holding the blank for silver or clad coins is grooved. The pressure forces the metal into the grooves of the collar, producing the "reeding" on the finished coin.

How a Proof Coin Is Made

Selected dies are inspected for perfection and are highly polished and cleaned. They are again wiped clean or polished after every 15 to 25 impressions and are replaced frequently to avoid imperfections from worn dies. Coinage blanks are polished and cleaned to assure high quality in striking. They are then hand fed into the coinage press one at a time, each blank receiving two blows from the dies to bring up sharp, high relief details. The coinage operation is done at slow speed with extra pressure. Finished proofs are individually inspected and are handled by gloves or tongs. They also receive a final inspection by packers before being sonically sealed in special plastic cases.

Certain coins, including Lincoln cents, Buffalo nickels, Quarter Eagles, Half Eagles, Eagles and Double Eagles, between the years 1908 and 1916 were made with a matte or sandblast surface. Matte proofs have a dull frosted surface which was either applied to the dies, or produced by special treatment after striking.

Mints and Mint Marks

In addition to the Philadelphia Mint, the U.S. Government has from time to time established branch mints in various parts of the country. At the present time a branch mint operates in Denver. Starting in 1968, proof sets and some of the regular

Preserving and Cleaning Coins

Most numismatists will tell you to "never clean a coin" and it is good advice! Cleaning coins will almost always reduce their value.

Some effort should be made to keep uncirculated and proof coins bright so they won't need cleaning. Tarnish on a coin is purely a chemical process caused by oxygen in the air acting on the metal or by chemicals with which the coin comes in contact. One of the commonest chemicals causing tarnish is sulphur; most paper, with the exception of specially manufactured "sulphur-free" kinds, contains sulphur due to the sulphuric acid that is used in paper manufacture. Therefore do not wrap coins in ordinary paper; also keep uncirculated and proof coins away from rubber bands (a rubber band placed on a silver coin for a few days will produce a black stripe on the coin where the band touched). The utmost in protection is obtained by storing the coin in an airtight box.

Many coins become marred by careless handling. Always hold the coin by the edge. The accompanying illustration shows the right and wrong way to handle numismatic specimens. It is a breach of numismatic etiquette to handle another collector's coin except by the edge, even if it is not an uncirculated or proof piece.

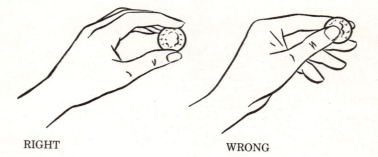

RIGHT   WRONG

Starting a Collection

One may start a collection of United States coins with very little expense by systematically assembling the various dates and mint marks of all the types and denominations that are now in general circulation. Whitman's coin folders make this possible.

With the exception of the price paid for the coin folder, collecting coins received in everyday business transactions entails no expense whatever; a Jefferson nickel taken out of circulation, for example, can always be spent for 5 cents if the occasion arises. Filling an album or two out of circulation is probably the best method of determining whether coin collecting appeals to you. Not everyone can be a successful coin collector. It requires patience, intelligence of a high order, and a certain desire to know the meaning behind a lot of things that at first glance and to the ordinary person appear meaningless. You may not be cut out to be a collector but you'll never know until you look further into the subject, and if by the time an album or two of coins are collected you have no burning desire to acquire many more different coins, you will probably never be a collector. However, the chances are that you will be, because if you have read this far in this book it shows that you are interested in the subject.

Perfection is the goal of every endeavor and coin collecting is no exception. After an album has been filled with circulated specimens, the next step will be to replace them with coins in uncirculated condition, or perhaps to start collecting an obsolete series; in either case, it will be necessary to purchase some coins from dealers or other collectors. The most logical way to keep abreast with the market, or obtain the addresses of the country's leading dealers, is to subscribe to one or more of the trade publications (see page 2 for list of the coin publications). These magazines carry advertisements of various dealers listing coins for sale. Moreover, through this source the beginner may obtain price lists and catalogs from the dealers.

There are several good reference books available at reasonable prices which will be helpful to the collector who wishes to know more about U. S. coins and paper money. R. S. Yeoman's A GUIDE BOOK OF UNITED STATES COINS (Red Book) is an expanded version of THE HANDBOOK. It lists retail values of all regular U. S. coins and also lists all coins of the U. S. Colonial period and private and territorial gold coins.

Most coin, book and hobby dealers can supply the following titles:

> *A Guide Book of U.S. Coins* — Yeoman
> *Let's Collect Coins* — Bressett
> *Official Grading Standards for U.S. Coins* — A.N.A.
> *Common Sense Coin Investment* — Bowers
> *Basics of Coin Grading* — Bressett

Join a Coin Club

A beginner should join a "coin club" if he is fortunate enough to live in a city which has one. The association with more experienced collectors will be of great benefit. Practically all the larger cities have one or more clubs and they are being rapidly organized in the smaller towns. The publications mentioned on page 2 carry lists of coin clubs and special events such as coin shows and conventions.

UNITED STATES PAPER MONEY

Paper money issued by the United States government is collected widely in this country. The first issue of "greenbacks" was made in 1861; paper money was not issued by our government for circulation prior to that date. Collectors of U.S. notes prefer them in crisp, new condition; but the old style large-sized notes even in worn condition are usually worth more than face value.

Before the issuance of the first U.S. government paper money, many banks throughout the country issued their own currency. These issues are commonly referred to as "broken bank notes" although that is somewhat of a misnomer as many of the banks did not "go broke" (a few are still in existence) and redeemed their paper money issues. There are thousands of varieties of these notes in existence, most of which are very common and worth from $1.00 to $3.00 each. Before and during the American Revolution the various individual states and the Continental Congress issued paper money. The common varieties of these Colonial notes are worth from $3.00 to $10.00; a few are quite rare.

"Broken Bank" note of 1863

I. THE BRITISH COLONIES IN AMERICA
SOMMER ISLANDS (Bermuda)

This coinage, the first struck for the English colonies in America, was issued about 1616. The coins were known as "Hogge Money" or "Hoggies."

The pieces were made of copper lightly silvered, in four denominations: shilling, sixpence, threepence and twopence, indicated by Roman numerals. The hog is the main device and appears on the obverse side of each. SOMMER ISLANDS is inscribed within beaded circles. The reverse shows a full-rigged galleon with the flag of St. George on each of four masts.

Shilling

	Good	V. Good	Fine	V. Fine
Twopence	$775.00	$1,400	$2,200	$3,750
Threepence (V. Rare)	—			
Sixpence	600.00	1,000	1,750	2,500
Shilling	750.00	1,200	2,000	3,800

MASSACHUSETTS
"NEW ENGLAND" COINAGE (1652)

In 1652 the General Court of Massachusetts ordered the first metallic currency to be struck in the English Americas, the New England silver threepence, sixpence, and shilling. These coins were made from silver bullion procured principally from the West Indies. Joseph Jenks made the punches for the first coins at his Iron Works in Saugus, Massachusetts, close to Boston where the mint was located. John Hull was appointed mintmaster; his assistant was Robert Sanderson.

Note: Early American coins are rare in conditions better than listed and valued much higher.

NE Shilling (1652)

	V. Good	Fine	V. Fine
NE Threepence *(2 known)*	—		
NE Sixpence *(7 known)*	—	—	$30,000
NE Shilling	$2,750	$6,000	12,000

MASSACHUSETTS
WILLOW TREE COINAGE (1653-1660)

The simplicity of the design on the N.E. coins invited counterfeiting and clipping of the edges. Therefore, they were soon replaced by the Willow, Oak and Pine Tree series. The Willow Tree coins were struck from 1653 to 1660, the Oak Trees 1660 to 1667, and the Pine Trees 1667 to 1682. All of them (with the exception of the Oak Tree twopence) bore the date 1652.

Many varieties of all of these coins exist. Values shown are for the most common types.

Sixpence

	Fair	Good	Fine
Willow Tree Threepence 1652 *(3 known)* .	—	—	—
Willow Tree Sixpence 1652			
Willow Tree Shilling 1652	$1,700	$3,500	$7,500

OAK TREE COINAGE (1660-1667)

Twopence   Threepence

	Good	V. Good	Fine	V. Fine
Oak Tree Twopence 1662	$115.00	$200.00	$450.00	$900.00
Oak Tree Threepence 1652	125.00	300.00	575.00	1,400
Oak Tree Sixpence 1652	125.00	275.00	550.00	1,350
Oak Tree Shilling 1652	125.00	250.00	525.00	1,300

PINE TREE COINAGE (1667-1682)

The first pine tree coins were minted on the same size planchets as the Oak Tree pieces. Subsequent issues of the shilling were narrower and thicker to conform to the size of English coins.

Shilling,
Large Planchet
(1667-1674)

MASSACHUSETTS
PINE TREE COINAGE (1667-1682)

Shilling,
Small Planchet
(1675-1682)

	Good	V. Good	Fine	V. Fine
Pine Tree Threepence 1652	$90.00	$175.00	$300.00	$600.00
Pine Tree Sixpence 1652	100.00	200.00	350.00	700.00
Pine Tree Shilling, large planchet 1652	125.00	250.00	400.00	900.00
Pine Tree Shilling, small planchet 1652	110.00	225.00	350.00	800.00

MARYLAND

In 1658 Cecil Calvert, the "Lord Proprietor of Maryland," had coinage struck in England for use in Maryland.

There were four denominations: shillings, sixpence, and fourpence (groat) in silver, and a copper penny (denarium). The silver coins have the bust of Lord Baltimore on the obverse, and the Baltimore family Arms with the denomination in Roman numerals on the reverse.

Lord Baltimore Shilling

Fourpence (groat)

	Good	V. Good	Fine	V. Fine
Penny (Copper) (Ex. Rare)	—	—	—	—
Fourpence	$450.00	$700.00	$2,000	$3,500
Sixpence	400.00	600.00	1,500	2,000
Shilling :	500.00	900.00	2,000	3,500

NEW JERSEY
ST. PATRICK OR MARK NEWBY COINAGE

Mark Newby, who came to America from Dublin, Ireland, in November 1681, brought copper pieces believed by numismatists to have been struck in England c. 1670-1675. These are called St. Patrick coppers.

The coin received wide currency in the New Jersey Province, having been authorized to pass as legal tender by the General Assembly in May 1682.

The smaller piece, known as a farthing, was never specifically authorized for circulation in the Colonies.

NEW JERSEY

St. Patrick Farthing

	V. Good	Fine	V. Fine
St. Patrick "Farthing"	$30.00	$60.00	$225.00
St. Patrick "Halfpenny"	50.00	90.00	265.00

II. COINAGE AUTHORIZED BY ROYAL PATENT
AMERICAN PLANTATIONS TOKEN

These tokens struck in nearly pure tin were the first authorized coinage for the British colonies in America. They were made under a franchise granted in 1688 to John Holt. Restrikes were made c. 1828 from original dies. These are valued at about half as much as the originals.

	Fine	E. Fine	Unc.
(1688) James II Plantation Token farthing, 1/24 PART REAL — Tin	$100.00	$225.00	$750.00

COINAGE OF WILLIAM WOOD
ROSA AMERICANA COINS

William Wood, an Englishman, obtained a patent from George I to make tokens for Ireland and the American Colonies.

The Rosa Americana pieces were issued in three denominations, halfpenny, penny and twopence, and were intended for use in America.

Penny

ROSA AMERICANA

	V. Good	Fine	V. Fine	E. Fine
Twopence (no date)	$25.00	$80.00	$175.00	$275.00
1722 Halfpenny DEI GRATIS REX UTILE DULCI	20.00	60.00	90.00	175.00
1722 Penny..	18.00	50.00	85.00	150.00
1722 Twopence	50.00	90.00	125.00	200.00

Halfpenny

1723 Halfpenny.......................................	20.00	70.00	100.00	185.00

Twopence

1723 Penny...	20.00	60.00	90.00	175.00
1723 Twopence (illustrated)..........................	40.00	75.00	125.00	250.00

WOOD'S HIBERNIA COINAGE

The type intended for Ireland had a seated figure with a harp on the reverse side and the word HIBERNIA. Denominations struck were halfpenny and farthing with dates 1722, 1723 and 1724. Hibernia coins were unpopular in Ireland, so many of them were sent to the American colonies.

1722 Hibernia   First Type   Second Type
Halfpenny

	V. Good	V. Fine	E. Fine
1722 Farthing (2nd type)		$125.00	$250.00
1722 Halfpenny (1st or 2nd type).....................	$10.00	35.00	100.00

[17]

WOOD'S HIBERNIA COINAGE

1723 Hibernia Farthing   1724 Hibernia Halfpenny

	V. Good	V. Fine	E. Fine
1723 Farthing	$7.00	$20.00	$80.00
1723 Halfpenny....................................	7.00	18.00	75.00
1724 Farthing	18.00	35.00	100.00
1724 Halfpenny....................................	15.00	22.00	90.00

VIRGINIA HALFPENNY

In 1773 coinage of a copper halfpenny was authorized for Virginia by the English Crown. The style is similar to the regular English coinage. These pieces were never popular, but did circulate by necessity.

	V. Good	V. Fine	Unc.
1773 Halfpenny.....................................	$10.00	$25.00	$275.00

III. EARLY AMERICAN TOKENS

Struck in America or England for use by American Merchants

LONDON ELEPHANT TOKENS

Struck c. 1672-1684 during the reign of Charles II, the London Token, an early historian states, was produced during the great plague raging in London. The legend on this piece relates directly to that crisis. It has also been stated that the London

LONDON ELEPHANT TOKENS

Token was to have been current in Tangier, Africa, but was never used in that locality. No date appears on this token.

It is unlikely that many ever circulated in America. They are associated with the 1694 pieces through use of a common obverse die.

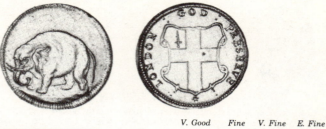

	V. Good	Fine	V. Fine	E. Fine
(1680) Halfpenny GOD PRESERVE LONDON (Thick or thin planchet)	$30.00	$50.00	$100.00	$300.00

CAROLINA AND NEW ENGLAND ELEPHANT TOKENS

Although no law is known authorizing coinage for Carolina, very interesting pieces known as Elephant Tokens were made with the date 1694. These copper tokens were of halfpenny denomination. The reverse reads GOD PRESERVE CAROLINA AND THE LORDS PROPRIETERS. 1694.

The Carolina pieces were probably struck in England and perhaps intended only as tokens, or possibly as advertising to heighten interest in the Carolina Plantation.

Like the Carolina Tokens, the New England Elephant Tokens were believed to have been struck in England as a promotional piece to increase interest in the American Colonies.

	V. Good	Fine
1694 CAROLINA...	$500.00	$1,500

NEW ENGLAND ELEPHANT TOKEN

1694 NEW ENGLAND	8,500	———

THE NEW YORKE TOKEN

Little is known about the origin of this token. The style of design and execution seem to be Dutch, and it is probable that the dies were prepared in Holland. There is no date on the piece which evidently belongs to the period between 1664, when the name New Yorke was first adopted, and the 1770's after which it was rarely spelled that way.

UNDATED

	V. Good	Fine
Brass	$1,000	$2,400

GLOUCESTER TOKEN

This token appears to have been a private coinage by a merchant of Gloucester (county), Virginia. The only specimens known are struck in brass. The exact origin and use of these pieces is unknown.

1714 Shilling Brass .... ——

HIGLEY OR GRANBY COPPERS

The Higley coppers were never officially authorized. All the tokens were made of pure copper. There were seven obverse and four reverse dies. The first issue, in 1737, bore the legend THE VALUE OF THREEPENCE. After a time the quantity exceeded the local demand, and a protest arose against the value of the piece. The inscription was changed to VALUE ME AS YOU PLEASE.

	Good	V. Good
1737 THE • VALVE • OF • THREE • PENCE. — 3 Hammers — CONNECTICVT	$2,750	$4,000
1737 THE • VALVE • OF • THREE • PENCE. — 3 Hammers — I • AM • GOOD • COPPER	3,000	4,200
1737 VALVE • ME • AS • YOU • PLEASE — 3 Hammers — I • AM • GOOD • COPPER	2,500	3,750
(1737) VALVE • ME • AS • YOU • PLEASE — Broad Axe — J • CUT • MY • WAY • THROUGH	3,000	4,200
1739 VALVE • ME • AS • YOU • PLEASE — Broad Axe — J • CUT • MY • WAY • THROUGH	3,500	5,000

HIBERNIA-VOCE POPULI

These coins, struck in the year 1760, were made in Dublin. Like other Irish tokens, some of these pieces found their way to Colonial America.

Farthing 1760   Halfpenny 1760

	Good	V. Fine	E. Fine
1760 Farthing	$75.00	$175.00	$475.00
1760 Halfpenny....................................	15.00	75.00	125.00

PITT TOKENS

William Pitt is the subject of these pieces, probably intended as commemorative medalets. The halfpenny served as currency during a shortage of regular coinage.

	E. Fine
1766 Farthing	$2,000

1766 Halfpenny .... (illustrated)

V. Good	Fine	E. Fine
$65.00	$135.00	$400.00

RHODE ISLAND SHIP MEDAL

Although this medal has a Dutch inscription, the spelling and design indicate an English or Anglo-American origin. It is believed that this token was struck in England c. 1779-1780 as propaganda to pursuade the Dutch to sign the Treaty of Armed Neutrality. Specimens are known in brass, copper, tin and pewter. Modern copies exist.

1778-1779
Rhode Island
Ship Medal

V. Fine	E. Fine
$225.00	$400.00

J. CHALMERS — Annapolis, Maryland

John Chalmers, a goldsmith, struck a series of silver tokens at Annapolis in 1783. The shortage of change and the refusal of the people to use underweight coins prompted the issuance of these pieces.

	V. Good	V. Fine
1783 Threepence..	$175.00	$650.00
1783 Sixpence	250.00	800.00
1783 Shilling (Rev. illustrated).................................	200.00	750.00

IV. THE FRENCH COLONIES

None of the coins of the French regime is strictly American. They were all general issues for the French colonies of the New World. The copper of 1717 to 1722 was authorized by edicts of 1716 and 1721 for use in New France, Louisiana, and the French West Indies.

COPPER SOU OR NINE DENIERS

	V. Good	Fine
1721-B (Rouen) ..	$25.00	$50.00
1721-H		
(La Rochelle) ..	15.00	30.00
1722-H	10.00	25.00

FRENCH COLONIES IN GENERAL

Coined for use in the French colonies and only unofficially circulated in Louisiana along with other foreign coins and tokens. Most were counterstamped RF (République Française) for use in the West Indies.

	V. Good	V. Fine	E. Fine
1767 French Colonies, Sou...........................	$12.00	$35.00	$100.00
1767 French Colonies, Sou. Counterstamped RF........	10.00	30.00	90.00

V. SPECULATIVE ISSUES, TOKENS & PATTERNS
THE CONTINENTAL DOLLAR

The Continental Dollars were probably a pattern issue only and never reached general circulation. It was the first silver dollar size coin ever proposed for the United States. The coins were probably struck in Philadelphia. Many modern copies and replicas exist.

	Good	Fine	E. Fine	Unc.
1776 CURENCY — Pewter	$475.00	$900.00	$2,250	$5,000
1776 CURENCY — Silver				25,000
1776 CURENCY — Pewter	600.00	1,200	3,000	7,000
1776 CURENCY — Pewter, EG FECIT above date	475.00	900.00	2,500	5,500

NOVA CONSTELLATIO COPPERS

The Nova Constellatio pieces were struck supposedly by order of Gouverneur Morris. Evidence indicates that they were all struck in Birmingham and imported for American circulation as a private business venture.

1783
"CONSTELLATIO"
Pointed Rays

V. Good	$10.00
Fine..............	25.00
V. Fine...........	50.00
Ex. Fine	190.00

1783
"CONSTELATIO"
Blunt Rays

V. Good	$10.00
Fine..............	25.00
V. Fine...........	55.00
Ex. Fine	200.00

NOVA CONSTELLATIO COPPERS

1785
"CONSTELATIO"
Blunt Rays

V. Good	$12.00
Fine...............	35.00
V. Fine.............	75.00
Ex. Fine...........	225.00

1785
"CONSTELLATIO"
Pointed Rays

V. Good	$10.00
Fine...............	25.00
V. Fine............	50.00
Ex. Fine...........	200.00

IMMUNE COLUMBIA PIECES

These are considered experimental or pattern pieces. No laws describing them are known.

1785 Copper, Star reverse..... $5,000

1785
George III Obverse
Good.........................$650.00
Fine 1,200

1785
Vermon Auctori Obverse
Good.........................$550.00
Fine 1,100

1787
IMMUNIS COLUMBIA
Eagle Reverse

V. Good.............	$100.00
Fine	200.00
V. Fine	450.00
Ex. Fine	1,200

CONFEDERATIO COPPERS

The Confederatio Coppers are experimental or pattern pieces. This will explain why the die with the CONFEDERATIO legend was combined with other designs such as bust of George Washington, Libertas et Justitia of 1785, Immunis Columbia of 1786, the New York "Excelsiors," Inimica Tyrannis Americana and others. There were in all thirteen dies struck in fourteen combinations.

There are two types of the Confederatio reverse. In one instance the stars are contained in a small circle; in the other larger stars are in a larger circle.

| Typical Obverse | Small Circle Reverse | Large Circle Reverse |

Fine

1785 Stars in small circle — various obverses.....................................$5,000
1785 Stars in large circle — various obverses.....................................5,000

SPECULATIVE PATTERNS

| 1786 IMMUNIS COLUMBIA | Eagle Reverse | Shield Reverse |

1786 IMMUNIS COLUMBIA, eagle rev...$9,000
1786 IMMUNIS COLUMBIA, shield rev..6,000
1786 (No date) Washington obv...20,000
1786 Eagle obverse 12,000
1786 Washington obverse, eagle reverse (Unique) ....——

VI. COINAGE OF THE STATES
NEW HAMPSHIRE

New Hampshire was the first of the states to consider the subject of coinage following the Declaration of Independence.

NEW HAMPSHIRE

William Moulton was empowered to make a limited quantity of coins of pure copper authorized by the State House of Representatives in 1776.

V. Good

1776 New Hampshire copper $6,000

MASSACHUSETTS

The coinage of Massachusetts copper cents and half cents in 1787 and 1788 was under the direction of Joshua Witherle. These were the first coins bearing the denomination Cent as established by Congress. Many varieties exist, the most valuable being that with arrows in the eagle's right talon.

1787 Half Cent

Good	$15.00
Fine.................	30.00
V. Fine	60.00
Ex. Fine	200.00

	Good	Fine	V. Fine	E. Fine
1787 Cent, arrows in left talon (illustrated)	$12.00	$25.00	$60.00	$200.00
1787 Cent, arrows in right talon	——	2,200	——	——

1788 Half Cent

Good	$15.00
Fine............	30.00
Very Fine.......	65.00
Ex. Fine	225.00

MASSACHUSETTS

1788 Cent
Good $12.00
Fine 25.00
V. Fine 60.00
Ex. Fine 175.00

CONNECTICUT

Authority for establishing a mint near New Haven was granted by the State to Samuel Bishop, Joseph Hopkins, James Hillhouse and John Goodrich in 1785.

1785 Copper
Bust Facing Right
Good........... $15.00
V. Good........ 20.00
Fine 40.00
V. Fine......... 100.00

1785 Copper
Bust Facing Left
Good.......... $50.00
V. Good....... 65.00
Fine 125.00
V. Fine........ 200.00

	Good	V. Good	Fine	V. Fine
1786 Bust facing right........................	$20.00	$30.00	$55.00	$125.00
1787 Mailed bust facing right.................	30.00	50.00	100.00	300.00

CONNECTICUT

	Good	V. Good	Fine	V. Fine
1786 Mailed bust facing left	$12.00	$18.00	$35.00	$85.00
1787 Mailed bust facing left	8.00	15.00	25.00	70.00

| 1787 Draped bust facing left.................. | 7.00 | 12.00 | 18.00 | 50.00 |

| 1788 Mailed bust facing right.................. | 10.00 | 18.00 | 40.00 | 100.00 |

| 1788 Mailed bust facing left .... | 10.00 | 15.00 | 35.00 | 85.00 |

CONNECTICUT

	Good	V. Good	Fine	V. Fine
1788 Draped bust facing left...................	$10.00	$15.00	$40.00	$100.00

NEW YORK
THE BRASHER DOUBLOON

Perhaps the most famous pieces coined before the establishment of the U.S. Mint at Philadelphia were those produced by a well-known goldsmith and jeweler, Ephraim Brasher.

Brasher produced a gold piece weighing about 408 grains, approximately equal in value to a Spanish doubloon (about $16.00).

The punch-mark EB appears in either of two positions as illustrated. This mark is found on some foreign gold coins as well, and probably was so used by Brasher as evidence of his testing of their value.

1787 Doubloon, punch on breast. Gold (Unique) .... ——
1787 Doubloon, punch on wing. Gold .... ——

COPPER COINAGE

No coinage was authorized for New York following the Revolutionary War although several propositions were considered. The only coinage laws passed were those regulating coins already in use.

1786	
NON VI VIRTUTE VICI	
Good	$900
Fine...........	1,700
V. Fine	2,750

[29]

	Good	Fine	V. Fine
1787 EXCELSIOR copper, eagle on globe facing right................................	$300.00	$700.00	$1,600
1787 EXCELSIOR copper, eagle on globe facing left................................	250.00	600.00	1,300

1787 George Clinton

Good...........	$1,600
Fine...........	3,750
V. Fine.........	7,000

1787
Indian and N.Y. Arms

Good.........	$1,250
Fine..........	3,000
V. Fine.......	4,500

1787
Indian and Eagle
on Globe

Good...........	$1,500
Fine...........	3,500
V. Fine.........	6,000

NEW YORK
THE NOVA EBORACS

1787
NOVA EBORAC
Reverse Seated
Figure Facing Right

Fair	$10.00
Good	25.00
Fine	75.00
V. Fine	250.00

1787
NOVA EBORAC
Reverse Seated
Figure Facing Left

Fair	$8.00
Good	15.00
Fine	60.00
V. Fine	175.00

NEW JERSEY

On June 1, 1786, the New Jersey Colonial legislature granted to Thomas Goadsby, Albion Cox and Walter Mould authority to coin some three million coppers, not later than June 1788, on condition that they delivered to the Treasurer of the State, "one-tenth part of the full sum they shall strike and coin," in quarterly installments. These coppers were to pass current at 15 to the shilling.

Narrow Shield

Wide Shield

	Good	Fine	V. Fine
1786 Narrow shield	$10.00	$25.00	$65.00
1786 Wide shield	12.00	30.00	85.00

NEW JERSEY

Small Planchet

	Good	Fine	V. Fine
1787 Small planchet.................................	$10.00	$25.00	$65.00
1787 Large planchet	10.00	25.00	65.00

	Good	Fine	V. Fine
1788 Horse's head facing right......................	10.00	22.00	60.00
1788 Horse's head facing left	40.00	150.00	225.00

VERMONT

Reuben Harmon, Jr., of Rupert, Vermont, was granted permission to coin copper pieces for a period of two years beginning July 1, 1785. The well-known Vermont plow coppers were first produced in that year. The franchise was extended for eight years in 1786.

	Good	Fine
1785 IMMUNE COLUMBIA	$550.00	$1,100

	Good	Fine
1785 Plow type ..	$60.00	$190.00
1786 Plow type ..	40.00	175.00

	Good	Fine
1786 Baby head	$80.00	$325.00

VERMONT

	Good	Fine
1786 Bust left ...	$30.00	$200.00
1787 Bust left ...	350.00	700.00

	Good	Fine
1787 BRITANNIA..	$22.00	$75.00

1787 Bust right..	$25.00	$80.00

1788 Bust right..	$25.00	$85.00

1788 GEORGIVS III
REX* $60.00 $200.00

*This piece should not be confused with the common English halfpence with similar design and reverse legend BRITANNIA.

VII. PRIVATE TOKENS AFTER CONFEDERATION
NORTH AMERICAN TOKEN

This piece was struck in Dublin, Ireland. The obverse shows the seated figure of Hibernia facing left.

Copper or Brass

	V. Good	Fine	V. Fine
1781 ...	$7.00	$15.00	$35.00

THE BAR "COPPER"

The Bar "Copper" is undated and of uncertain origin. It has thirteen parallel and unconnected bars on one side. On the other side is the large roman letter USA monogram. The design was supposedly copied from a Continental button.

	V. Good	Fine	V. Fine	E. Fine
Undated (about 1785) Bar "Copper"..........	$100.00	$200.00	$300.00	$550.00

AUCTORI PLEBIS TOKEN

This token is sometimes included with the coins of Connecticut as it greatly resembles issues of that state. It was struck in England by an unknown maker, possibly for use in America.

1787
AUCTORI PLEBIS

Good.............	$15.00
V. Good	20.00
Fine.............	45.00
V. Fine..........	95.00

THE MOTT TOKEN

This was one of the first tradesman's tokens issued in America. Its exact date of issue and origin are unknown. They were issued by Messrs. Mott of New York in 1789.

	V. Good	Fine	V. Fine	E. Fine
1789 Mott Token............................	$30.00	$50.00	$90.00	$240.00

STANDISH BARRY, BALTIMORE, MARYLAND

Standish Barry, a Baltimore silversmith, circulated a silver threepence in 1790. The tokens were believed to have been an advertising venture at a time when small change was scarce.

	Fine	V. Fine
1790 Threepence..	$1,000	$3,750

KENTUCKY TOKEN

These tokens were struck in England about 1792-94. Each star in the triangle represents a state, identified by its initial letter. These pieces are usually called Kentucky Cents because the letter K (for Kentucky) happens to be at the top.

	V. Good	V. Fine	E. Fine	Unc.
Cent (1792-94)	$20.00	$45.00	$85.00	$350.00

FRANKLIN PRESS

This piece is an English tradesmans' token but, being associated with Benjamin Franklin, has accordingly been included in American collections.

	V. Good	V. Fine	E. Fine	Unc.
1794 Franklin Press Token	$18.00	$40.00	$75.00	$300.00

TALBOT, ALLUM & LEE CENTS

Talbot, Allum & Lee, engaged in the India trade and located in New York, placed a large quantity of English-made coppers in circulation during 1794 and 1795. ONE CENT appears on the 1794 issue.

1794 Cent with NEW YORK	
V. Good..............	$15.00
V. Fine	35.00
Unc.................	300.00

1794 Cent Without NEW YORK	
V. Good..............	$40.00
V. Fine	175.00
Unc.................	600.00

1795 Cent	
V. Good	$12.00
V. Fine	35.00
E. Fine	75.00
Unc.............	275.00

VIII. WASHINGTON PIECES

An interesting series of coins and tokens dated from 1783 to 1795 bear the portrait of George Washington. The likenesses in most instances were faithfully reproduced and were designed to honor Washington. Many of these pieces were of English origin and made later than the dates indicate.

	Fine	V. Fine	E. Fine
1783 Large military bust	$15.00	$30.00	$95.00

1783 Draped bust..................................	15.00	30.00	95.00

WASHINGTON PIECES

UNITY STATES

V. Good	$15.00
V. Fine	40.00
Ex. Fine	90.00

Undated Double Head Cent

Fine	$20.00
V. Fine	35.00
Ex. Fine	85.00

Large Eagle

Small Eagle

	Fine	E. Fine	Unc.
1791 Cent, large eagle	$50.00	$125.00	$400.00
1791 Cent, small eagle	50.00	125.00	400.00

1791 Liverpool Halfpenny Lettered Edge

Fine	$175.00
Ex. Fine	325.00
Unc.	650.00

1792 Eagle with Stars

Copper	——
Silver	——
Gold	——

[37]

WASHINGTON PIECES

(1792) Undated Cent
"WASHINGTON BORN VIRGINIA"

1792 Cent
"WASHINGTON PRESIDENT"

	Fine		*Fine*
Copper..................	$700.00	Plain edge	$1,200

	V. Good	*Fine*
1792 Small eagle. Copper....................................	$1,000	$2,000

1793 Ship
Halfpenny

Fine	$50.00
V. Fine..........	75.00
Ex. Fine..........	150.00

1795 Halfpenny
Grate Token

	V. Fine	*E. Fine*	*Unc.*
1795 reeded edge	$30.00	$65.00	$200.00
1795 lettered edge	125.00	250.00	550.00

WASHINGTON PIECES
Liberty and Security Tokens

	Fine	V. Fine	E. Fine
1795 Halfpenny, plain edge...........................	$30.00	$50.00	$125.00
1795 Halfpenny, lettered edge	20.00	40.00	100.00

Liberty and
Security Penny

Fine	$50.00
V. Fine..........	90.00
Ex. Fine.........	150.00
Unc.	800.00

SUCCESS MEDALS

	Fine	V. Fine	E. Fine
Medal, large. Plain or reeded edge	$45.00	$80.00	$125.00
Medal, small. Plain or reeded edge....................	45.00	100.00	150.00

NORTH WALES HALFPENNY

	Good	Fine
1795 Halfpenny.	$25.00	$65.00

IX. THE FUGIO CENTS

The first coins issued by authority of the United States were the "Fugio" cents.
The legends have been credited to Benjamin Franklin by many, and the coin, as
a consequence, has been referred to as the Franklin Cent.

1787 WITH POINTED RAYS

	V. Good	Fine	V. Fine	E. Fine	Unc.
STATES UNITED at sides of circle (illustrated)	$30.00	$50.00	$90.00	$150.00	$425.00
UNITED STATES at sides of circle	30.00	50.00	90.00	150.00	425.00

1787 WITH CLUB RAYS

	V. Good	Fine	V. Fine
Club Rays. Rounded ends	$50.00	$75.00	$200.00

MODERN PROOF COINS

Proof coins can usually be distinguished by their sharpness of detail, high wire edge,
and extremely brilliant, mirrorlike surface. All proofs are originally sold by the
mint at a premium.

Proof coins were not struck during 1943-1949 or 1965-67. Sets from 1936 through
1972 include the cent, nickel, dime, quarter and half; from 1973 through 1981 the
dollar was also included. *Values shown are for original unblemished sets.*

Figures in parentheses represent the total number of full sets minted.

1936 (3,837)...................	$3,500	1955 (378,200).........	$45.00
1937 (5,542)...................	2,500	1956 (669,384)...............	28.00
1938 (8,045)...................	1,200	1957 (1,247,952...............	16.00
1939 (8,795)...................	1,000	1958 (875,652)...............	20.00
1940 (11,246).................	850.00	1959 (1,149,291).............	15.00
1941 (15,287).................	800.00	1960 (1,691,602 both kinds)	
1942 both nickels } (21,120)	950.00	with lg. date 1c	14.00
1942 one nickel	800.00	1960 with sm. date 1c	16.00
1950 (51,386).................	400.00	1961 (3,028,244)..............	12.00
1951 (57,500).................	225.00	1962 (3,218,019)..............	12.00
1952 (81,980).................	150.00	1963 (3,075,645)	12.00
1953 (128,800)...............	80.00	1964 (3,950,762)	10.00
1954 (233,300)...............	50.00		

MODERN PROOF COINS

1968S (3,041,506)............	$3.50	1982S (3,857,479)............	$4.00
1969S (2,934,631)............	3.50	1983S (3,138,765)............	8.00
1970S (2,632,810)............	9.00	1983S incl. Olympic dollar	
1971S (3,220,733)............	3.00	(140,361)...............	50.00
1972S (3,260,996)............	3.00	1984S (2,748,430)............	14.00
1973S (2,760,339)............	4.50	1984S incl. Olympic dollar	
1974S (2,612,568)............	4.50	(316,680)...............	40.00
1975S (2,909,369)............	8.00	1985S (3,362,821)............	13.00
1976S (4,149,730)............	4.50	1986S (2,411,180)............	10.00
1976S 3-pc. set (3,998,621)....	11.00	1986S incl. Commemoratives	
1977S (3,251,152)............	4.00	(599,317)...............	35.00
1978S (3,127,781)............	4.00	1987S	9.00
1979S filled S ⎱ (3,677,175)....	6.00	1987S incl. Commemorative...	30.00
1979S clear S ⎰	60.00	1988S	9.00
1980S (3,554,806)............	5.00	1988S incl. Olympic	30.00
1981S (4,063,083)............	5.00		

Original issue prices: 1936 thru 1942, $1.89; 1950 thru 1964, $2.10; 1968 thru 1972S, $5.00; 1973S thru 1976S, $7.00; 1977S thru 1979S, $9.00; 1980S, $10.00; 1981S to date, $11.00.

UNCIRCULATED MINT SETS

Official Mint Sets are specially packaged by the government for sale to collectors. They contain uncirculated specimens of each year's coins for every denomination issued from each mint. Sets from 1947 through 1958 contain two examples of each regular issue coin. No official sets were produced in 1950, 1982 or 1983. Privately assembled sets are valued according to individual coin prices. Only official sets are included in the following list. Unlike the proof sets, these are normal coins intended for circulation and are not minted with any special consideration for quality. Current year sets may be ordered from The United States Mint, P.O. Box 8666, Philadelphia, PA 19101-8666.

1947 P-D-S	$500.00	1968 P-D-S (2,105,128)	$1.75
1948 P-D-S	150.00	1969 P-D-S (1,817,392)	1.75
1949 P-D-S	440.00	1970 P-D-S (2,038,134)	12.00
1951 P-D-S (8,654)...........	220.00	1971 P-D-S (2,193,396)	1.80
1952 P-D-S (11,499).........	180.00	1972 P-D-S (2,750,000)	1.80
1953 P-D-S (15,538).........	140.00	1973 P-D-S (1,767,691)	7.50
1954 P-D-S (25,599).........	80.00	1974 P-D-S (1,975,981)	3.90
1955 P-D-S (49,656).........	50.00	1975 P-D-S (1,921,488)	4.00
1956 P-D (45,475)	40.00	1976 3 pieces (4,908,319)	6.00
1957 P-D (34,324)	55.00	1976 P-D (1,892,513)	4.00
1958 P-D (50,314)	50.00	1977 P-D (2,006,869)	4.00
1959 P-D (187,000)	15.00	1978 P-D (2,162,609)	4.00
1960 P-D (260,485)	12.00	1979 P-D (2,526,000)	3.90
1961 P-D (223,704)	11.00	1980 P-D-S (2,815,066)	4.25
1962 P-D (385,285)	11.00	1981 P-D-S (2,908,145)	7.50
1963 P-D (606,612)	10.00	1984 P-D (1,832,857)	3.00
1964 P-D (1,008,108).........	7.00	1985 P-D (1,710,571)	4.00
1965 *(2,360,000	3.00	1986 P-D (1,153,536)	7.00
1966 *(2,261,583).............	3.00	1987 P-D	6.00
1967 *(1,863,344)...·.........	3.50	1988 P-D	6.00

*Special Mint Sets

UNITED STATES REGULAR ISSUES
HALF CENTS — 1793-1857

The half cent was authorized to be coined April 2, 1792. Originally the weight was to have been 132 grains, but this was changed to 104 grains by the Act of January 14, 1793, before coinage commenced. The weight was again changed to 84 grains January 26, 1796 by presidential proclamation in conformity with the Act of March 3, 1795. Coinage was discontinued by the Act of February 21, 1857. All were coined at the Philadelphia Mint.

LIBERTY CAP TYPE 1793-1797

AG-3 ABOUT GOOD—*Clear enough to identify.*
G-4 GOOD—*Outline of bust clear, no details. Date readable. Reverse lettering incomplete.*
VG-8 VERY GOOD—*Some hair details. Reverse lettering complete.*
F-12 FINE—*Most of hair detail shows. Leaves worn but all visible.*
VF-20 VERY FINE—*Hair near ear and forehead worn, other areas distinct. Some details in leaves show.*
EF-40 EXTREMELY FINE—*Light wear on highest parts of head and wreath.*

Head Facing Left 1793

	Quan. Minted	AG-3	G-4	VG-8	F-12	VF-20	EF-40
1793	35,334	$325.00	$800.00	$1,250	$1,500	$2,400	$4,500

Head Facing Right 1794-1797

	Quan. Minted	AG-3	G-4	VG-8	F-12	VF-20	EF-40
1794	81,600	40.00	130.00	225.00	400.00	600.00	1,200

Pole to Cap	Punctuated Date	No Pole to Cap

	Quan. Minted	AG-3	G-4	VG-8	F-12	VF-20	EF-40
1795 All kinds	139,690						
1795 Lettered edge, with pole		$40.00	$110.00	$150.00	$275.00	$500.00	$1,200
1795 Lettered edge, punctuated date		40.00	110.00	150.00	265.00	475.00	1,000

HALF CENTS

	Quan. Minted	AG-3	G-4	VG-8	F-12	VF-20	EF-40
1795 Plain edge, punctuated date		$40.00	$100.00	$150.00	$275.00	$475.00	$1,100
1795 Pl. edge, no pole		40.00	100.00	150.00	275.00	475.00	1,100
1796 With pole	1,390	700.00	1,500	2,200	4,500	7,000	——
1796 No pole		1,200	2,500	4,500	6,200	14,000	

1797 Plain Edge

1797, 1 above 1, Plain Edge

	Quan. Minted	AG-3	G-4	VG-8	F-12	VF-20	EF-40
1797 All kinds 127,840							
1797 Lettered edge..................		90.00	200.00	325.00	650.00	1,300	——
1797 Plain edge..................		35.00	70.00	110.00	250.00	500.00	950.00
1797 Gripped edge		450.00	750.00	2,000	——	——	
1797, 1 above 1, plain edge		35.00	70.00	110.00	250.00	500.00	950.00

DRAPED BUST TYPE 1800-1808

AG-3 ABOUT GOOD—*Clear enough to identify.*
G-4 GOOD—*Bust outline clear, few details, date readable. Reverse lettering worn and incomplete.*
VG-8 VERY GOOD—*Some drapery shows. Date and legends complete.*
F-12 FINE—*Shoulder drapery and hair over brow worn smooth.*
VF-20 VERY FINE—*Only slight wear in above areas. Slight wear on reverse.*
EF-40 EXTREMELY FINE—*Light wear on highest parts of head and wreath.*

	Quan. Minted	AG-3	G-4	VG-8	F-12	VF-20	EF-40
1800 202,908		$7.00	$12.00	$20.00	$27.50	$45.00	$115.00
1802, 2 over 0 20,266		45.00	100.00	175.00	375.00	800.00	2,100
1803 92,000		7.50	13.00	21.00	30.00	47.50	130.00

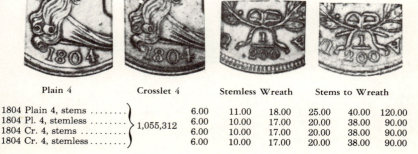

Plain 4	Crosslet 4	Stemless Wreath	Stems to Wreath

		AG-3	G-4	VG-8	F-12	VF-20	EF-40
1804 Plain 4, stems		6.00	11.00	18.00	25.00	40.00	120.00
1804 Pl. 4, stemless	1,055,312	6.00	10.00	17.00	20.00	38.00	90.00
1804 Cr. 4, stems		6.00	10.00	17.00	20.00	38.00	90.00
1804 Cr. 4, stemless		6.00	10.00	17.00	20.00	38.00	90.00

HALF CENTS

1804 "Spiked Chin"

Small 5

Large 5

	Quan. Minted	AG-3	G-4	VG-8	F-12	VF-20	EF-40
1804 "Spiked chin"	Inc. above	$7.50	$14.00	$18.00	$27.50	$50.00	$145.00
1805 Med. 5, stemless		6.50	12.00	19.00	22.00	42.00	90.00
1805 Small 5, stems....... }	814,464	15.00	45.00	70.00	175.00	375.00	——
1805 Large 5, stems....... }		6.00	11.00	19.00	22.00	42.00	90.00

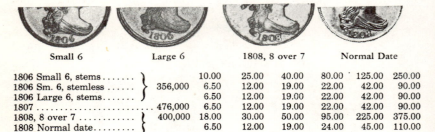

Small 6   Large 6   1808, 8 over 7   Normal Date

1806 Small 6, stems....... }		10.00	25.00	40.00	80.00	125.00	250.00
1806 Sm. 6, stemless ...... }	356,000	6.50	12.00	19.00	22.00	42.00	90.00
1806 Large 6, stems....... }		6.50	12.00	19.00	22.00	42.00	90.00
1807	476,000	6.50	12.00	19.00	22.00	42.00	90.00
1808, 8 over 7 .... }	400,000	18.00	30.00	50.00	95.00	225.00	375.00
1808 Normal date........ }		6.50	12.00	19.00	24.00	45.00	110.00

CLASSIC HEAD TYPE 1809-1836

G-4 GOOD—*LIBERTY only partly visible on hair band. Lettering, date, stars, worn but visible.*
VG-8 VERY GOOD—*LIBERTY entirely visible on hair band. Lower curls worn.*
F-12 FINE—*Only part wear on LIBERTY and hair at top worn in spots.*
VF-20 VERY FINE—*Lettering clear-cut. Hair only slightly worn.*
EF-40 EXTREMELY FINE—*Light wear on highest points of hair and leaves.*
MS-60 UNCIRCULATED—*Typical brown to red surface. No trace of wear.*

Brilliant or red uncirculated coins are worth more than prices shown. Spotted, cleaned or discolored pieces are worth less.

	Quan. Minted	G-4	VG-8	F-12	VF-20	EF-40	MS-60
1809	1,154,572	$11.00	$13.00	$18.00	$32.50	$50.00	$180.00
1810	215,000	13.00	18.00	27.00	50.00	90.00	550.00
1811	63,140	40.00	60.00	120.00	350.00	600.00	1,350
1825	63,000	12.00	16.00	22.00	32.50	50.00	180.00
1826	234,000	10.00	12.00	17.00	28.00	40.00	180.00

HALF CENTS

13 Stars

12 Stars

	Quan. Minted	G-4	VG-8	F-12	VF-20	EF-40	MS-60	Proof-63
1828, 13 Stars ..... }		$10.00	$12.00	$16.00	$25.00	$35.00	$165.00	
1828, 12 Stars ..... }	606,000	11.00	14.00	20.00	35.00	50.00	250.00	
1829	487,000	10.00	12.00	16.00	25.00	35.00	165.00	
1831 (Beware of altered date)............	2,200						——	$4,200
1832	154,000	10.00	13.00	17.00	26.00	40.00	150.00	1,700
1833	120,000	10.00	13.00	17.00	26.00	40.00	150.00	1,700
1834	141,000	10.00	13.00	17.00	26.00	40.00	150.00	1,700
1835	398,000	10.00	13.00	17.00	26.00	40.00	150.00	1,700
1836								3,100

BRAIDED HAIR TYPE 1840-1857

	Proof-63			Proof-63
1840 Original................	$1,900	1845 Original................		$2,750
1840 Restrike................	1,800	1845 Restrike................		2,500
1841 Original................	2,000	1846 Original................		2,500
1841 Restrike................	1,900	1846 Restrike................		2,000
1842 Original................	2,200	1847 Original................		2,000
1842 Restrike................	1,900	1847 Restrike................		2,000
1843 Original................	2,000	1848 Original................		2,000
1843 Restrike................	2,000	1848 Restrike................		2,000
1844 Original................	2,750	1849 Original. Small date.....		2,300
1844 Restrike................	2,000	1849 Restrike. Small date		2,300

Brilliant or red uncirculated coins are worth more than prices shown. Spotted, cleaned or discolored pieces are worth less.

G-4 GOOD—*Hair and bun show few details, parts of LIBERTY show.*
VG-8 VERY GOOD—*Beads uniformly distinct. Hairlines show in spots.*
F-12 FINE—*Hairlines above ear worn. Beads sharp.*
VF-20 VERY FINE—*Lowest curl shows wear, hair otherwise distinct.*
EF-40 EXTREMELY FINE—*Light wear on highest points of hair and leaves.*
MS-60 UNCIRCULATED—*No trace of wear, light blemishes.*

Small Date   Large Date.

	Quan. Minted	G-4	VG-8	F-12	VF-20	EF-40	MS-60	Proof-63
1849 Large date	39,864	$14.00	$17.00	$20.00	$30.00	$45.00	$180.00	——
1850	39,812	14.00	17.00	20.00	30.00	45.00	180.00	——
1851	147,672	11.00	15.00	17.00	25.00	38.00	165.00	——
1852								$2,400
1853	129,694	11.00	15.00	17.00	25.00	38.00	165.00	
1854	55,358	11.00	15.00	17.00	25.00	38.00	165.00	2,400
1855	56,500	11.00	15.00	17.00	25.00	38.00	165.00	2,400
1856	40,430	13.00	16.00	19.00	30.00	45.00	180.00	2,400
1857	35,180	14.00	17.00	20.00	32.50	50.00	225.00	2,400

LARGE CENTS — 1793-1857

Cents and half cents were the first coins struck under the authority of the United States Government. Coinage began in 1793 with laws specifying that the cent should weigh exactly twice as much as the half cent. Large cents were coined every year from 1793 to 1857 with the exception of 1815, when a lack of copper prevented production. All were coined at the Philadelphia Mint. Varieties listed are those most significant to collectors. Numerous other die varieties may be found because each of the early dies was individually made.

FLOWING HAIR, CHAIN TYPE REVERSE 1793

AG-3 ABOUT GOOD—*Date and devices clear enough to identify.*
G-4 GOOD—*Lettering worn but readable. Bust has no detail.*
VG-8 VERY GOOD—*Date and lettering distinct, some details of head visible.*
F-12 FINE—*About half of hair, etc. details show.*
VF-20 VERY FINE—*Ear visible. Most of details can be seen.*
EF-40 EXTREMELY FINE—*Highest points of hair and back of temple show wear.*

	Obverse	AMERI. Reverse		AMERICA Reverse	

	Quan. Minted	AG-3	G-4	VG-8	F-12	VF-20	EF-40
1793 Chain	36,103						
1793 AMERI. in legend		$375.00	$900.00	$1,500	$2,300	$4,500	$9,500
1793 AMERICA		350.00	800.00	1,350	2,000	4,200	9,000

FLOWING HAIR, WREATH TYPE REVERSE 1793

Wreath Type   Strawberry Leaf Var.

	Quan. Minted	AG-3	G-4	VG-8	F-12	VF-20	EF-40
1793 Wreath	63,353						
1793 Vine/bars edge		$150.00	$400.00	$650.00	$950	$1,750	$4,000
1793 Lettered Edge		175.00	450.00	700.00	1,100	1,800	4,125
1793 Strawberry leaf				(4 known)			

LARGE CENTS
LIBERTY CAP TYPE 1793-1796

1793 Vine and Bar edge
Chain and Wreath Type Only

HUNDRED

Lettered edge 1793-1795
ONE HUNDRED FOR A DOLLAR

Beaded Border, 1793 Only

1793-1794	1794 Only	1794-1796

"Head of 1793"
Head is in high
rounded relief

"Head of 1794"
Well defined hair,
hook on lowest curl

"Head of 1795"
Head in low relief,
no hook on lowest curl

	Quan. Minted	AG-3	G-4	VG-8	F-12	VF-20	EF-40
1793 Lib. Cap.	11,056	$300.00	$675.00	$1,200	$1,800	$4,000	$10,000
1794 All kinds	918,521						
1794 "Head of 1793"		75.00	160.00	275.00	650.00	1,600	3,750
1794 "Head of 1794"		20.00	60.00	95.00	175.00	425.00	1,000
1794 "Head of 1795"		20.00	60.00	95.00	175.00	425.00	1,000
1795 Ltd. ed.	37,000	20.00	60.00	110.00	200.00	450.00	1,200
1795 Plain ed.	501,500	19.00	50.00	75.00	150.00	400.00	750.00
1796 Lib. Cap.	109,825	20.00	50.00	90.00	175.00	400.00	900.00

DRAPED BUST TYPE 1796-1807

AG-3 ABOUT GOOD—*Clear enough to identify.*
G-4 GOOD—*Lettering worn, but clear; date clear. Bust lacks details.*
VG-8 VERY GOOD—*Drapery partly visible. Less wear in date and lettering.*
F-12 FINE—*Hair over brow is smooth, some details showing in other parts of hair.*
VF-20 VERY FINE—*Hairlines slightly worn. Hair over brow better defined.*
EF-40 EXTREMELY FINE—*Hair above forehead and left of eye outlined and detailed. Only slight wear on olive leaves.*

LARGE CENTS

LIBERTY
error

Stems   Stemless

Gripped Edge

	Quan. Minted	AG-3	G-4	VG-8	F-12	VF-20	EF-40
1796 Draped Bust....	363,375	$20.00	$40.00	$70.00	$110.00	$300.00	$750.00
1796 LIBERTY error..........		25.00	50.00	100.00	195.00	475.00	1,400
1797 All kinds.......	897,510						
1797 Gr. edge, '96 rev.......		10.00	17.00	40.00	90.00	200.00	600.00
1797 Pl. edge, '96 rev.......		10.00	19.00	42.00	100.00	210.00	600.00
1797, '97 rev., Stems........		8.00	16.00	30.00	60.00	170.00	400.00
1797, '97 rev., Stemless......		15.00	28.00	60.00	115.00	275.00	800.00

1798, 8 over 7   1799, 9 over 8   1800 over 1798   1800, 80 over 79

	Quan. Minted	AG-3	G-4	VG-8	F-12	VF-20	EF-40
1798 All kinds......	1,841,745						
1798, 8 over 7..............		10.00	21.00	55.00	125.00	300.00	850.00
1798........................		7.00	13.00	22.00	60.00	130.00	350.00
1799, 9 over 8............. *		175.00	425.00	825.00	1,600	3,500	——
1799 Nor. date........	42,540	150.00	375.00	750.00	1,400	3,200	——
1800 All kds.	2,822,175						
1800 over 1798		6.00	11.00	19.00	40.00	120.00	400.00
1800, 80 over 79		4.50	10.00	18.00	35.00	120.00	275.00
1800 Normal date...........		4.50	10.00	18.00	35.00	120.00	275.00

*Mintage for 1799, 9 over 8 variety is included with the 1798 figure.

Fraction 1/000   Corrected Fraction   1801 Reverse, 3 Errors

	Quan. Minted	AG-3	G-4	VG-8	F-12	VF-20	EF-40
1801 All kds.	1,362,837						
1801 Normal rev...........		4.50	10.00	18.00	35.00	120.00	275.00
1801, 3 errors: 1/000, one							
stem & IINITED		10.00	20.00	40.00	120.00	250.00	800.00
1801 Fraction 1/000.........		6.00	12.00	25.00	60.00	125.00	390.00
1801, 1/100 over 1/000......		6.00	13.00	27.00	65.00	150.00	425.00
1802 All kds.	3,435,100						
1802 Normal rev...........		4.25	9.00	16.00	30.00	90.00	210.00
1802 Fraction 1/000.........		6.00	12.00	21.00	40.00	110.00	275.00
1802 Stemless wreath		4.50	10.00	18.00	35.00	100.00	275.00

LARGE CENTS

1803 Sm. Date, Blunt 1	1803 Large Date, Pointed 1		Small Fraction		Large Fraction	
	Quan. Minted	AG-3	G-4	VG-8	F-12	VF-20	EF-40

	Quan. Minted	AG-3	G-4	VG-8	F-12	VF-20	EF-40
1803 All kds. 3,131,691							
1803 Sm. dt., sm. fract......		$4.00	$9.00	$16.00	$35.00	$100.00	$225.00
1803 Sm. dt., lg. fract.......		4.00	9.00	16.00	35.00	100.00	225.00
1803 Lg. dt., sm. fract.		170.00	325.00	600.00	1,250	2,900	
1803 Lg. dt., lg. fract.		13.00	22.00	40.00	85.00	170.00	600.00
1803, 1/100 over 1/000		5.00	13.00	27.50	50.00	125.00	350.00
1803 Stemless wreath		5.00	10.00	22.00	40.00	115.00	300.00

1804 With Normal or Broken Dies (broken dies illustrated)

All genuine 1804 Cents have a crosslet 4 in the date and a large fraction. The 0 in the date is in line with the O in OF on the reverse of the coin.

	Quan. Minted	AG-3	G-4	VG-8	F-12	VF-20	EF-40
1804 96,500		100.00	175.00	425.00	700.00	1,300	2,800
1805 941,116		4.00	9.00	16.00	35.00	125.00	250.00
1806 348,000		6.00	12.00	27.50	60.00	150.00	425.00

Sm. 1807, 7 over 6, blunt 1   Lg. 1807, 7 over 6, pointed 1

	Quan. Minted	AG-3	G-4	VG-8	F-12	VF-20	EF-40
1807 All kinds 829,221							
1807 Small 7 over 6........		100.00	215.00	415.00	1,000	2,000	——
1807 Large 7 over 6........		4.00	9.00	16.00	35.00	125.00	275.00
1807 Small fraction		5.00	11.00	22.00	43.00	125.00	375.00
1807 Large fraction		4.00	9.00	16.00	32.00	125.00	300.00

CLASSIC HEAD TYPE 1808-1814

AG-3 ABOUT GOOD—*Details clear enough to identify.*

G-4 GOOD—*Legends, stars, date worn, but plain.*

VG-8 VERY GOOD—*LIBERTY all readable. Ear shows. Details worn but plain.*

F-12 FINE—*Hair on forehead and before ear nearly smooth. Ear and hair under ear sharp.*

VF-20 VERY FINE—*All hairlines show some detail. Leaves on rev. show slight wear.*

EF-40 EXTREMELY FINE—*All hairlines sharp. Very slight wear on high points.*

LARGE CENTS

	Quan. Minted	AG-3	G-4	VG-8	F-12	VF-20	EF-40
1808	1,007,000	$6.25	$15.00	$27.00	$50.00	$140.00	$450.00
1809	222,867	17.00	35.00	60.00	125.00	325.00	700.00

1810, 10 over 09	1810 Normal Date	1811, last 1 over 0	1811 Normal Date

	Quan. Minted	AG-3	G-4	VG-8	F-12	VF-20	EF-40
1810 All kds.	1,458,500						
1810, 10 over 09		5.00	13.00	25.00	45.00	135.00	375.00
1810 Normal date		5.00	13.00	25.00	45.00	135.00	375.00
1811 All kds.	218,025						
1811 Last 1 over 0		12.00	23.00	45.00	110.00	250.00	625.00
1811 Normal date		10.00	20.00	40.00	100.00	235.00	600.00
1812	1,075,500	5.00	13.00	22.00	45.00	135.00	375.00
1813	418,000	7.50	16.00	30.00	65.00	175.00	400.00
1814	357,830	5.00	13.00	22.00	45.00	135.00	375.00

CORONET TYPE 1816-1857

G-4 GOOD—*Head details partly visible. Even wear in date and legends.*
VG-8 VERY GOOD—*LIBERTY, date, stars, legends clear. Part of hair cord visible.*
F-12 FINE—*All hairlines show. Hair cords show uniformly.*
VF-20 VERY FINE—*Hair cords only slightly worn. Hairlines only partly worn, all well defined.*
EF-40 EXTREMELY FINE—*Both hair cords stand out sharply. All hairlines sharp.*
MS-60 UNCIRCULATED—*Typical brown to red surface. No trace of wear.*

13 Stars		15 Stars

Brilliant or red uncirculated coins are worth more than prices shown. Spotted, cleaned or discolored pieces are worth less.

	Quan. Minted	G-4	VG-8	F-12	VF-20	EF-40	MS-60
1816	2,820,982	$3.75	$4.50	$7.00	$14.00	$32.00	$175.00
1817, 13 stars	3,948,400	3.75	4.50	6.00	12.00	32.00	150.00
1817, 15 stars	3,167,000	4.00	5.00	9.00	23.00	50.00	325.00
1818		3.75	4.50	6.00	12.00	32.00	150.00

LARGE CENTS

1819, 9 over 8

1820, 20 over 19

	Quan. Minted	G-4	VG-8	F-12	VF-20	EF-40	MS-60
1819, 9 over 8 .... }	2,671,000	$4.00	$5.00	$8.00	$14.00	$35.00	$190.00
1819		3.75	4.50	6.00	12.00	32.00	150.00
1820, 20 over 19		4.00	5.00	8.00	17.00	37.50	200.00
1820	4,407,550	3.75	4.50	6.00	12.00	30.00	150.00
1821	389,000	7.00	12.00	20.00	50.00	150.00	850.00
1822	2,072,339	3.75	4.50	6.00	12.00	35.00	200.00

1823, 3 over 2

1824, 4 over 2

1826, 6 over 5

		G-4	VG-8	F-12	VF-20	EF-40	MS-60
1823, 3 over 2 .... }	Included	12.00	16.00	35.00	85.00	225.00	——
1823 Normal date..........	with 1824	12.00	20.00	40.00	90.00	350.00	——
1824, 4 over 2 .... }		4.50	6.00	13.00	40.00	110.00	——
1824 Normal date..........	1,262,000	4.00	5.00	8.00	20.00	50.00	425.00
1825	1,461,100	3.75	4.50	7.00	15.00	37.50	200.00
1826, 6 over 5 .... }	1,517,425	5.00	9.00	14.00	32.00	80.00	275.00
1826 Normal date.......... }		3.75	4.50	6.00	12.00	30.00	150.00
1827	2,357,732	3.75	4.50	6.00	12.00	30.00	150.00

This date size appears on cents before 1828.

This date size appears on cents after 1828.

		G-4	VG-8	F-12	VF-20	EF-40	MS-60
1828 Lg. narrow date ...... }	2,260,624	3.75	4.50	6.00	13.00	30.00	190.00
1828 Sm. wide date .... }		4.00	5.00	8.00	15.00	35.00	225.00
1829	1,414,500	3.75	4.50	6.00	12.00	30.00	160.00
1830	1,711,500	3.75	4.50	6.00	12.00	30.00	160.00
1831	3,359,260	3.50	4.25	5.50	11.00	27.00	150.00
1832	2,362,000	3.50	4.25	5.50	11.00	27.00	150.00
1833	2,739,000	3.50	4.25	5.50	11.00	27.00	150.00
1834	1,855,100	3.50	4.25	5.50	11.00	30.00	225.00
1835	3,878,400	3.50	4.25	5.50	11.00	30.00	200.00
1836	2,111,000	3.50	4.25	5.50	11.00	27.00	175.00

LARGE CENTS

G-4 GOOD—*Considerably worn. LIBERTY readable.*
VG-8 VERY GOOD—*Hairlines smooth but visible, outline of ear clearly defined.*
F-12 FINE—*Hairlines at top of head and behind ear worn but visible. Braid over brow plain, ear clear.*
VF-20 VERY FINE—*All details more sharp. Hair over brow shows only slight wear.*
EF-40 EXTREMELY FINE—*Hair above ear detailed, but slightly worn.*
MS-60 UNCIRCULATED—*Typical brown to red surface. No trace of wear.*

1839 over 1836

Brilliant or red uncirculated coins are worth more than prices shown. Spotted, cleaned or discolored pieces are worth less.

	Quan. Minted	G-4	VG-8	F-12	VF-20	EF-40	MS-60
1837	5,558,300	$3.75	$4.50	$6.00	$10.00	$30.00	$200.00
1838	6,370,200	3.50	4.25	5.50	9.00	27.00	175.00
1839		3.50	5.00	6.00	12.00	35.00	200.00
1839, 9 over 6 .... }	3,128,661	35.00	70.00	140.00	250.00	725.00	——
1840	2,462,700	3.00	4.00	5.00	9.00	27.00	175.00
1841	1,597,367	3.00	4.00	5.00	8.00	26.00	175.00
1842	2,383,390	3.00	4.00	5.00	8.00	26.00	140.00

"Head of 1840"
Petite Head
1839-1843

"Head of 1844"
Mature Head
1843-1857

Small Letters

Large Letters

	Quan. Minted	G-4	VG-8	F-12	VF-20	EF-40	MS-60
1843 Petite, sm. let........ }		3.00	4.00	5.00	8.00	25.00	140.00
1843 Petite, lg. let......... }	2,425,342	5.00	8.00	12.00	25.00	45.00	300.00
1843 Mature, lg. let........		3.50	5.00	8.00	14.00	30.00	140.00
1844 Normal date......... }		3.00	4.00	5.00	8.00	25.00	140.00
1844 over 81	2,398,752						
(error-photo page 53).....		4.00	5.00	9.00	17.00	60.00	350.00
1845	3,894,804	2.75	3.75	4.75	7.00	22.00	135.00
1846	4,120,800	3.00	4.00	5.00	8.00	25.00	140.00
1847 .... }		2.75	3.75	4.75	7.00	22.00	135.00
1847, 7 over "sm." 7 .... }	6,183,669	4.00	5.00	9.00	15.00	35.00	200.00

LARGE CENTS

	Quan. Minted	G-4	VG-8	F-12	VF-20	EF-40	MS-60
1848	6,415,799	$2.75	$3.75	$4.75	$7.00	$22.00	$135.00
1849	4,178,500	2.75	3.75	4.75	7.00	22.00	135.00
1850	4,426,844	2.75	2.75	4.75	7.00	22.00	135.00

1844, 44 over 81   1851, 51 over 81   1847, 7 over "Small" 7

Brilliant or red uncirculated coins are worth more than prices shown. Spotted, cleaned or discolored pieces are worth less.

1851 Normal date	} 9,889,707	2.75	3.75	4.75	7.00	22.00	135.00
1851 over 81 (error)		4.00	5.00	8.00	17.00	30.00	200.00
1852	5,063,094	2.75	3.75	4.75	7.00	22.00	135.00
1853	6,641,131	2.75	3.75	4.75	7.00	22.00	135.00
1854	4,236,156	2.75	3.75	4.75	7.00	22.00	135.00

1855 Upright 5's   1855 Slanting 5's   1855 Knob on ear

1855 All kinds	1,574,829						
1855 Upright 5's		2.75	3.75	4.75	7.00	22.00	135.00
1855 Slanting 5's		2.75	3.75	4.75	7.00	22.00	135.00
1855 Slanting 5's, knob on ear		3.00	4.00	5.50	12.00	27.00	185.00
1856 Upright 5	} 2,690,463	2.75	3.75	4.75	7.00	22.00	135.00
1856 Slanting 5		2.75	3.75	4.75	7.00	22.00	135.00

1857 Large Date   1857 Small Date

1857 Large date	} 333,456	9.00	13.00	19.00	24.00	26.00	200.00
1857 Small date		10.00	15.00	22.00	26.00	30.00	225.00

SMALL CENTS — 1856 to Date
FLYING EAGLE TYPE 1856-1858

The Act of February 21, 1857 provided for the coinage of the small cent. The 1856 Eagle cent was not an authorized mint issue, as the law governing the new size coin was enacted after the date of issue. It is believed that about 1,000 of these pieces were struck. They are properly referred to as patterns.

G-4 GOOD—*All details worn, but readable.*
VG-8 VERY GOOD—*Feather details and eye of eagle are evident but worn.*
F-12 FINE—*Eagle head details and feather tips sharp.*
VF-20 VERY FINE—*Feathers in right wing and tail show considerable detail.*
EF-40 EXTREMELY FINE—*Slight wear, all details sharp.*
MS-60 UNCIRCULATED—*No trace of wear. Light blemishes.*

| 1858, 8 over 7 | 1856-1858 Large Letters | 1858 Small Letters |

Brilliant uncirculated and proof coins are worth more than prices shown. Spotted, cleaned or discolored pieces are worth less.

	Quan. Minted					Quan. Minted
1856	est. *1,000*		1858 Lg. letters ...... *(80)*			24,600,000
1857 .... *(485)*	17,450,000		1858 Sm. letters..... *(200)*			

	G-4	VG-8	F-12	VF-20	EF-40	MS-60	Proof-63
1856	$700.00	$900.00	$1,100	$1,500	$1,900	$2,500	$2,800
1857	4.50	5.00	8.00	16.00	40.00	110.00	1,400
1858 Lg. let.......	4.50	5.00	8.00	16.00	40.00	110.00	1,400
1858, 8 over 7		25.00	60.00	125.00	250.00	450.00	
1858 Sm let.......	4.50	5.00	8.00	16.00	40.00	110.00	1,400

SMALL CENTS
INDIAN HEAD TYPE 1859-1909

The small cent was redesigned in 1859, and a representation of an Indian princess was adopted as the obverse device. The 1859 reverse was also changed to represent a laurel wreath. In 1860 the reverse was modified to display an oak wreath with a small shield at the top. From 1859 to 1863 cents were struck in copper-nickel. In 1864 the composition was changed to bronze, although copper-nickel cents were also struck during that year.

SMALL CENTS

G-4 GOOD—*No LIBERTY visible.*
VG-8 VERY GOOD—*At least three letters of LIBERTY readable on head band.*
F-12 FINE—*LIBERTY completely visible.*
VF-20 VERY FINE—*Slight but even wear on LIBERTY.*
EF-40 EXTREMELY FINE—*LIBERTY sharp. All other details sharp. Only slight wear on ribbon end.*
MS-60 UNCIRCULATED—*No trace of wear. Light blemishes.*

Without Shield at Top of Wreath
1859 Only

With Shield on Reverse
1860 to 1909

Brilliant uncirculated and proof coins are worth more than prices shown. Spotted, cleaned or discolored pieces are worth less.

Copper-nickel, Laurel Wreath Reverse 1859

	Quan. Minted	G-4	VG-8	F-12	VF-20	EF-40	MS-60	Proof-63
1859 . . . . (800)	36,400,000	$2.25	$2.50	$4.00	$11.00	$32.00	$95.00	$500.00

Copper-nickel, Oak Wreath with Shield Reverse 1860-1864

		G-4	VG-8	F-12	VF-20	EF-40	MS-60	Proof-63
1860 . . . . (1,000)	20,566,000	2.00	2.50	4.00	7.00	15.00	60.00	425.00
1861 . . . . (1,000)	10,100,000	5.00	6.00	9.00	15.00	25.00	100.00	450.00
1862 . . . . (550)	28,075,000	1.25	1.50	2.25	5.00	10.00	50.00	400.00
1863 . . . . (460)	49,840,000	1.25	1.50	2.25	5.00	10.00	50.00	400.00
1864 . . . . (370)	13,740,000	4.00	5.00	7.00	10.00	15.00	60.00	425.00

Bronze 1864-1909

1864 Indian Head Cent with "L"

	Quan. Minted	G-4	VG-8	F-12	VF-20	EF-40	MS-60	Proof-63
1864 All kinds	39,233,714							
1864 No L . . . . (150)		$2.00	$2.75	$4.25	$9.00	$14.00	$35.00	$400.00
1864 L must show . . . . (20)		17.00	22.00	30.00	55.00	80.00	215.00	——
1865 . . . . (500)	35,429,286	1.75	2.50	4.50	9.00	15.00	35.00	350.00
1866 . . . . (725)	9,826,500	11.00	13.00	19.00	32.00	45.00	80.00	300.00
1867 . . . . (625)	9,821,000	11.00	13.00	19.00	32.00	45.00	80.00	300.00
1868 . . . . (600)	10,266,500	11.00	13.00	19.00	32.00	45.00	80.00	275.00
1869 . . . . (600)	6,420,000	15.00	20.00	40.00	60.00	85.00	150.00	300.00

SMALL CENTS

Brilliant or red uncirculated coins are worth more than prices shown. Spotted, cleaned or discolored pieces are worth less.

	Quan. Minted	G-4	VG-8	F-12	VF-20	EF-40	MS-60	Proof-63
1870 .... (1,000)	5,275,000	$10.00	$15.00	$30.00	$45.00	$65.00	$135.00	$300.00
1871 .... (960)	3,929,500	15.00	20.00	42.00	50.00	80.00	150.00	325.00
1872 .... (950)	4,042,000	22.00	27.00	45.00	70.00	90.00	200.00	350.00
1873 .... (1,100)	11,676,500	5.00	6.00	9.00	16.00	27.00	60.00	165.00
1874 .... (700)	14,187,500	5.00	6.00	9.00	16.00	27.00	55.00	150.00
1875 .... (700)	13,528,000	5.00	6.00	9.00	16.00	27.00	55.00	150.00
1876 .... (1,150)	7,944,000	8.00	12.00	15.00	25.00	38.00	70.00	150.00
1877 .... (510)	852,500	100.00	130.00	200.00	300.00	450.00	850.00	1,200
1878 .... (2,350)	5,799,850	8.00	12.00	15.00	25.00	40.00	75.00	140.00
1879 .... (3,200)	16,231,200	1.50	2.00	3.00	5.00	12.00	30.00	125.00
1880 .... (3,955)	38,964,955	.50	.80	1.50	2.50	6.50	20.00	100.00
1881 .... (3,575)	39,211,575	.50	.80	1.50	2.50	6.50	20.00	100.00
1882 .... (3,100)	38,581,100	.50	.80	1.50	2.50	6.50	20.00	100.00
1883 .... (6,609)	45,598,109	.50	.80	1.50	2.50	6.50	20.00	100.00
1884 .... (3,942)	23,261,742	.75	1.25	2.25	4.00	8.00	22.00	110.00
1885 .... (3,790)	11,765,384	1.50	2.00	4.00	7.00	14.00	35.00	125.00
1886 .... (4,290)	17,654,290	.60	1.25	3.25	5.00	9.00	25.00	110.00
1887 .... (2,960)	45,226,483	.35	.50	.75	1.50	5.00	20.00	100.00
1888 .... (4,582)	37,494,414	.35	.50	.75	1.50	5.00	20.00	100.00
1889 .... (3,336)	48,869,361	.35	.50	.75	1.50	5.00	20.00	100.00
1890 .... (2,740)	57,182,854	.35	.50	.75	1.50	5.00	20.00	100.00
1891 .... (2,350)	47,072,350	.35	.50	.75	1.50	5.00	20.00	100.00
1892 .... (2,745)	37,649,832	.35	.50	.75	1.50	5.00	20.00	100.00
1893 .... (2,195)	46,642,195	.35	.50	.75	1.50	5.00	20.00	100.00
1894 .... (2,632)	16,752,132	.60	1.00	2.50	4.00	7.50	22.00	110.00
1895 .... (2,062)	38,343,636	.25	.35	.65	1.00	4.00	18.00	90.00
1896 .... (1,862)	39,057,293	.25	.35	.65	1.00	4.00	18.00	90.00
1897 .... (1,938)	50,466,330	.25	.35	.65	1.00	4.00	18.00	90.00
1898 .... (1,795)	49,823,079	.25	.35	.65	1.00	4.00	18.00	90.00
1899 .... (2,031)	53,600,031	.25	.35	.65	1.00	4.00	18.00	90.00
1900 .... (2,262)	66,833,764	.20	.25	.50	.75	3.00	16.00	80.00
1901 .... (1,985)	79,611,143	.20	.25	.50	.75	3.00	16.00	80.00
1902 .... (2,018)	87,376,722	.20	.25	.50	.75	3.00	16.00	80.00
1903 .... (1,790)	85,094,493	.20	.25	.50	.75	3.00	16.00	80.00
1904 .... (1,817)	61,328,015	.20	.25	.50	.75	3.00	16.00	80.00
1905 .... (2,152)	80,719,163	.20	.25	.50	.75	3.00	16.00	80.00
1906 .... (1,725)	96,022,255	.20	.25	.50	.75	3.00	16.00	80.00
1907 .... (1,475)	108,138,618	.20	.25	.50	.75	3.00	16.00	80.00

Location of mint mark S on reverse of Indian cent (1908 and 1909 only).

	Quan. Minted	G-4	VG-8	F-12	VF-20	EF-40	MS-60	Proof-63
1908 .... (1,620)	32,327,987	.20	.25	.50	.75	3.00	16.00	90.00
1908S	1,115,000	10.00	12.00	15.00	20.00	30.00	70.00	
1909 .... (2,175)	14,370,645	.25	.30	.60	1.00	5.00	18.00	110.00
1909S	309,000	55.00	65.00	75.00	100.00	135.00	200.00	

SMALL CENTS
LINCOLN TYPE, WHEAT EARS REVERSE 1909-1958

Victor D. Brenner designed this cent which was issued to commemorate the hundredth anniversary of Lincoln's birth. The designer's initials VDB appear on the reverse of a limited quantity of cents of 1909. Later in the year they were removed from the dies but restored in 1918 as very small incuse letters beneath the shoulder. The Lincoln type was the first cent to have the motto IN GOD WE TRUST.

G-4 GOOD—*Date worn but apparent. Lines in wheat ears missing. Full rims.*
VG-8 VERY GOOD—*Half of lines show in upper wheat ears.*
F-12 FINE—*Wheat lines worn but visible.*
VF-20 VERY FINE—*Cheek and jaw bones worn but separated. No worn spots on wheat ears.*
EF-40 EXTREMELY FINE—*Slight wear. All details sharp.*
MS-60 UNCIRCULATED—*No trace of wear. Light blemishes or discoloration.*
MS-63 UNCIRCULATED—*No trace of wear. Slight blemishes.*
MS-65 UNCIRCULATED—*No trace of wear. Barely noticeable blemishes.*

Location of mint mark S or D on obverse of Lincoln cent.

Location of designer's initials V.D.B. on 1909 only.

No V.D.B. on reverse 1909-1958.

Bronze 1909-1942

Brilliant uncirculated coins are worth more than prices shown. Spotted, cleaned, or discolored pieces are worth less.

	Quan. Minted	G-4	VG-8	F-12	VF-20	EF-40	MS-60
1909 V.D.B.	27,995,000	$.75	$1.00	$1.25	$1.75	$2.25	$5.00
1909 V.D.B. Matte proof-63	(420)						900.00
1909S, V.D.B.	484,000	140.00	150.00	165.00	180.00	200.00	275.00
1909	72,702,618	.15	.20	.25	.40	.75	7.00
1909 Matte proof-63	(2,198)						150.00
1909S	1,825,000	21.00	23.00	27.50	35.00	45.00	85.00
1910	146,801,218	.05	.08	.10	.20	.50	7.00
1910 Matte proof-63	(2,405)						150.00
1910S	6,045,000	3.00	3.50	4.00	5.00	9.00	50.00
1911	101,177,787	.05	.08	.15	.40	.75	9.00
1911 Matte proof-63	(1,733)						150.00
1911D	12,672,000	2.00	2.25	3.00	5.00	15.00	55.00
1911S	4,026,000	5.50	6.50	7.50	9.00	16.00	65.00
1912	68,153,060	.05	.10	.40	1.00	1.75	13.00
1912 Matte proof-63	(2,145)						150.00
1912D	10,411,000	2.25	2.50	3.25	6.00	18.00	63.00
1912S	4,431,000	4.50	6.00	7.00	8.50	15.00	63.00
1913	76,532,352	.05	.10	.30	.75	1.25	11.00
1913 Matte proof-63	(2,848)						150.00
1913D	15,804,000	.50	1.00	1.50	2.75	10.00	48.00

SMALL CENTS

Brilliant uncirculated coins before 1934 are worth more than prices shown.
Spotted, cleaned or discolored pieces are worth less

	Quan. Minted	G-4	VG-8	F-12	VF-20	EF-40	MS-60
1913S	6,101,000	$3.00	$4.00	$4.50	$5.00	$11.00	$60.00
1914	75,238,432	.05	.10	.30	.75	3.00	33.00
1914 Matte proof-63	(1,365)						175.00
1914D*	1,193,000	30.00	35.00	50.00	75.00	225.00	500.00
1914S	4,137,000	5.00	5.75	6.25	7.00	16.00	90.00
1915	29,092,120	.30	.50	1.25	2.00	14.00	60.00
1915 Matte proof-63	(1,150)						275.00
1915D	22,050,000	.20	.40	.60	1.25	3.75	20.00
1915S	4,833,000	4.00	4.50	5.00	6.00	12.00	50.00
1916	131,833,677	.03	.05	.10	.20	.80	5.50
1916 Matte proof-63	(1,050)						400.00
1916D	35,956,000	.08	.13	.40	1.00	2.50	25.00
1916S	22,510,000	.30	.40	.75	1.25	3.50	32.50
1917	196,429,785	.03	.05	.10	.20	.50	6.00
1917D	55,120,000	.08	.13	.35	.80	2.50	30.00
1917S	32,620,000	.08	.13	.35	.80	2.50	35.00

Designer's initials restored
starting 1918.

	Quan. Minted	G-4	VG-8	F-12	VF-20	EF-40	MS-60
1918	288,104,634	.03	.05	.10	.20	.75	5.50
1918D	47,830,000	.08	.13	.35	.80	2.50	30.00
1918S	34,680,000	.08	.13	.35	.80	2.50	35.00
1919	392,021,000	.02	.03	.05	.15	.50	4.00
1919D	57,154,000	.04	.06	.10	.30	1.00	26.00
1919S	139,760,000	.04	.06	.10	.25	.50	17.50
1920	310,165,000	.02	.03	.05	.15	.50	4.50
1920D	49,280,000	.04	.06	.10	.30	1.00	28.00
1920S	46,220,000	.04	.06	.10	.30	1.25	35.00
1921	39,157,000	.05	.08	.15	.35	1.50	21.00
1921S	15,274,000	.35	.45	.70	1.25	6.00	75.00
1922D	} 7,160,000	2.00	3.00	4.00	5.00	9.00	45.00
1922 Plain†		80.00	100.00	125.00	225.00	425.00	1,800
1923	74,723,000	.02	.03	.05	.15	.50	4.00
1923S	8,700,000	.75	.85	1.25	2.00	6.00	100.00
1924	75,178,000	.02	.03	.05	.15	.75	11.00
1924D	2,520,000	4.50	5.00	6.00	10.00	21.00	135.00
1924S	11,696,000	.35	.45	.70	1.00	2.00	60.00
1925	139,949,000	.02	.03	.05	.15	.45	4.00
1925D	22,580,000	.04	.06	.10	.30	1.50	25.00
1925S	26,380,000	.04	.06	.10	.25	1.25	35.00
1926	157,088,000	.02	.03	.05	.15	.45	3.50
1926D	28,020,000	.04	.06	.10	.25	1.50	24.00
1926S	4,550,000	.80	1.00	1.50	2.00	4.00	55.00
1927	144,440,000	.02	.03	.05	.15	.45	3.25
1927D	27,170,000	.04	.06	.10	.25	.85	15.00
1927S	14,276,000	.25	.30	.50	.75	1.25	35.00
1928	134,116,000	.02	.03	.05	.15	.45	3.25
1928D	31,170,000	.04	.06	.10	.25	.75	12.00
1928S	17,266,000	.06	.10	.25	.50	1.00	27.50
1929	185,262,000	.02	.03	.05	.15	.25	2.50
1929D	41,730,000	.04	.06	.10	.25	.60	8.00
1929S	50,148,000	.03	.05	.10	.15	.40	4.00

*Beware of altered date or mint mark. No VDB on shoulder of genuine 1914D cent.
†The 1922 without D caused by defective die. Beware removed mint mark.

SMALL CENTS

	Quan. Minted	G-4	VG-8	F-12	VF-20	EF-40	MS-60	MS-63
1930	157,415,000	$.02	$.03	$.05	$.15	$.25	$2.50	$5.00
1930D	40,100,000	.04	.06	.10	.25	.60	6.00	13.00
1930S	24,286,000	.03	.05	.10	.15	.40	3.00	7.50
1931	19,396,000	.15	.20	.30	.40	.60	7.50	20.00
1931D	4,480,000	1.00	1.25	1.50	2.00	4.00	22.00	55.00
1931S	866,000	16.00	18.00	20.00	21.00	24.00	35.00	60.00
1932	9,062,000	.70	.80	1.00	1.15	1.75	9.00	20.00
1932D	10,500,000	.25	.35	.40	.50	.75	7.00	18.00
1933	14,360,000	.25	.35	.45	.60	1.00	9.00	20.00
1933D	6,200,000	.80	1.00	1.20	1.50	1.75	11.00	25.00
1934	219,080,000	.02	.02	.02	.03	.10	1.50	2.50
1934D	28,446,000	.04	.06	.08	.10	.25	9.00	17.00
1935	245,388,000	.02	.02	.02	.03	.06	.75	1.25
1935D	47,000,000	.02	.02	.02	.03	.10	1.25	3.25
1935S	38,702,000	.02	.03	.03	.04	.08	5.00	8.00
1936	309,637,569	.02	.02	.02	.03	.06	.50	.60
1936 Proof-63	(5,569)							70.00
1936D	40,620,000	.02	.02	.02	.03	.08	.75	1.50
1936S	29,130,000	.03	.03	.03	.04	.10	.90	1.60
1937	309,179,320	.02	.02	.02	.03	.05	.60	.70
1937 Proof-63	(9,320)							25.00
1937D	50,430,000	.02	.02	.02	.03	.06	.50	1.25
1937S	34,500,000	.03	.03	.03	.04	.06	.50	1.25
1938	156,696,734	.02	.02	.02	.03	.05	.60	.75
1938 Proof-63	(14,734)							18.00
1938D	20,010,000	.02	.03	.04	.06	.15	.80	1.25
1938S	15,180,000	.06	.08	.10	.12	.15	.90	1.50
1939	316,479,520	.02	.02	.02	.03	.05	.25	.40
1939 Proof-63	(13,520)							15.00
1939D	15,160,000	.06	.08	.10	.12	.15	.95	1.50
1939S	52,070,000	.03	.03	.03	.04	.10	.50	1.00
1940	586,825,872	.02	.02	.02	.02	.03	.20	.30
1940 Proof-63	(15,872)							14.00
1940D	81,390,000	.02	.02	.02	.02	.03	.25	.40
1940S	112,940,000	.02	.02	.02	.03	.04	.60	.80
1941	887,039,100	.02	.02	.02	.02	.03	.25	.40
1941 Proof-63	(21,100)							13.00
1941D	128,700,000	.02	.02	.02	.02	.03	.60	1.50
1941S	92,360,000	.02	.02	.02	.03	.04	.75	1.60
1942	657,828,600	.02	.02	.02	.02	.03	.10	.20
1942 Proof-63	(32,600)							13.00
1942D	206,698,000	.02	.02	.02	.02	.03	.10	.35
1942S	85,590,000	.02	.02	.02	.03	.05	1.00	2.75

Zinc-coated Steel 1943 Only

	Quan. Minted			F-12	VF-20	EF-40	MS-60	MS-63
1943	684,628,670			.02	.02	.08	.25	.40
1943D	217,660,000			.02	.04	.10	.30	.50
1943S	191,550,000			.03	.05	.15	.30	.75

Bronze Resumed 1944-1958

	Quan. Minted	VF-20	EF-40	MS-65
1944	1,435,400,000	$.02	$.02	$.25
1944D	} 430,578,000	.02	.02	.45
1944D, D over S		65.00	95.00	*185.00
1944S	282,760,000	.02	.03	.25
1945	1,040,515,000	.02	.02	.10
1945D	266,268,000	.02	.02	.35
1945S	181,770,000	.02	.03	.25

*Value is for MS-60 uncirculated.

SMALL CENTS

1944D, D over S

1955 Doubled Die Error

	Quan. Minted	VF-20	EF-40	MS-65	Proof-63
1946	991,655,000	$.02	$.02	$.15	
1946D	315,690,000	.02	.02	.15	
1946S	198,100,000	.02	.03	.25	
1947	190,555,000	.02	.02	.45	
1947D	194,750,000	.02	.02	.25	
1947S	99,000,000	.02	.03	.45	
1948	317,570,000	.02	.02	.30	
1948D	172,637,500	.02	.02	.50	
1948S	81,735,000	.02	.03	.50	
1949	217,775,000	.02	.02	.75	
1949D	153,132,500	.02	.02	.55	
1949S	64,290,000	.03	.05	1.50	
1950 .... (51,386)	272,686,386	.02	.02	.80	$15.00
1950D	334,950,000	.02	.02	.15	
1950S	118,505,000	.02	.03	.45	
1951 .... (57,500)	284,633,500	.02	.02	.55	10.00
1951D	625,355,000	.02	.02	.20	
1951S	136,010,000	.02	.03	.85	
1952 .... (81,980)	186,856,980	.02	.02	.30	6.00
1952D	746,130,000	.02	.02	.35	
1952S	137,800,004	.02	.03	.50	
1953 .... (128,800)	256,883,800	.02	.03	.15	4.00
1953D	700,515,000	.02	.02	.20	
1953S	181,835,000	.02	.03	.25	
1954 .... (233,300)	71,873,350	.03	.05	.25	1.75
1954D	251,552,500	.02	.02	.10	
1954S	96,190,000	.02	.03	.10	
1955 Doubled die obv	} 330,958,200	220.00	260.00	*1,800	
1955 .... (378,200)		.02	.02	.08	1.50
1955D	563,257,500	.02	.02	.08	
1955S	44,610,000	.10	.15	.25	
1956 .... (669,384)	421,414,384	.02	.02	.08	.70
1956D	1,098,201,100	.02	.02	.05	
1957 .... (1,247,952)	283,787,952	.02	.02	.05	.50
1957D	1,051,342,000	.02	.02	.03	
1958 .... (875,652)	253,400,652	.02	.02	.03	.65
1958D	800,953,300	.02	.02	.03	

*Value for MS-60 Uncirculated is $425.00; MS-63 is $725.00

LINCOLN TYPE, MEMORIAL REVERSE 1959 TO DATE

Small Date   Large Date

SMALL CENTS

	Quan. Minted	MS-65	Proof-63
1959 .... (1,149,291)	610,864,291	$.01	$.40
1959D........................	1,279,760,000	.01	
1960 Large date .... ⎰(1,691,602)	588,096,602	.01	.25
1960 Sm. date .... ⎱	....	1.00	3.75
1960D Large date.............. ⎱		.01	
1960D Small date................ ⎰	1,580,884,000	.02	
1961 .... (3,028,244)	756,373,244	.01	.20
1961D........................	1,753,266,700	.01	

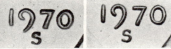

Small Date Numbers aligned at top	Large Date Low 7 to date	Enlarged Detail of 1972 Doubled Die Error	1969S Doubled Die Error

	Quan. Minted	MS-65	Proof-63		Quan. Minted	MS-65	Proof-63
1962 (3,218,019)				1972D	2,665,071,400	$.02	
....	609,263,019	$.01	$.20	1972S (3,260,996)			
1962D.......	1,793,148,400	.01		....	380,200,104	.02	$.20
1963 (3,075,645)				1973..........	3,728,245,000	.01	
....	757,185,645	.01	.20	1973D	3,549,576,588	.01	
1963D.......	1,774,020,400	.01		1973S (2,760,339)			
1964 (3,950,762)				....	319,937,634	.02	.20
....	2,652,525,762	.01	.20	1974..........	4,232,140,523	.01	
1964D.......	3,799,071,500	.01		1974D	4,235,098,000	.01	
1965	1,497,224,900	.02		1974S (2,612,568)			
1966	2,188,147,783	.04		....	412,039,228	.03	.20
1967	3,048,667,100	.03		1975..........	5,451,476,142	.01	
1968	1,707,880,970	.02		1975D	4,505,275,300	.01	
1968D.......	2,886,269,600	.01		1975S Proof....	(2,845,450)		3.00
1968S (3,041,506)				1976..........	4,674,292,426	.01	
....	261,311,507	.02	.20	1976D	4,221,592,455	.02	
1969	1,136,910,000	.10		1976S Proof.....	(4,149,730)		1.00
1969D.......	4,002,832,200	.04		1977..........	4,469,930,000	.01	
1969S (2,934,631)				1977D	4,194,062,300	.01	
....	547,309,631	.03	.20	1977S Proof....	(3,251,152)		1.00
1969S Doubled die obv		——		1978..........	5,558,605,000	.01	
1970	1,898,315,000	.04		1978D	4,280,233,400	.01	
1970D.......	2,891,438,900	.02		1978S Proof.....	(3,127,781)		1.10
1970S (2,632,810)				1979..........	6,018,515,000	.01	
....	693,192,814			1979D	4,139,357,254	.01	
1970S Sm. date		5.00	40.00	1979S Proof.....	(3,677,175)		
1970S Lg. date (low 7).....		.04	.20	Filled S................			1.10
1971	1,919,490,000	.05		Clear S................			1.50
1971D.......	2,911,045,600	.03		1980..........	7,414,705,000	.01	
1971S (3,220,733)				1980D	5,140,098,660	.01	
....	528,354,192	.03	.20	1980S Proof.....	(3,554,806)		.60
1972 Doubled die obv		150.00		1981..........	7,491,750,000	.01	
1972	2,933,255,000	.01		1981D	5,373,235,677	.01	

Large Date	Small Date	1983 Double Die error

SMALL CENTS

	Quan. Minted	MS-65	Proof-63		Quan. Minted	MS-65	Proof-63
1981S Proof	(4,063,083)		$.60	1983D	6,467,199,428	$.01	
1982	10,712,525,000			1983S Proof.....	(3,279,126)	.01	$1.50
Lg. Date		$.01		1984.....	8,151,079,000	.01	
Sm. Date		.03		1984D	5,569,238,906	.01	
1982D........	6,012,979,368			1984S Proof.....	(3,065,110)		1.50
Lg. Date		.01		1985........	5,648,489,887	.01	
1982S Proof	(3,857,479)		1.35	1985D	5,287,399,926	.01	
				1985S Proof.....	(3,362,821)		1.50

Copper Plated Zinc

		MS-65			Quan. Minted	MS-65	Proof-63
				1986........	4,491,395,493	.01	
				1986D	4,442,866,698	.01	
				1986S Proof....	(3,010,497)		1.50
1982 Lg. Date ⎱ inc. above		.01		1987........	4,682,466,931	.01	
1982 Sm. Date ⎰		.01		1987D	4,879,389,511	.01	
1982D Lg. Date ⎱ inc. above		.05		1987S Proof...............			1.50
1982D Sm. Date ⎰		.01		1988.....................		.01	
1983 Doubled die rev......		80.00		1988D		.01	
1983	7,752,355,000	.01		1988S Proof...............			1.50

TWO-CENT PIECES — 1864-1873

The Act of April 22, 1864, which changed the weight and composition of the cent, included a provision for the bronze two-cent piece. The weight was specified as 96 grains, the alloy being the same as for the cent.

There are two varieties for the first year of issue, 1864: the small motto and the large motto. The differences are explained in the illustrations below.

1864 Small Motto   1864 Large Motto

On the obverse the D in GOD is narrow on the large motto. The stem to the leaf shows plainly on the small motto variety.

G-4 GOOD—*At least IN GOD visible.*
VG-8 VERY GOOD—*WE weakly visible.*
F-12 FINE—*Complete motto visible. WE weak.*
EF-40 EXTREMELY FINE—*WE is bold.*
MS-60 UNCIRCULATED—*No trace of wear. Light blemishes.*

Brilliant red choice uncirculated and proof coins are worth more than prices shown. Cleaned or discolored pieces are worth less.

	Quan. Minted	G-4	VG-8	F-12	EF-40	MS-60	Proof-63
1864 Sm. motto.........	⎱ 19,847,500	$20.00	$25.00	$50.00	$125.00	$285.00	——
1864 Lg. motto .. *(100+)*	⎰	1.50	2.00	3.25	18.00	75.00	$425.00
1865 .... *(500+)* ...	13,640,000	1.50	2.00	3.25	18.00	75.00	350.00
1866 .... *(725+)*	3,177,000	1.50	2.00	3.50	18.00	75.00	350.00
1867 .... *(625+)*	2,938,750	1.50	2.00	3.50	18.00	75.00	350.00
1868 .... *(600+)*	2,803,750	1.50	2.00	3.50	18.00	75.00	350.00
1869, 9 over 8	⎱ 1,546,500	40.00	50.00	100.00	300.00		
1869 .... *(600+)*	⎰	2.00	3.00	5.50	19.00	110.00	400.00
1870 .... *(1,000+)*	861,250	2.75	4.00	7.50	20.00	140.00	425.00
1871 .... *(960+)*	721,250	3.00	4.25	7.75	25.00	175.00	600.00
1872 .... *(950+)*	65,000	25.00	30.00	65.00	175.00	450.00	900.00
1873 Proofs only *(1,000+)*							1,200

SILVER THREE-CENT PIECES 1851-1873

This smallest of United States silver coins was authorized by Congress March 3, 1851. The first three-cent silver pieces had no lines bordering the six-pointed star. From 1854 through 1858 there were three lines, while issues of the last fifteen years show only two lines. Issues from 1854 through 1873 have an olive sprig over the III and a bundle of three arrows beneath.

Mint Mark
O

G-4 GOOD—*Star worn smooth. Legend and date readable.*
VG-8 VERY GOOD—*Outline of shield defined. Legend and date clear.*
F-12 FINE—*Only star points worn smooth.*
VF-20 VERY FINE—*Only partial wear on star ridges.*
EF-40 EXTREMELY FINE—*Ridges on star points show.*
MS-60 UNCIRCULATED—*No trace of wear. Light blemishes.*

No outline around star.

Well struck specimens command higher prices.

	Quan. Minted	G-4	VG-8	F-12	VF-20	EF-40	MS-60	Proof-63
1851	5,447,440	$4.50	$6.00	$8.00	$13.00	$25.00	$100.00	——
1851O	720,000	6.00	9.00	14.00	24.00	40.00	225.00	
1852	18,663,500	4.00	5.00	7.00	12.00	25.00	100.00	——
1853	11,400,000	4.00	5.00	7.00	12.00	25.00	100.00	

Three outlines to star, large date.

1854	671,000	7.00	9.00	10.00	20.00	42.00	210.00	——
1855	139,000	8.00	11.00	18.00	30.00	85.00	310.00	$1,400
1856	1,458,000	4.50	6.00	9.00	16.00	40.00	200.00	1,300
1857	1,042,000	4.50	6.00	9.00	16.00	40.00	200.00	1,300
1858	1,604,000	4.50	6.00	9.00	16.00	40.00	200.00	1,100

Two outlines to star, small date.

1862 2 over 1

1859 .... (800)	365,000	4.50	6.00	9.00	15.00	30.00	125.00	350.00
1860 .... (1,000)	287,000	4.50	6.00	9.00	15.00	30.00	125.00	350.00
1861 .... (1,000)	498,000	4.50	6.00	9.00	15.00	30.00	125.00	350.00
1862, 2 over 1	343,550	6.00	8.00	12.00	20.00	40.00	175.00	
1862 .... (550)		4.50	6.00	9.00	15.00	30.00	125.00	350.00
1863 .... (460)	21,460						300.00	400.00
1864 .... (470)	12,470						300.00	400.00
1865 .... (500)	8,500						325.00	400.00
1866 .... (725)	22,725						325.00	400.00
1867 .... (625)	4,625						325.00	400.00
1868 .... (600)	4,100						325.00	400.00
1869 .... (600)	5,100						325.00	400.00
1870 .... (1,000)	4,000						325.00	400.00
1871 .... (960)	4,360						325.00	400.00
1872 .... (950)	1,950						325.00	400.00
1873 .... (600)	600 (Proof only)							900.00

THREE-CENT PIECES (NICKEL)
ISSUED 1865-1889

The three-cent pieces struck in nickel composition were designed to replace the silver three cent coins. Composition is 75% copper and 25% nickel. All were coined at Philadelphia and have plain edges.

G-4 GOOD—*Date and legends complete though worn. III smooth.*

VG-8 VERY GOOD—*III is half worn. Rims complete.*

F-12 FINE—*Hair curls well defined.*

EF-40 EXTREMELY FINE—*Slight, even wear.*

MS-60 UNCIRCULATED—*No trace of wear. Light blemishes.*

Brilliant choice uncirculated and proof coins are worth more than prices shown. Spotted, cleaned or discolored pieces are worth less.

	Quan. Minted	G-4	VG-8	F-12	VF-20	EF-40	MS-60	Proof-63
1865 .... (500+)..	11,382,000	$1.50	$2.00	$2.25	$3.00	$8.00	$45.00	$550.00
1866 .... (725+)..	4,801,000	1.50	2.00	2.25	3.00	8.00	45.00	300.00
1867 .... (625+)..	3,915,000	1.50	2.00	2.25	3.00	8.00	45.00	250.00
1868 .... (600+)..	3,252,000	1.50	2.00	2.25	3.00	8.00	45.00	250.00
1869 .... (600+)..	1,604,000	1.50	2.00	2.25	3.00	8.00	45.00	250.00
1870 .... (1,000+)..	1,335,000	1.75	2.50	3.00	4.00	9.00	45.00	250.00
1871 .... (960+)....	604,000	1.75	2.50	3.00	4.00	9.00	50.00	250.00
1872 .... (950+)....	862,000	1.75	2.50	3.00	4.00	9.00	50.00	250.00
1873 ....(1,100+)	1,173,000	1.75	2.50	3.00	4.00	9.00	45.00	250.00
1874 .... (700+)....	790,000	2.00	3.00	3.50	4.50	10.00	50.00	250.00
1875 .... (700+)....	228,000	2.50	4.00	5.00	6.00	14.00	90.00	250.00
1876 .... (1,150+)....	162,000	3.00	5.00	6.00	7.00	14.00	100.00	250.00
1877 .... (510+)..	510 (Proofs only)					500.00		950.00
1878 .... (2,350)	2,350					300.00		550.00
1879 .... (3,200)	41,200	15.00	22.00	27.50	35.00	45.00	125.00	250.00
1880 .... (3,955)	24,955	20.00	35.00	40.00	50.00	70.00	140.00	250.00
1881 .... (3,575)	1,080,575	1.50	2.00	2.25	4.00	8.00	45.00	250.00
1882 .... (3,100)	25,300	18.00	30.00	35.00	40.00	50.00	140.00	300.00
1883 .... (6,609)	10,609	40.00	60.00	70.00	85.00	110.00	225.00	400.00
1884 .... (3,942)	5,642	75.00	110.00	150.00	175.00	225.00	325.00	425.00
1885 .... (3,790)	4,790	100.00	150.00	185.00	210.00	265.00	400.00	500.00
1886 .... (4,290)	4,290					350.00		500.00
1887, 7 over 6 ⎱(2,960)						350.00		500.00
1887 All kinds ⎰	7,961	75.00	110.00	150.00	175.00	225.00	325.00	500.00
1888 .... (4,582)	41,083	13.00	20.00	25.00	30.00	40.00	125.00	250.00
1889 .... (3,436)	21,561	16.00	25.00	30.00	35.00	55.00	140.00	250.00

NICKEL FIVE-CENT PIECES — 1866 to Date
SHIELD TYPE 1866-1883

The shield type nickel was made possible by the Act of May 16, 1866. Its weight was set at 77-16/100 grains with the same composition as the nickel three-cent piece which was authorized in 1865.

Rays Between Stars 1866-1867

G-4 GOOD—*All letters in motto readable.*

VG-8 VERY GOOD—*Motto stands out clearly. Rims worn slightly but even. Part of shield lines visible.*

F-12 FINE—*Half of each olive leaf is smooth.*

EF-40 EXTREMELY FINE—*Leaf tips show slight wear. Cross over shield slightly worn.*

MS-60 UNCIRCULATED—*No trace of wear. Light blemishes.*

NICKEL FIVE-CENT PIECES

Brilliant choice uncirculated and proof coins are worth more than prices shown. Spotted, cleaned or discolored pieces are worth less.

	Quan. Minted	G-4	VG-8	F-12	EF-40	MS-60	Proof-63
1866 Rays........ (125+).	14,742,500	$5.00	$6.50	$10.00	$37.00	$150.00	$1,350
1867 Rays.......... (25+)..	2,019,000	6.00	7.50	12.00	40.00	200.00	4,250

Without Rays 1867-1883

Typical example of 1883, 3 over 2. Other varieties exist.

	Quan. Minted	G-4	VG-8	F-12	EF-40	MS-60	Proof-63
1867 No rays....... (600+).	28,890,500	3.00	4.00	5.00	15.00	60.00	275.00
1868 .... (600+).	28,817,000	3.00	4.00	5.00	15.00	60.00	275.00
1869 .... (600+).	16,395,000	3.00	4.00	5.00	15.00	60.00	275.00
1870 .... (1,000+)..	4,806,000	3.00	4.00	5.00	16.00	70.00	275.00
1871 .... (960+)...	561,000	15.00	18.00	25.00	50.00	150.00	350.00
1872 .... (950+)..	6,036,000	3.00	4.00	5.00	16.00	60.00	275.00
1873 Closed 3...... (1,100+)...	436,050	3.00	4.00	5.00	16.00	70.00	275.00
1873 Open 3..................	4,113,950	3.00	4.00	5.00	16.00	70.00	
1874 .... (700+)..	3,538,000	4.00	5.00	6.00	16.00	70.00	275.00
1875 .... (700+)..	2,097,000	5.00	6.00	10.00	20.00	80.00	275.00
1876 .... (1,150+)..	2,530,000	5.00	6.00	10.00	20.00	70.00	275.00
1877 Est. Issued .... (510+)	510				500.00		1,200
1878 .... (2,350)	2,350				300.00		675.00
1879 .... (3,200)	29,100	100.00	150.00	180.00	250.00	350.00	450.00
1880 .... (3,955)	19,955	125.00	165.00	190.00	260.00	350.00	450.00
1881 .... (3,575)	72,375	80.00	100.00	140.00	180.00	300.00	450.00
1882 .... (3,100)	11,476,000	2.50	3.50	5.00	15.00	60.00	275.00
1883 .... (5,419)	} 1,456,919	2.50	3.50	5.00	15.00	60.00	275.00
1883, 3 over 2		15.00	25.00	65.00	175.00	

LIBERTY HEAD TYPE 1883-1913

In 1883 the design was changed to the familiar "Liberty head." This type first appeared without the word CENTS on the coin, merely a large letter "V." These "centless" coins were goldplated and passed for five dollars. Later in that year the word CENTS was added.

Without CENTS 1883 Only

G-4 GOOD—*No details in head. LIBERTY obliterated.*
VG-8 VERY GOOD—*At least 3 letters in LIBERTY readable.*
F-12 FINE—*All letters in LIBERTY show.*
VF-20 VERY FINE—*LIBERTY bold, including letter I.*
EF-40 EXTREMELY FINE—*LIBERTY sharp. Corn grains at bottom of wreath show, on reverse.*
MS-60 UNCIRCULATED—*No trace of wear. Light blemishes.*

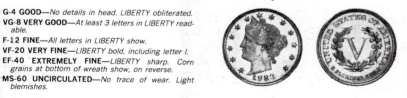

	Quan. Minted	G-4	VG-8	F-12	VF-20	EF-40	MS-60	Proof-63
1883 without CENTS								
.... (5,219)	5,479,519	$1.00	$1.50	$2.00	$3.00	$4.00	$18.00	$300.00

NICKEL FIVE-CENT PIECES

With CENTS 1883-1913

Location of mint mark

Brilliant choice uncirculated and proof coins are worth more than prices shown. Spotted, cleaned or discolored pieces are worth less.

	Quan. Minted	G-4	VG-8	F-12	VF-20	EF-40	MS-60	Proof-63
1883 with CENTS								
.... (6,783)	16,032,983	$2.00	$3.00	$5.00	$10.00	$15.00	$65.00	$200.00
1884 .... (3,942)	11,273,942	2.50	3.50	5.50	11.00	16.00	75.00	210.00
1885 .... (3,790)	1,476,490	100.00	125.00	170.00	275.00	375.00	550.00	650.00
1886 .... (4,290)	3,330,290	20.00	25.00	40.00	65.00	115.00	235.00	475.00
1887 .... (2,960)	15,263,652	1.50	2.00	5.00	8.00	15.00	65.00	200.00
1888 .... (4,582)	10,720,483	2.50	4.00	6.00	12.00	18.00	75.00	200.00
1889 .... (3,336)	15,881,361	1.50	2.00	4.00	8.00	15.00	65.00	200.00
1890 .... (2,740)	16,259,272	1.50	2.00	4.00	8.00	15.00	75.00	200.00
1891 .... (2,350)	16,834,350	1.50	2.00	4.00	8.00	15.00	65.00	200.00
1892 .... (2,745)	11,699,642	1.50	2.00	4.00	8.00	15.00	65.00	200.00
1893 .... (2,195)	13,370,195	1.50	2.00	4.00	8.00	15.00	65.00	200.00
1894 .... (2,632)	5,413,132	2.00	3.00	6.00	12.00	19.00	85.00	200.00
1895 .... (2,062)	9,979,884	1.25	2.00	4.00	7.00	13.00	60.00	200.00
1896 .... (1,862)	8,842,920	1.50	2.00	5.00	8.00	15.00	60.00	200.00
1897 .... (1,938)	20,428,735	.40	.50	1.50	3.00	10.00	55.00	200.00
1898 .... (1,795)	12,532,087	.40	.50	1.50	3.00	10.00	55.00	200.00
1899 .... (2,031)	26,029,031	.40	.50	1.50	3.00	10.00	55.00	200.00
1900 .... (2,262)	27,255,995	.20	.30	.50	2.50	9.00	50.00	175.00
1901 .... (1,985)	26,480,213	.20	.30	.50	2.50	9.00	50.00	175.00
1902 .... (2,018)	31,489,579	.20	.30	.50	2.50	9.00	50.00	175.00
1903 .... (1,790)	28,006,725	.20	.30	.50	2.50	9.00	50.00	175.00
1904 .... (1,817)	21,404,984	.20	.30	.50	2.50	9.00	50.00	175.00
1905 .... (2,152)	29,827,276	.20	.30	.50	2.50	9.00	50.00	175.00
1906 .... (1,725)	38,613,725	.20	.30	.50	2.50	9.00	50.00	175.00
1907 .... (1,475)	39,214,800	.20	.30	.50	2.50	9.00	50.00	175.00
1908 .... (1,620)	22,686,177	.20	.30	.50	2.50	9.00	50.00	175.00
1909 .... (4,763)	11,590,526	.20	.30	.50	3.00	10.00	50.00	175.00
1910 .... (2,405)	30,169,353	.20	.30	.50	2.50	9.00	50.00	175.00
1911 .... (1,733)	39,559,372	.20	.30	.50	2.50	9.00	50.00	175.00
1912 .... (2,145)	26,236,714	.20	.30	.50	2.50	9.00	50.00	175.00
1912D................	8,474,000	.40	.50	1.50	5.00	21.00	125.00	
1912S.................	238,000	18.00	24.00	35.00	85.00	190.00	375.00	
1913 Liberty Head (5 known)								250,000

INDIAN HEAD or BUFFALO TYPE 1913-1938

The Buffalo nickel was designed by James E. Fraser, whose initial F is below the date. He modeled the bison after Black Diamond in the New York Zoological Gardens. The three Indians used in the portrait were Irontail, Two Moons, and John Big Tree.

NICKEL FIVE-CENT PIECES

Variety 1 — FIVE CENTS on Raised Ground

G-4 GOOD—*Legends and date readable. Horn worn off.*
VG-8 VERY GOOD—*Half horn shows.*
F-12 FINE—*Three-quarters of horn shows. Obv. rim intact.*
VF-20 VERY FINE—*Full horn shows. Indian's cheekbone worn.*
EF-40 EXTREMELY FINE—*Full horn. Slight wear on Indian's hair ribbon.*
MS-63 UNCIRCULATED—*No trace of wear. Light blemishes. Attractive mint luster.*

Brilliant choice uncirculated coins are worth more than prices shown. Spotted, cleaned, weakly struck or discolored pieces are worth less.

	Quan. Minted	G-4	VG-8	F-12	VF-20	EF-40	MS-63	Matte Proof-63
1913 Var. 1. (1,520)	30,993,520	$1.25	$2.00	$2.50	$3.00	$6.50	$30.00	$1,200
1913D Var. 1	5,337,000	2.50	3.00	3.50	6.00	12.00	45.00	
1913S Var. 1	2,105,000	5.50	6.50	8.00	11.00	22.00	95.00	

Variety 2 — FIVE CENTS in Recess

Mint mark below
FIVE CENTS

1916 Doubled Die Obverse

1918D, 8 over 7

1913 Var. 2. (1,514)	29,858,700	1.50	2.25	3.00	3.75	6.00	35.00	675.00
1913D Var. 2	4,156,000	18.00	20.00	25.00	30.00	40.00	165.00	
1913S Var. 2	1,209,000	30.00	42.00	55.00	70.00	90.00	250.00	
1914 (1,275)	20,665,738	2.00	2.50	3.00	4.00	9.00	55.00	675.00
1914D	3,912,000	15.00	18.00	22.50	33.00	55.00	210.00	
1914S	3,470,000	2.00	3.00	5.00	8.00	18.00	125.00	
1915 (1,050)	20,987,270	1.00	1.25	2.00	3.00	7.00	55.00	675.00
1915D	7,569,000	3.00	4.00	6.50	15.00	30.00	150.00	
1915S	1,505,000	5.00	6.50	10.00	30.00	55.00	275.00	
1916 (600)	63,498,066	.35	.50	.90	1.40	2.80	35.00	1,300
1916 Doubled die obv.		225.00	275.00	375.00	600.00	1,000	——	
1916D	13,333,000	2.00	3.00	4.50	12.00	25.00	150.00	
1916S	11,860,000	1.50	2.00	3.00	12.00	30.00	125.00	
1917	51,424,019	.30	.40	.75	1.00	5.00	35.00	——
1917D	9,910,000	2.50	3.00	6.00	15.00	50.00	210.00	
1917S	4,193,000	2.00	2.50	5.00	20.00	40.00	225.00	
1918	32,086,314	.25	.50	1.00	3.00	8.00	50.00	
1918D, 8 over 7	} 8,362,000	200.00	250.00	425.00	650.00	1,500	7,000	
1918D		2.00	3.50	6.50	35.00	50.00	285.00	
1918S	4,882,000	2.00	3.00	6.00	22.00	45.00	225.00	
1919	60,868,000	.20	.30	.55	1.00	4.00	35.00	
1919D†	8,006,000	2.00	3.00	7.50	45.00	65.00	325.00	
1919S†	7,521,000	1.50	2.00	4.00	30.00	50.00	250.00	

†Uncirculated pieces with full sharp details are worth considerably more.

NICKEL FIVE-CENT PIECES

Brilliant choice uncirculated coins are worth more than prices shown. Spotted, cleaned, weakly struck or discolored pieces are worth less.

	Quan. Minted	G-4	VG-8	F-12	VF-20	EF-40	MS-63
1920	63,093,000	$.20	$.30	$.55	$1.00	$4.00	$35.00
1920D†	9,418,000	2.00	2.50	5.00	35.00	60.00	325.00
1920S	9,689,000	.90	1.25	2.50	15.00	50.00	225.00
1921	10,663,000	.25	.50	1.00	3.00	10.00	85.00
1921S†	1,557,000	7.50	10.00	20.00	55.00	140.00	450.00
1923	35,715,000	.15	.20	.30	.90	3.00	35.00
1923S†	6,142,000	1.00	1.50	2.50	12.00	35.00	175.00
1924	21,620,000	.15	.20	.30	1.00	4.50	65.00
1924D	5,258,000	1.25	1.75	3.00	25.00	43.00	200.00
1924S	1,437,000	2.00	3.00	7.50	65.00	150.00	600.00
1925	35,565,100	.15	.20	.30	1.00	3.00	35.00
1925D†	4,450,000	2.00	3.00	5.00	32.00	50.00	275.00
1925S	6,256,000	1.00	1.50	3.00	12.00	30.00	200.00
1926	44,693,000	.12	.15	.20	.50	1.50	32.50
1926D†	5,638,000	1.00	1.50	4.00	25.00	50.00	130.00
1926S	970,000	2.00	3.00	7.00	35.00	125.00	475.00
1927	37,981,000	.12	.15	.20	.50	1.50	32.00
1927D	5,730,000	.40	.85	1.00	6.00	22.00	100.00
1927S	3,430,000	.25	.35	.75	8.00	30.00	175.00
1928	23,411,000	.12	.15	.20	.50	1.50	30.00
1928D	6,436,000	.25	.35	.65	2.00	6.00	40.00
1928S	6,936,000	.20	.30	.50	1.00	4.50	60.00
1929	36,446,000	.12	.15	.20	.40	1.50	25.00
1929D	8,370,000	.25	.40	.60	1.75	6.00	40.00
1929S	7,754,000	.12	.15	.20	.75	3.50	30.00
1930	22,849,000	.12	.15	.20	.50	1.75	30.00
1930S	5,435,000	.15	.20	.25	.50	3.50	45.00
1931S	1,200,000	1.50	1.75	2.00	2.50	5.00	45.00
1934	20,213,003	.10	.14	.18	.25	1.10	20.00
1934D	7,480,000	.10	.14	.18	.25	2.00	30.00
1935	58,264,000	.10	.14	.18	.20	.60	13.00
1935D	12,092,000	.10	.14	.18	.30	1.10	30.00
1935S	10,300,000	.10	.14	.18	.25	.90	20.00
1936	119,001,420	.10	.14	.18	.20	.50	12.00
1936 Proof-63	(4,420)						675.00
1936D	24,814,000	.10	.14	.18	.25	.60	13.00
1936S	14,930,000	.10	.14	.18	.25	.60	15.00
1937	79,485,769	.10	.14	.18	.20	.50	11.00
1937 Proof-63	(5,769)						600.00
1937D	} 17,826,000	.10	.14	.18	.25	.60	12.00
1937D 3-Legged*		42.00	50.00	65.00	85.00	120.00	650.00
1937S	5,635,000	.10	.14	.18	.25	.60	13.00
1938D	} 7,020,000	.10	.14	.18	.25	.60	11.00
1938D, D over S				2.00	3.00	4.00	16.00

†Uncirculated pieces with full sharp details are worth considerably more.
*Beware of removed leg.

1937D "3-Legged" Variety   1938D, D over S

NICKEL FIVE-CENT PIECES
JEFFERSON TYPE 1938 to Date

This nickel was designed by Felix Schlag. He won an award of $1,000 in a competition with some 390 artists. It established the definite public approval of portrait and pictorial rather than symbolic devices on our coinage. On October 8, 1942, the wartime five-cent piece composed of copper (56%), silver (35%) and manganese (9%) was introduced to eliminate nickel, a critical war material. A larger mint mark was placed above the dome. Letter P (Philadelphia) was used for the first time, indicating the change of alloy. The designer's initials FS were added below the bust starting in 1966. Mint mark position was moved to the obverse starting in 1968.

VG-8 VERY GOOD—*Second porch pillar from right nearly gone, other three still visible but weak.*
F-12 FINE—*Cheekbone worn flat. Hairlines and eyebrow faint. Second pillar weak, especially at bottom.*
VF-20 VERY FINE—*Second pillar plain and complete on both sides.*
EF-40 EXTREMELY FINE—*Cheekbone, hairlines, eyebrow slightly worn but well defined. Base of triangle above pillars visible but weak.*
MS-65 UNCIRCULATED—*No trace of wear. Barely noticeable blemishes.*

Mint mark located at right of building   Wartime Silver   Mint mark location starting 1968

Uncirculated pieces with fully struck steps are valued higher.

	Quan. Minted	VG-8	F-12	VF-20	EF-40	MS-65	Proof-63
1938 .... (19,365)	19,515,365	$.06	$.08	$.10	$.20	$.75	$20.00
1938D........................	5,376,000	.30	.40	.50	.75	4.00	
1938S........................	4,105,000	.50	.75	1.00	1.25	5.00	
1939 .... (12,535)	120,627,535	.06	.08	.10	.20	.60	22.00
1939D........................	3,514,000	1.00	1.50	2.00	4.00	25.00	
1939S........................	6,630,000	.20	.25	.30	1.00	15.00	
1940 .... (14,158)	176,499,158			.05	.08	.50	15.00
1940D........................	43,540,000			.05	.08	.60	
1940S........................	39,690,000			.05	.10	.60	
1941 .... (18,720)	203,283,720			.05	.08	.35	14.00
1941D........................	53,432,000			.05	.08	1.50	
1941S........................	43,445,000			.05	.09	1.50	
1942 .... (29,600)	49,818,600			.05	.08	.90	14.00
1942D........................	13,938,000	.06	.08	.20	.40	12.00	

Wartime Silver Five-Cent Pieces 1942-1945

	Quan. Minted	VG-8	F-12	VF-20	EF-40	MS-65	Proof-63
1942P.............. (27,600)	579,900,600	.20	.25	.30	.35	7.00	80.00
1942S........................	32,900,000	.20	.25	.30	.35	6.00	
1943P, 3 over 2			20.00	30.00	60.00	325.00	
1943P........................	} 271,165,000	.20	.25	.30	.35	2.00	
1943D........................	15,294,000	.20	.25	.30	.35	3.50	
1943S........................	104,060,000	.20	.25	.30	.35	2.50	
1944P........................	119,150,000	.20	.25	.30	.35	2.50	
1944D........................	32,309,000	.20	.25	.30	.35	4.75	
1944S........................	21,640,000	.20	.25	.30	.35	4.75	
1945P........................	119,408,100	.20	.25	.30	.35	4.25	
1945D........................	37,158,000	.20	.25	.30	.35	3.50	
1945S........................	58,939,000	.20	.25	.30	.35	2.00	

Italic prices indicate unsettled values due to fluctuating bullion market. See Bullion Chart.

NICKEL FIVE-CENT PIECES
Prewar composition and mint mark style resumed 1946-1964

	Quan. Minted	VF-20	EF-40	MS-65	Proof-63
1946	161,116,000	$.05	$.05	$.25	
1946D	45,292,200	.05	.05	.30	
1946S	13,560,000	.05	.06	.30	
1947	95,000,000	.05	.05	.20	
1947D	37,822,000	.05	.05	.30	
1947S	24,720,000	.05	.06	.30	
1948	89,348,000	.05	.05	.25	
1948D	44,734,000	.05	.06	.50	
1948S	11,300,000	.05	.06	.40	
1949	60,652,000	.05	.05	.60	
1949D	} 36,498,000	.05	.05	.45	
1949D, D over S		15.00	25.00	150.00	
1949S	9,716,000	.05	.10	.85	
1950 (51,386)	9,847,386	.05	.10	.75	$14.00
1950D	2,630,030	3.00	3.50	4.00	
1951 (57,500)	28,609,500	.05	.05	.50	12.00
1951D	20,460,000	.05	.05	.50	
1951S	7,776,000	.05	.10	1.20	
1952 (81,980)	64,069,980	.05	.05	.30	8.00
1952D	30,638,000	.05	.05	.90	
1952S	20,572,000	.05	.05	.50	
1953 (128,800)	46,772,800	.05	.05	.10	4.00
1953D	59,878,600	.05	.05	.10	
1953S	19,210,900	.05	.05	.20	
1954 (233,300)	47,917,350	.05	.05	.10	2.75
1954D	117,183,060	.05	.05	.10	
1954S	} 29,384,000	.05	.05	.12	
1954S, S over D		2.50	5.00	15.00	
1955 (378,200)	8,266,200	.06	.08	.25	1.50
1955D	} 74,464,100	.05	.05	.07	
1955D, D over S*		3.00	5.00	27.50	

1943, 3 over 2   1954S, S over D   1955D, D over S*

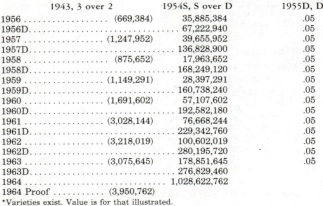

1956 (669,384)	35,885,384	.05	.06	.40
1956D	67,222,940	.05	.06	
1957 (1,247,952)	39,655,952	.05	.07	.30
1957D	136,828,900	.05	.07	
1958 (875,652)	17,963,652	.05	.08	.50
1958D	168,249,120	.05	.06	
1959 (1,149,291)	28,397,291	.05	.06	.30
1959D	160,738,240	.05	.05	
1960 (1,691,602)	57,107,602	.05	.05	.25
1960D	192,582,180	.05	.05	
1961 (3,028,144)	76,668,244	.05	.05	.20
1961D	229,342,760	.05	.05	
1962 (3,218,019)	100,602,019	.05	.05	.20
1962D	280,195,720	.05	.07	
1963 (3,075,645)	178,851,645	.05	.05	.20
1963D	276,829,460		.05	
1964	1,028,622,762		.05	
1964 Proof (3,950,762)				.20

*Varieties exist. Value is for that illustrated.

NICKEL FIVE-CENT PIECES

	Quan. Minted	MS-65	Proof-63		Quan. Minted	MS-65	Proof-63
1964D	1,787,297,160	$.05		1978D	313,092,780	$.05	
1965	136,131,380	.05		1978S Proof...	(3,127,781)		$.30
1966	156,208,283	.05		1979	463,188,000	.05	
1967	107,325,800	.05		1979D	325,867,672	.05	
1968D	91,227,880	.05		1979S Proof...	(3,677,175)		
1968S	103,437,510	.05		Filled S			.25
1968S Proof...	(3,041,506)		$.20	Clear S			.60
1969D	202,807,500	.05		1980P	593,004,000	.05	
1969S	123,009,631	.05		1980D	502,323,448	.05	
1969S Proof...	(2,934,631)		.20	1980S Proof...	(3,554,806)		.25
1970D	515,485,380	.05		1981P	657,504,000	.05	
1970S	241,464,814	.05		1981D	364,801,843	.05	
1970S Proof...	(2,632,810)		.25	1981S Proof...	(4,063,083)		.25
1971	106,884,000	.20		1982P	292,355,000	.05	
1971D	316,144,800	.05		1982D	373,726,544	.05	
1971S Proof...	(3,220,733)		.50	1982S Proof...	(3,857,479)		.35
1972	202,036,000	.05		1983P	561,615,000	.05	
1972D	351,694,600	.05		1983D	536,726,276	.05	
1972S Proof...	(3,260,996)		.50	1983S Proof...	(3,279,126)		1.00
1973	384,396,000	.05		1984P	746,769,000	.05	
1973D	261,405,000	.05		1984D	517,675,146	.05	
1973S Proof...	(2,760,339)		.50	1984S Proof...	(3,065,110)		.75
1974	601,752,000	.05		1985P	647,114,962	.05	
1974D	277,373,000	.06		1985D	459,747,446	.05	
1974S Proof...	(2,612,568)		.50	1985S Proof...	(3,362,821)		.75
1975	181,772,000	.06		1986P	536,883,483	.05	
1975D	401,875,300	.06		1986D	361,819,140	.05	
1975S Proof...	(2,845,450)		.50	1986S Proof...	(3,010,497)		.75
1976	367,124,000	.05		1987 P	371,499,481	.05	
1976D	563,964,147	.05		1987D	410,590,604	.05	
1976S Proof...	(4,149,730)		.20	1987S Proof			.75
1977	585,376,000	.05		1988P		.05	
1977D	297,313,422	.06		1988D		.05	
1977S Proof...	(3,251,152)		.20	1988S Proof			.75
1978	391,308,000	.05					

HALF DIMES 1794-1873

The half dime types present the same general characteristics as larger United States silver coins. Authorized by the Act of April 2, 1792, they were not coined until February, 1795, although dated 1794. At first the weight was 20.8 grains, and fineness 892.4. By the Act of January 18, 1837, the weight was slightly reduced to 20 5/8 grains and the fineness changed to .900. Finally the weight was reduced to 19.2 grains by the Act of February 21, 1853.

FLOWING HAIR TYPE 1794-1795

AG-3 ABOUT GOOD—*Details clear enough to identify.*

G-5 GOOD—*Eagle, wreath, bust outlined but lack details.*

VG-8 VERY GOOD—*Some details remain on face. All lettering readable.*

F-12 FINE—*Hair ends show. Hair at top smooth.*

VF-20 VERY FINE—*Hairlines at top show. Hair about ear defined.*

EF-40 EXTREMELY FINE—*Hair above forehead and at neck well defined but shows some wear.*

MS-60 UNCIRCULATED—*No trace of wear. Light blemishes.*

Weakly struck uncirculated coins are worth less than values shown.

	Quan. Minted	AG-3	G-4	VG-8	F-12	VF-20	EF-40	MS-60
1794	} 86,416	$160.00	$400.00	$475.00	$800.00	$1,300	$2,000	$5,500
1795		150.00	400.00	475.00	650.00	1,000	1,600	4,200

[71]

HALF DIMES

DRAPED BUST TYPE, SMALL EAGLE REVERSE 1796-1797

AG-3 ABOUT GOOD—*Details clear enough to identify.*
G-4 GOOD—*Date, stars, LIBERTY readable. Bust outlined but no details.*
VG-8 VERY GOOD—*Some details show.*
F-12 FINE—*Hair and drapery lines worn, but visible.*
VF-20 VERY FINE—*Only left of drapery indistinct.*
EF-40 EXTREMELY FINE—*All hairlines show details.*
MS-60 UNCIRCULATED—*No trace of wear. Light blemishes.*

	Quan. Minted	AG-3	G-4	VG-8	F-12	VF-20	EF-40	MS-60
1796, 6 over 5		$225.00	$500.00	$675.00	$850.00	$1,200	$2,000	$5,000
1796 Nor. dt.	10,230	160.00	425.00	550.00	800.00	1,000	1,600	4,250
1796 LIKERTY		200.00	450.00	600.00	850.00	1,200	2,000	4,500
1797, 15 Stars		160.00	425.00	550.00	800.00	1,000	1,600	5,000
1797, 16 stars	44,527	160.00	425.00	550.00	800.00	1,000	1,600	4,500
1797, 13 stars		160.00	425.00	550.00	800.00	1,000	1,600	4,500

DRAPED BUST TYPE, HERALDIC EAGLE REVERSE 1800-1805

1800 LIBEKTY

	AG-3	G-4	VG-8	F-12	VF-20	EF-40	MS-60
1800 24,000	80.00	325.00	400.00	500.00	700.00	1,400	3,500
1800 LIBEKTY . . . 16,000	80.00	325.00	400.00	500.00	700.00	1,400	4,000
1801 27,760	80.00	325.00	400.00	500.00	700.00	1,500	4,500
1802 3,060	1,000	2,000	3,000	5,000	9,500	25,000	——
1803 37,850	80.00	325.00	400.00	500.00	700.00	1,400	3,500
1805 15,600	80.00	325.00	425.00	575.00	800.00	2,000	——

CAPPED BUST TYPE 1829-1837

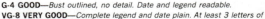

G-4 GOOD—*Bust outlined, no detail. Date and legend readable.*
VG-8 VERY GOOD—*Complete legend and date plain. At least 3 letters of LIBERTY show clearly.*
F-12 FINE—*All letters in LIBERTY show.*
VF-20 VERY FINE—*Full rims. Ear and shoulder clasp show plainly.*
EF-40 EXTREMELY FINE—*Ear very distinct, eyebrow and hair well defined.*
MS-60 UNCIRCULATED—*No trace of wear. Light blemishes.*

	Quan. Minted	G-4	VG-8	F-12	VF-20	EF-40	MS-60
1829 . . . . : 1,230,000		$5.00	$8.00	$12.00	$22.00	$50.00	$225.00
1830 1,240,000		5.00	8.00	12.00	22.00	50.00	225.00
1831 1,242,700		5.00	8.00	12.00	22.00	50.00	225.00
1832 965,000		5.00	8.00	12.00	22.00	50.00	225.00
1833 1,370,000		5.00	8.00	12.00	22.00	50.00	225.00
1834 1,480,000		5.00	8.00	12.00	22.00	50.00	225.00
1835 2,760,000		5.00	8.00	12.00	22.00	50.00	225.00
1836 1,900,000		5.00	8.00	12.00	22.00	50.00	225.00
1837 Small 5c.	871,000	6.00	13.00	22.00	35.00	85.00	500.00
1837 Large 5c		5.00	8.00	12.00	22.00	50.00	225.00

HALF DIMES
LIBERTY SEATED TYPE 1837-1873
No Stars on Obverse 1837-1838

G-4 GOOD—*LIBERTY On shield smooth. Date and letters readable.*
VG-8 VERY GOOD—*At least 3 letters in LIBERTY are visible.*
F-12 FINE—*Entire LIBERTY visible, weak spots.*
VF-20 VERY FINE—*Entire LIBERTY strong and even.*
EF-40 EXTREMELY FINE—*LIBERTY and scroll edges distinct.*
MS-60 UNCIRCULATED—*No trace of wear. Light blemishes.*

	Quan. Minted	G-4	VG-8	F-12	VF-20	EF-40	MS-60
1837	1,405,000	$15.00	$20.00	$27.50	$47.50	$125.00	$300.00
1838O No stars	70,000	27.50	40.00	60.00	125.00	300.00	2,000

Stars on Obverse 1838-1853

From 1838 through 1859 mint mark is
located above bow on reverse. Large,
medium or small mint mark varieties
occur for several dates.

1838	2,255,000	3.00	4.00	6.00	13.00	23.00	275.00
1839	1,069,150	3.00	4.00	6.00	13.00	23.00	250.00
1839O	1,034,039	4.00	6.00	9.00	15.00	27.50	325.00
1840	1,344,085	2.00	3.50	5.50	11.00	22.00	275.00
1840O	935,000	3.00	5.00	9.00	17.00	30.00	250.00
1841	1,150,000	2.00	3.50	5.50	11.00	22.00	175.00
1841O	815,000	5.00	8.00	12.00	20.00	30.00	325.00
1842	815,000	2.00	3.50	5.00	11.00	22.00	140.00
1842O	350,000	6.00	10.00	17.00	40.00	90.00	—
1843	1,165,000	2.00	3.50	5.00	11.00	22.00	125.00
1844	430,000	2.00	3.50	5.00	11.00	22.00	125.00
1844O	220,000	15.00	21.00	45.00	125.00	315.00	—
1845	1,564,000	2.00	3.50	5.00	11.00	22.00	125.00
1846	27,000	55.00	70.00	110.00	200.00	425.00	—
1847	1,274,000	2.00	3.50	5.00	11.00	22.00	125.00
1848	668,000	2.00	3.50	5.00	11.00	22.00	125.00
1848O	600,000	5.00	10.00	13.00	25.00	35.00	275.00
1849, 9 over 6	} 1,309,000	3.50	6.00	9.00	12.00	25.00	225.00
1849, 9 over 8		4.00	7.00	10.00	15.00	35.00	250.00
1849 Nor. date		2.00	3.50	5.00	11.00	22.00	125.00
1849O	140,000	12.00	20.00	35.00	90.00	200.00	—
1850	955,000	3.00	3.50	5.00	11.00	22.00	125.00
1850O	690,000	5.00	10.00	13.00	20.00	35.00	350.00
1851	781,000	2.00	3.50	5.00	11.00	22.00	125.00
1851O	860,000	5.00	8.00	12.00	20.00	35.00	275.00
1852	1,000,500	2.00	3.50	5.00	11.00	22.00	125.00
1852O	260,000	11.00	16.00	25.00	60.00	110.00	—
1853 No arrows	135,000	6.00	12.00	18.00	25.00	50.00	300.00
1853O No arrows	160,000	50.00	75.00	100.00	170.00	350.00	—

Arrows at Date 1853-1855

As on the dimes, quarters and halves, arrows
were placed at the sides of the date for a short
period starting in 1853 to denote reduction of
weight.

HALF DIMES

	Quan. Minted	G-4	VG-8	F-12	VF-20	EF-40	MS-60	Proof-63
1853	13,210,020	$2.00	$3.50	$5.00	$10.00	$21.00	$150.00	
1853O.............	2,200,000	4.00	5.00	7.00	12.00	30.00	175.00	
1854	5,740,000	2.00	3.50	5.00	9.00	19.00	150.00	
1854O.............	1,560,000	2.00	3.50	6.00	11.00	23.00	300.00	
1855	1,750,000	2.00	3.50	5.00	10.00	21.00	150.00	$2,000
1855O..............	600,000	4.00	7.00	10.00	17.00	40.00	325.00	

No Arrows at Date 1856-1859

1856	4,880,000	2.00	3.00	5.00	10.00	18.00	125.00	1,000
1856O.............	1,100,000	2.00	3.00	6.00	11.00	20.00	200.00	
1857	7,280,000	2.00	3.00	5.00	10.00	18.00	125.00	1,000
1857O.............	1,380,000	2.00	3.00	6.00	11.00	20.00	200.00	

1858 over Inverted Date

1858	3,500,000	2.00	3.00	5.00	10.00	17.00	125.00	900.00
1858 over inv. date		9.00	15.00	30.00	60.00	115.00	250.00	
1858O.............	1,660,000	2.00	3.00	6.00	11.00	20.00	200.00	
1859	340,000	5.00	8.00	12.00	20.00	30.00	175.00	900.00
1859O..............	560,000	5.00	8.00	12.00	20.00	30.00	225.00	

Legend on Obverse 1860-1873

1860 .... (1,000)	799,000	2.00	3.00	4.00	7.00	15.00	100.00	475.00
1860O.............	1,060,000	2.00	3.00	5.00	8.00	18.00	150.00	
1861 .... (1,000)	3,361,000	2.00	3.00	4.00	7.00	14.00	100.00	450.00
1862 ..... (550)	1,492,550	2.00	3.00	4.00	7.00	14.00	100.00	450.00
1863 ..... (460)	18,460	30.00	40.00	50.00	75.00	125.00	300.00	475.00
1863S	100,000	7.00	9.00	12.00	21.00	45.00	400.00	
1864 ..... (470)	48,470	75.00	100.00	125.00	175.00	250.00	750.00	750.00
1864S	90,000	10.00	15.00	25.00	40.00	100.00	425.00	
1865 ..... (500)	13,500	30.00	40.00	60.00	90.00	125.00	275.00	450.00
1865S	120,000	6.00	9.00	13.00	22.00	40.00	325.00	
1866 ..... (725)	10,725	50.00	75.00	100.00	125.00	200.00	350.00	450.00
1866S	120,000	6.00	9.00	12.00	21.00	40.00	325.00	
1867 ..... (625)	8,625	65.00	100.00	135.00	170.00	275.00	450.00	475.00
1867S	120,000	6.00	9.00	12.00	21.00	30.00	325.00	
1868 ..... (600)	89,200	9.00	15.00	25.00	50.00	100.00	275.00	400.00
1868S	280,000	4.00	6.00	7.00	10.00	19.00	150.00	
1869 ..... (600)	208,600	4.00	5.00	6.00	9.00	15.00	100.00	400.00
1869S	230,000	4.00	6.00	7.00	10.00	19.00	175.00	
1870 .... (1,000)	536,000	2.00	3.00	4.00	7.00	15.00	100.00	400.00
1870S	Unique				——			
1871 ..... (960)	1,873,960	2.00	3.00	4.00	7.00	15.00	100.00	400.00
1871S	161,000	5.00	8.00	15.00	30.00	45.00	250.00	
1872 ..... (950)	2,947,950	2.00	3.00	4.00	7.00	15.00	100.00	400.00
1872S	837,000	2.00	3.00	4.00	7.00	15.00	100.00	
1873 ..... (600)	712,600	2.00	3.00	4.00	7.00	15.00	100.00	400.00
1873S	324,000	2.00	3.00	4.00	7.00	15.00	100.00	

DIMES — 1796 to Date

The designs of the dimes, first coined in 1796, follow closely those of the half dimes up through the Liberty seated type. The dimes in each instance weigh twice as much as the half dimes.

DRAPED BUST TYPE, SMALL EAGLE REVERSE 1796-1797

AG-3 ABOUT GOOD—*Details clear enough to identify.*
G-4 GOOD—*Date readable. Bust outlined, but no detail.*
VG-8 VERY GOOD—*All but deepest drapery folds worn smooth. Hairlines nearly gone and curls lack detail.*
F-12 FINE—*All drapery lines visible. Hair partly worn.*
VF-20 VERY FINE—*Only left side of drapery is indistinct.*
EF-40 EXTREMELY FINE—*Hair well outlined and shows details.*
MS-60 UNCIRCULATED—*No trace of wear. Light blemishes.*

1797, 16 Stars   1797, 13 Stars

	Quan. Minted	AG-3	G-4	VG-8	F-12	VF-20	EF-40	MS-60
1796 22,135		$275.00	$550.00	$750.00	$900.00	$1,200	$2,000	$6,000
1797 16 stars .. } 25,261		250.00	500.00	650.00	700.00	1,000	1,500	5,500
1797 13 stars ..		250.00	500.00	650.00	700.00	1,000	1,500	6,000

DRAPED BUST TYPE, HERALDIC EAGLE REVERSE 1798-1807

1798 All kinds 27,550							
1798 over 97, 16 stars on rev..........	100.00	250.00	300.00	500.00	700.00	1,100	3,250
1798 over 97, 13 stars			500.00	900.00	1,700	——	
1798	100.00	250.00	300.00	500.00	700.00	1,100	3,250
1800 21,760	100.00	250.00	300.00	500.00	650.00	800.00	3,000
1801 34,640	100.00	250.00	300.00	500.00	650.00	800.00	3,000
1802 10,975	100.00	250.00	300.00	500.00	650.00	800.00	3,000
1803 33,040	100.00	250.00	300.00	500.00	650.00	800.00	3,000
1804 8,265	225.00	450.00	750.00	1,000	1,700	3,250	4,500
1805 120,780	100.00	250.00	300.00	475.00	625.00	775.00	2,750
1807 165,000	100.00	250.00	300.00	475.00	625.00	775.00	2,750

CAPPED BUST TYPE 1809-1837

G-4 GOOD—*Date, letters and stars discernible. Bust outlined, no details.*
VG-8 VERY GOOD—*Legends and date plain. Minimum of 3 letters in LIBERTY.*
F-12 FINE—*Full LIBERTY. Ear and shoulder clasp visible. Part of rim shows both sides.*
VF-20 VERY FINE—*LIBERTY distinct. Full rim. Ear and clasp plain and distinct.*
EF-40 EXTREMELY FINE—*LIBERTY sharp. Ear distinct. Hair above eye well defined.*
MS-60 UNCIRCULATED—*No trace of wear. Light blemishes.*

DIMES

Large Size 1809-1828

	Quan. Minted	G-4	VG-8	F-12	VF-20	EF-40	MS-60
1809	51,065	$35.00	$55.00	$80.00	$135.00	$250.00	$2,200
1811 over 9	65,180	25.00	37.00	50.00	90.00	185.00	1,900
1814	421,500	12.00	14.00	20.00	60.00	175.00	1,000
1820	942,587	7.50	10.00	15.00	50.00	150.00	700.00
1821	1,186,512	7.50	10.00	15.00	50.00	150.00	700.00
1822	100,000	32.00	45.00	100.00	200.00	375.00	1,900
1823, 3 over 2, all kinds	440,000						
1823, 3 over 2, sm. E's		7.50	10.00	15.00	50.00	150.00	900.00
1823, 3 over 2, lg. E's		7.50	10.00	15.00	50.00	150.00	900.00

1823, 3 over 2   1824, 4 over 2

1828 Large Date   1828 Small Date

	Quan. Minted	G-4	VG-8	F-12	VF-20	EF-40	MS-60
1824, 4 over 2	} 510,000	13.00	16.00	22.50	60.00	175.00	1,000
1825		7.50	10.00	15.00	50.00	150.00	700.00
1827	1,215,000	7.50	10.00	15.00	50.00	150.00	700.00
1828 Both vars	125,000						
1828 Lg. date, curl base 2		15.00	20.00	40.00	70.00	185.00	900.00

Reduced Size 1828-1837

1829 Small 10c   Large 10c   1830, 30 over 29

	Quan. Minted	G-4	F-12	VF-20	EF-40	MS-60
1828 Small date, sq. base 2		$14.00	$23.00	$45.00	$125.00	$600.00
1829 Small 10c	} 770,000	5.00	11.00	25.00	100.00	450.00
1829 Medium 10c		5.00	11.00	22.00	100.00	400.00
1829 Large 10c		10.00	18.00	30.00	110.00	450.00
1830, 30 over 29	} 510,000	25.00	50.00	100.00	200.00	550.00
1830 Large 10c		5.00	11.00	22.00	100.00	400.00
1830 Small 10c		5.00	11.00	22.00	100.00	400.00

DIMES

	Quan. Minted	G-4	F-12	VF-20	EF-40	MS-60
1831	771,350	$5.00	$11.00	$22.00	$100.00	$400.00
1832	522,500	5.00	11.00	22.00	100.00	400.00
1833	485,000	5.00	11.00	22.00	100.00	400.00
1834	635,000	5.00	11.00	22.00	100.00	500.00
1835	1,410,000	5.00	11.00	22.00	100.00	400.00
1836	1,190,000	5.00	11.00	22.00	100.00	400.00
1837	359,500	5.00	11.00	22.00	100.00	400.00

LIBERTY SEATED TYPE 1837-1891

No Stars on Obverse 1837-1838

G-4 GOOD—*LIBERTY on shield smooth. Date and letters readable.*
F-12 FINE—*Entire LIBERTY visible, weak spots.*
VF-20 VERY FINE—*Entire LIBERTY strong and even.*
EF-40 EXTREMELY FINE—*LIBERTY and scroll edges distinct.*
MS-60 UNCIRCULATED—*No trace of wear. Light blemishes.*

No Drapery from Elbow
No Stars on Obverse

Mint marks on Liberty seated dimes are placed on the reverse, within or below the wreath.

1837	682,500	12.00	25.00	60.00	125.00	550.00
1838O	406,034	15.00	40.00	90.00	175.00	1,400

Stars on Obverse 1838-1853

No Drapery from Elbow
Tilted Shield

1838 Small Stars   1838 Large Stars

1838 Small stars	⎫	6.50	16.00	27.00	50.00	650.00
1838 Large stars	⎬ 1,992,500	3.50	6.00	10.00	25.00	135.00
1838 Partial drapery	⎭	6.50	15.00	25.00	50.00	550.00
1839	1,053,115	2.50	5.00	9.00	25.00	135.00
1839O	1,323,000	3.00	7.00	14.00	27.00	175.00
1840	981,500	2.50	5.00	9.00	20.00	135.00
1840O	1,175,000	3.00	7.00	15.00	27.00	550.00

DIMES

Drapery from Elbow
Upright Shield

	Quan. Minted	G-4	F-12	VF-20	EF-40	MS-60	Proof-63
1840	377,500	$10.00	$25.00	$50.00	$200.00	——	
1841	1,622,500	2.00	3.50	7.00	18.00	$135.00	
1841O	2,007,500	3.00	7.00	12.00	25.00	550.00	
1842	1,887,500	2.00	3.50	7.00	18.00	135.00	
1842O	2,020,000	2.00	3.50	10.00	30.00	——	
1843	1,370,000	2.00	3.50	7.00	18.00	135.00	
1843O	150,000	13.00	45.00	120.00	310.00	——	
1844	72,500	13.00	45.00	90.00	185.00	1,100	
1845	1,755,000	2.00	3.50	7.00	18.00	135.00	
1845O	230,000	6.50	20.00	60.00	350.00	——	
1846	31,300	25.00	50.00	135.00	375.00	——	
1847	245,000	4.50	14.00	25.00	75.00	450.00	
1848	451,500	2.50	5.00	10.00	21.00	175.00	
1849	839,000	2.00	3.50	7.00	18.00	160.00	
1849O	300,000	4.50	10.00	40.00	140.00	——	
1850	1,931,500	2.00	3.50	7.00	18.00	135.00	
1850O	510,000	3.50	7.00	30.00	65.00	500.00	
1851	1,026,500	2.00	3.50	7.00	18.00	160.00	
1851O	400,000	4.50	10.00	25.00	75.00	600.00	
1852	1,535,500	2.00	3.50	7.00	18.00	160.00	
1852O	430,000	4.50	12.00	35.00	90.00	750.00	
1853 No arrows	95,000	17.50	32.50	65.00	135.00	550.00	

Arrows at Date 1853-1855

Arrows at Date				Small Date, Arrows Removed		
1853 With arrows	12,078,010	1.50	3.50	8.00	25.00	150.00	
1853O	1,100,000	1.75	4.00	11.00	45.00	275.00	
1854	4,470,000	1.50	3.50	8.00	25.00	150.00	$6,250
1854O	1,770,000	2.50	4.00	10.00	40.00	275.00	
1855	2,075,000	1.50	3.50	8.00	25.00	150.00	3,400

No Arrows at Date 1856-1860

1856 Lg. date	} 5,780,000	1.50	3.25	7.00	16.00	120.00	
1856 Sm. date		1.50	3.25	7.00	16.00	120.00	1,500
1856O	1,180,000	1.50	3.25	9.00	20.00	135.00	
1856S	70,000	18.00	40.00	80.00	200.00	——	
1857	5,580,000	1.50	3.25	7.00	15.00	135.00	1,400
1857O	1,540,000	1.50	3.25	7.00	15.00	135.00	

DIMES

	Quan. Minted	G-4	F-12	VF-20	EF-40	MS-60	Proof-63
1858	1,540,000	$1.50	$3.25	$7.00	$15.00	$135.00	$1,400
1858O	290,000	4.50	12.00	30.00	75.00	350.00	
1858S	60,000	20.00	45.00	100.00	225.00	——	
1859 (800)	430,000	1.75	4.00	10.00	25.00	135.00	1,400
1859O	480,000	1.75	5.00	17.00	35.00	150.00	
1859S	60,000	25.00	50.00	110.00	225.00	900.00	
1860S	140,000	4.50	15.00	40.00	100.00	——	

Legend on Obverse 1860-1873

		G-4	F-12	VF-20	EF-40	MS-60	Proof-63
1860 (1,000)	607,000	1.25	3.50	6.50	13.00	100.00	400.00
1860O	40,000	150.00	350.00	550.00	1,100	——	
1861 (1,000)	1,884,000	1.25	3.50	6.50	13.00	100.00	400.00
1861S	172,500	6.50	18.00	40.00	90.00	400.00	
1862 (550)	847,550	1.25	3.50	6.50	13.00	100.00	400.00
1862S	180,750	6.50	15.00	35.00	80.00	425.00	
1863 (460)	14,460	30.00	60.00	100.00	150.00	450.00	500.00
1863S	157,500	8.50	20.00	40.00	90.00	500.00	
1864 (470)	11,470	50.00	100.00	150.00	200.00	375.00	500.00
1864S	230,000	5.50	15.00	30.00	75.00	500.00	
1865 (500)	10,500	35.00	75.00	125.00	185.00	450.00	500.00
1865S	175,000	5.50	15.00	30.00	75.00	480.00	
1866 (725)	8,725	60.00	150.00	200.00	300.00	500.00	500.00
1866S	135,000	6.50	15.00	30.00	70.00	480.00	
1867 (625)	6,625	80.00	160.00	600.00	350.00	650.00	500.00
1867S	140,000	5.50	14.00	30.00	65.00	600.00	
1868 (600)	464,600	2.25	5.00	14.00	35.00	200.00	500.00
1868S	260,000	4.50	10.00	30.00	70.00	135.00	
1869 (600)	256,000	2.25	5.00	14.00	35.00	135.00	500.00
1869S	450,000	3.50	7.00	15.00	40.00	450.00	
1870 (1,000)	471,500	1.50	3.50	8.00	17.00	100.00	500.00
1870S	50,000	20.00	50.00	100.00	200.00	1,600	
1871 (960)	907,710	1.50	3.50	6.50	13.00	100.00	500.00
1871CC	20,100	160.00	425.00	600.00	1,200	——	
1871S	320,000	4.50	14.00	25.00	60.00	250.00	
1872 (950)	2,396,450	1.50	3.50	6.50	13.00	100.00	500.00
1872CC	35,480	100.00	250.00	400.00	750.00	——	
1872S	190,000	7.50	20.00	35.00	80.00	350.00	
1873 Closed 3 (1,100)	1,508,000	1.50	3.50	6.50	13.00	120.00	500.00
1873 Open 3	60,000	10.00	20.00	40.00	80.00	160.00	
1873CC (Unique)	12,400					——	

Arrows at Date 1873-1874

In 1873 the dime was increased in weight to 2.50 grams. Arrows at date in 1873 and 1874 indicate this change.

DIMES

	Quan. Minted	G-4	F-12	VF-20	EF-40	MS-60	Proof-63
1873	(800) 2,378,500	$3.50	$9.00	$20.00	$50.00	$425.00	$900.00
1873CC	18,791	200.00	425.00	650.00	1,200	——	
1873S	455,000	7.50	16.00	30.00	55.00	450.00	
1874	(700) 2,940,000	3.50	9.00	20.00	50.00	425.00	900.00
1874CC	10,817	325.00	750.00	1,200	1,800	——	
1874S	240,000	8.50	20.00	45.00	75.00	425.00	

No Arrows at Date 1875-1891

	Quan. Minted	G-4	F-12	VF-20	EF-40	MS-60	Proof-63
1875	(700) 10,350,700	1.25	3.00	5.00	11.00	90.00	400.00
1875CC	4,645,000	1.25	3.00	5.00	11.00	100.00	
1875S	9,070,000	1.25	3.00	5.00	11.00	90.00	
1876	(1,150) 11,461,150	1.25	3.00	5.00	11.00	90.00	400.00
1876CC	8,270,000	1.25	3.00	5.00	11.00	100.00	
1876S	10,420,000	1.25	3.00	5.00	11.00	90.00	
1877	(510) 7,310,510	1.25	3.00	5.00	11.00	90.00	425.00
1877CC	7,700,000	1.25	3.00	5.00	11.00	100.00	
1877S	2,340,000	1.25	3.00	5.00	11.00	100.00	
1878	(800) 1,678,000	1.25	3.00	5.00	11.00	90.00	400.00
1878CC	200,000	12.00	37.50	50.00	90.00	350.00	
1879	(1,100) 15,100	50.00	100.00	150.00	200.00	350.00	425.00
1880	(1,355) 37,355	24.00	60.00	85.00	140.00	250.00	425.00
1881	(975) 24,975	35.00	80.00	110.00	175.00	250.00	425.00
1882	(1,100) 3,911,100	1.25	3.00	5.00	11.00	90.00	400.00
1883	(1,039) 7,675,712	1.25	3.00	5.00	11.00	90.00	400.00
1884	(875) 3,366,380	1.25	3.00	5.00	11.00	90.00	400.00
1884S	564,969	4.50	10.00	20.00	30.00	225.00	
1885	(930) 2,533,427	1.25	3.00	5.00	11.00	90.00	400.00
1885S	43,690	50.00	100.00	140.00	250.00	1,000	
1886	(886) 6,377,570	1.25	3.00	5.00	11.00	90.00	375.00
1886S	206,524	4.50	10.00	18.00	25.00	225.00	
1887	(710) 11,283,939	1.25	3.00	5.00	11.00	90.00	375.00
1887S	4,454,450	1.25	3.00	5.00	11.00	90.00	
1888	(832) 5,496,487	1.25	3.00	5.00	11.00	90.00	375.00
1888S	1,720,000	1.25	3.00	5.00	11.00	100.00	
1889	(711) 7,380,711	1.25	3.00	5.00	11.00	90.00	375.00
1889S	972,678	4.50	10.00	22.00	45.00	225.00	
1890	(590) 9,911,541	1.25	3.00	5.00	11.00	90.00	400.00
1890S	1,423,076	1.25	3.50	6.00	12.00	100.00	
1891	(600) 15,310,600	1.25	3.00	5.00	11.00	90.00	400.00
1891O	4,540,000	1.25	3.00	5.00	18.00	110.00	
1891S	3,196,116	1.25	3.00	5.00	13.00	90.00	

BARBER or LIBERTY HEAD TYPE 1892-1916

This type was designed by Charles E. Barber, Chief Engraver of the Mint. His initial B is at the truncation of the neck. He also designed quarters and half dollars of the same period.

G-4 **GOOD**—*Date and letters plain. LIBERTY Is obliterated.*
VG-8 **VERY GOOD**—*At least 3 letters visible in LIBERTY.*
F-12 **FINE**—*All letters in LIBERTY visible, though some are weak.*
VF-20 **VERY FINE**—*All letters of LBERTY evenly plain.*
EF-40 **EXTREMELY FINE**—*All letters in LIBERTY are sharp, distinct. Headband edges are distinct.*
MS-60 **UNCIRCULATED**—*No trace of wear. Light blemishes.*

Mint mark location is on the reverse below the wreath.

DIMES

	Quan. Minted	G-4	VG-8	F-12	VF-20	EF-40	MS-60	Proof-63
1892 ...... (1,245)	12,121,245	$ .60	$1.25	$3.00	$4.00	$9.00	$85.00	$450.00
1892O................	3,841,700	2.25	3.00	4.00	6.00	14.00	85.00	
1892S............ (792)	990,710	12.00	14.00	20.00	25.00	40.00	140.00	
1893, 3 over 2 ... ⎱	3,340,792					50.00	185.00	550.00
1893 .... ⎰		2.00	2.75	3.75	5.00	13.00	85.00	450.00
1893O...............	1,760,000	7.00	8.00	62.00	20.00	25.00	125.00	
1893S...............	2,491,401	3.00	4.00	6.00	11.00	18.00	110.00	
1894 .... (972)	1,330,972	3.00	4.00	6.00	12.00	20.00	115.00	450.00
1894O................	720,000	18.00	22.00	32.00	50.00	125.00	600.00	
1894S................	24							
1895 .... (880)	690,880	30.00	35.00	45.00	65.00	90.00	275.00	450.00
1895O................	440,000	80.00	90.00	110.00	160.00	235.00	500.00	
1895S...............	1,120,000	6.00	9.00	14.00	20.00	30.00	130.00	
1896 .... (762)	2,000,762	2.00	3.00	5.00	9.00	18.00	85.00	450.00
1896O................	610,000	20.00	25.00	30.00	40.00	70.00	300.00	
1896S...............	575,056	20.00	24.00	27.50	37.50	65.00	175.00	
1897 .... (731)	10,869,264	.50	.60	1.35	3.50	9.00	75.00	450.00
1897O................	666,000	20.00	22.00	32.00	42.00	100.00	300.00	
1897S...............	1,342,844	3.00	4.00	8.00	15.00	30.00	120.00	
1898 .... (735)	16,320,735	.50	.60	1.35	3.50	9.00	75.00	450.00
1898O................	2,130,000	.70	2.00	4.00	10.00	25.00	150.00	
1898S...............	1,702,507	.70	2.00	4.00	8.00	17.00	85.00	
1899 .... (846)	19,580,846	.50	.60	1.35	3.50	9.00	70.00	450.00
1899O...............	2,650,000	.70	2.00	4.00	10.00	23.00	150.00	
1899S...............	1,867,493	.70	2.00	4.00	7.00	12.00	85.00	
1900 .... (912)	17,600,912	.50	.60	1.35	3.50	9.00	70.00	450.00
1900O...............	2,010,000	2.00	3.00	5.00	12.00	22.00	175.00	
1900S...............	5,168,270	.70	1.25	2.50	4.00	12.00	85.00	
1901 .... (813)	18,860,478	.50	.60	1.35	3.50	9.00	70.00	450.00
1901O...............	5,620,000	.70	1.25	2.50	6.00	20.00	150.00	
1901S................	593,022	20.00	24.00	40.00	60.00	110.00	350.00	
1902 .... (777)	21,380,777	.50	.60	1.35	3.50	9.00	70.00	450.00
1902O...............	4,500,000	.70	1.25	2.50	4.00	14.00	125.00	
1902S...............	2,070,000	1.50	2.50	5.00	11.00	25.00	140.00	
1903 .... (755)	19,500,755	.50	.60	1.35	3.50	9.00	70.00	450.00
1903O...............	8,180,000	.70	1.25	2.00	4.00	13.00	125.00	
1903S................	613,300	15.00	18.00	26.00	40.00	70.00	275.00	
1904 .... (670)	14,601,027	.50	.60	1.35	3.50	9.00	70.00	450.00
1904S................	800,000	10.00	14.00	20.00	36.00	65.00	250.00	
1905 .... (727)	14,552,350	.50	.60	1.35	3.50	9.00	70.00	450.00
1905O...............	3,400,000	.60	1.25	3.00	6.00	12.00	100.00	
1905S...............	6,855,199	.60	1.25	2.50	4.50	12.00	100.00	
1906 .... (675)	19,958,406	.50	.60	1.35	3.50	9.00	70.00	450.00
1906D...............	4,060,000	.60	1.25	2.50	4.50	11.00	85.00	
1906O...............	2,610,000	.70	2.00	4.00	7.00	15.00	100.00	
1906S...............	3,136,640	.60	1.25	2.50	5.00	13.00	100.00	
1907 .... (575)	22,220,575	.50	.60	1.35	3.50	9.00	70.00	450.00
1907D...............	4,080,000	.50	1.00	2.25	4.25	12.00	100.00	
1907O...............	5,058,000	.50	1.00	2.25	4.25	12.00	75.00	
1907S...............	3,178,470	.70	1.25	2.50	5.00	14.00	110.00	
1908 .... (545)	10,600,545	.50	.60	1.35	3.50	9.00	70.00	450.00
1908D...............	7,490,000	.50	1.00	2.25	2.75	10.00	75.00	
1908O...............	1,789,000	.70	1.75	4.00	9.00	18.00	125.00	
1908S...............	3,220,000	.50	1.00	2.25	4.00	12.00	100.00	

Italic prices indicate unsettled values due to fluctuating bullion market. See Bullion Chart.

DIMES

	Quan. Minted	G-4	VG-8	F-12	VF-20	EF-40	MS-60	Proof-63
1909 .... (650)	10,240,650	$.50	$.60	$1.35	$2.75	$9.00	$70.00	$450.00
1909D.............	954,000	1.25	2.75	7.00	14.00	25.00	110.00	
1909O.............	2,287,000	1.00	1.50	3.00	7.00	15.00	85.00	
1909S.............	1,000,000	1.25	2.75	.6.00	10.00	20.00	125.00	
1910 .... (551)	11,520,551	.50	.60	1.35	2.75	9.00	70.00	450.00
1910D.............	3,490,000	.50	1.25	2.25	4.00	14.00	125.00	
1910S.............	1,240,000	.50	1.25	3.25	7.00	14.00	85.00	
1911 .... (543)	18,870,543	.50	.60	1.35	2.75	9.00	70.00	450.00
1911D.............	11,209,000	.50	.60	1.35	2.75	9.00	85.00	
1911S.............	3,520,000	.50	1.25	2.25	4.00	10.00	100.00	
1912 .... (700)	19,350,000	.50	.60	1.35	2.75	9.00	70.00	450.00
1912D.............	11,760,000	.50	.60	1.35	2.75	9.00	85.00	
1912S.............	3,420,000	.50	1.25	2.25	4.00	10.00	100.00	
1913 .... (622)	19,760,622	.50	.60	1.35	2.75	9.00	70.00	450.00
1913S.............	510,000	3.00	5.00	12.00	27.00	55.00	150.00	
1914 .... (425)	17,360,655	.50	.60	1.35	2.75	9.00	70.00	450.00
1914D.............	11,908,000	.50	.60	1.35	2.75	9.00	70.00	
1914S.............	2,100,000	.50	1.25	2.25	4.00	10.00	85.00	
1915 .... (450)	5,620,450	.50	.60	1.35	2.75	9.00	70.00	450.00
1915S.............	960,000	.70	1.50	2.75	4.25	14.00	100.00	
1916	18,490,000	.50	.60	1.35	2.75	9.00	70.00	
1916S.............	5,820,000	.50	.60	1.35	2.75	9.00	70.00	

WINGED LIBERTY HEAD or "MERCURY" TYPE 1916-1945

Although this coin is commonly called the "Mercury Dime," the main device is in fact a representation of Liberty. The wings crowning her cap are intended to symbolize liberty of thought. The designer's monogram AW is right of neck.

Mint mark location is on reverse left of fasces.

G-4 GOOD—*Letters and date clear. Lines and bands in fasces are obliterated.*
VG-8 VERY GOOD—*One-half of sticks discernible in fasces.*
F-12 FINE—*All sticks in fasces are defined. Diagonal bands worn nearly flat.*
VF-20 VERY FINE—*The two crossing diagonal bands must show.*
EF-40 EXTREMELY FINE—*Diagonal bands show only slight wear. Braids and hair before ear show clearly.*
MS-60 UNCIRCULATED—*No trace of wear. Light blemishes.*
MS-63 UNCIRCULATED—*No trace of wear. Slight blemishes.*

Uncirculated values shown are for average pieces with minimum blemishes, those with sharp strikes and split bands on reverse are worth much more.

	Quan. Minted	G-4	VG-8	F-12	VF-20	EF-40	MS-60	MS-63
1916	22,180,080	$.50	$.50	$.60	$1.50	$2.50	$12.00	$22.00
1916D.............	264,000	150.00	225.00	350.00	550.00	750.00	1,500	1,800
1916S.............	10,450,000	.50	.50	.70	3.00	7.00	20.00	35.00
1917	55,230,000	.40	.40	.60	1.25	2.50	10.00	16.00
1917D.............	9,402,000	.50	.50	.80	5.00	12.50	50.00	85.00
1917S.............	27,330,000	.50	.50	.60	1.50	3.50	20.00	35.00

Italic prices indicate unsettled values due to fluctuating bullion market. See Bullion Chart.

DIMES

	Quan. Minted	G-4	VG-8	F-12	VF-20	EF-40	MS-60	MS-63
1918	26,680,000	*$.40*	*$.40*	$.60	$3.00	$8.00	$30.00	$50.00
1918D	22,674,800	.40	.40	.60	3.00	8.00	35.00	65.00
1918S	19,300,000	.40	.40	.50	2.00	5.00	25.00	45.00
1919	35,740,000	.40	.40	.50	1.50	2.50	12.00	23.00
1919D	9,939,000	.40	.40	1.00	5.00	12.00	65.00	110.00
1919S	8,850,000	.40	.40	.50	4.50	10.00	70.00	120.00
1920	59,030,000	.40	.40	.50	2.00	3.00	10.00	16.00
1920D	19,171,000	.40	.40	.50	3.00	8.00	40.00	65.00
1920S	13,820,000	.40	.40	.50	2.50	7.00	36.00	55.00
1921	1,230,000	10.00	15.00	35.00	70.00	200.00	425.00	600.00
1921D	1,080,000	15.00	20.00	45.00	85.00	210.00	450.00	625.00
1923	50,130,000	.40	.40	.50	1.00	1.75	10.00	15.00
1923S	6,440,000	.40	.40	.60	2.50	8.00	45.00	80.00
1924	24,010,000	.40	.40	.50	1.25	3.00	20.00	35.00
1924D	6,810,000	.40	.40	1.00	2.50	7.00	50.00	100.00
1924S	7,120,000	.40	.40	1.00	2.25	6.00	52.00	110.00
1925	25,610,000	.40	.40	.50	1.25	2.25	20.00	30.00
1925D	5,117,000	1.50	2.00	4.00	12.00	35.00	140.00	150.00
1925S	5,850,000	.40	.40	1.00	2.25	8.00	60.00	130.00
1926	32,160,000	.40	.40	.50	1.25	2.00	8.00	12.00
1926D	6,828,000	.40	.40	.50	2.00	6.00	35.00	65.00
1926S	1,520,000	2.50	3.50	7.00	15.00	40.00	225.00	325.00
1927	28,080,000	.40	.40	.50	1.00	1.75	8.00	12.00
1927D	4,812,000	.40	.40	1.00	5.00	12.00	100.00	160.00
1927S	4,770,000	.40	.40	.50	1.25	5.00	45.00	75.00
1928	19,480,000	.40	.40	.50	1.00	1.75	8.00	12.00
1928D	4,161,000	.40	.40	1.75	5.00	11.00	75.00	100.00
1928S	7,400,000	.40	.40	.50	1.25	4.00	28.00	50.00
1929	25,970,000	.40	.40	.50	1.00	1.50	6.00	10.00
1929D	5,034,000	.40	.40	.50	1.75	3.00	18.00	30.00
1929S	4,730,000	.40	.40	.50	1.25	2.00	20.00	35.00
1930	6,770,000	.40	.40	.50	1.00	2.00	10.00	15.00
1930S	1,843,000	.40	1.00	1.25	1.50	3.00	37.00	65.00
1931	3,150,000	.40	.40	.50	1.50	3.50	15.00	30.00
1931D	1,260,000	2.50	3.00	4.75	8.00	18.00	60.00	80.00
1931S	1,800,000	.40	1.00	1.50	2.00	4.00	37.00	70.00

	Quan. Minted	VG-8	F-12	VF-20	EF-40	MS-60	MS-63	Proof-63
1934	24,080,000	*$.40*	*$.40*	*$.40*	*$.50*	$8.00	$20.00	
1934D	6,772,000	.40	.40	.40	.50	15.00	28.00	
1935	58,830,000	.40	.40	.40	.50	6.00	13.00	
1935D	10,477,000	.40	.40	.40	.50	20.00	45.00	
1935S	15,840,000	.40	.40	.40	.50	13.00	20.00	
1936 (4,130)	87,504,130	.40	.40	.40	.50	5.00	13.00	$285.00
1936D	16,132,000	.40	.40	.40	.50	15.00	26.00	
1936S	9,210,000	.40	.40	.40	.50	10.00	15.00	
1937 (5,756)	56,865,756	.40	.40	.40	.50	5.00	13.00	225.00
1937D	14,146,000	.40	.40	.40	.50	12.00	17.00	
1937S	9,740,000	.40	.40	.40	.50	9.00	15.00	
1938 (8,728)	22,198,728	.40	.40	.40	.50	6.00	15.00	175.00
1938D	5,537,000	.40	.40	.40	.50	12.00	18.00	
1938S	8,090,000	.40	.40	.40	.50	8.00	16.00	
1939 (9,321)	67,749,321	.40	.40	.40	.50	4.00	10.00	150.00
1939D	24,394,000	.40	.40	.40	.50	4.00	10.00	
1939S	10,540,000	.40	.40	.40	.50	9.00	22.00	

Italic prices indicate unsettled values due to fluctuating bullion market. See Bullion Chart.

DIMES

	Quan. Minted	VG-8	F-12	VF-20	EF-40	MS-60	MS-63	Proof-63
1940 ..... (11,827)	65,361,827	$.40	$.40	$.40	$.50	$4.00	$9.00	$125.00
1940D..............	21,198,000	.40	.40	.40	.50	6.00	13.00	
1940S..............	21,560,000	.40	.40	.40	.50	5.00	9.00	
1941 ..... (16,557)	175,106,557	.40	.40	.40	.50	4.00	7.00	115.00
1941D..............	45,634,000	.40	.40	.40	.50	5.00	12.00	
1941S..............	43,090,000	.40	.40	.40	.50	5.00	8.00	

1942, 2 over 1

1942D, 2 over 1

	Quan. Minted	VG-8	F-12	VF-20	EF-40	MS-60	MS-63	Proof-63
1942, 2 over 1 ...	205,432,329	100.00	125.00	135.00	160.00	575.00	900.00	
1942 ..... (22,329)		.40	.40	.40	.50	4.00	7.00	115.00
1942D, 2 over 1..	60,740,000	100.00	125.00	155.00	185.00	650.00	1,100	
1942D..........		.40	.40	.40	.50	5.00	9.00	
1942S..............	49,300,000	.40	.40	.40	.50	6.50	12.00	
1943	191,710,000	.40	.40	.40	.50	4.00	8.00	
1943D..............	71,949,000	.40	.40	.40	.50	5.00	9.00	
1943S..............	60,400,000	.40	.40	.40	.50	5.00	9.00	
1944	231,410,000	.40	.40	.40	.50	4.00	8.00	
1944D..............	62,224,000	.40	.40	.40	.50	5.00	8.00	
1944S..............	49,490,000	.40	.40	.40	.50	5.00	8.00	
1945	159,130,000	.40	.40	.40	.50	4.00	7.00	
1945D..............	40,245,000	.40	.40	.40	.50	5.00	8.00	
1945S Normal S .	41,920,000	.40	.40	.40	.50	5.00	8.00	
1945S Micro S ...		.40	.40	.40	.50	6.00	11.00	

ROOSEVELT TYPE 1946 to Date

John R. Sinnock (whose initials JS are at the truncation of the neck) designed this
dime showing a portrait of Franklin D. Roosevelt. The design has heavier lettering
and a more modernistic character than preceding types.

VF-20 VERY FINE—*Hair above ear slightly worn. All vertical lines on torch plain.*
EF-40 EXTREMELY FINE—*All lines of torch, flame and hair very plain.*
MS-63 UNCIRCULATED—*No trace of wear. Slight blemishes.*

SILVER COINAGE — 1946-1964

Mint mark on
reverse 1946-1964.

	Quan. Minted	VF-20	EF-40	MS-63	Proof-63
1946	255,250,000	$.40	$.40	$1.00	
1946D...................................	61,043,500	.40	.40	2.00	
1946S...................................	27,900,000	.40	.40	2.50	

*Italic prices indicate unsettled values due to fluctuating bullion market. See
Bullion Chart.*

DIMES

	Quan. Minted	VF-20	EF-40	MS-63	Proof-63
1947	121,520,000	*$.40*	*$.40*	$1.25	
1947D	46,835,000	*.40*	*.40*	2.50	
1947S	34,840,000	*.40*	*.40*	1.60	
1948	74,950,000	*.40*	*.40*	4.50	
1948D	52,841,000	*.40*	*.40*	3.00	
1948S	35,520,000	*.40*	*.40*	3.00	
1949	30,940,000	*.40*	*.40*	8.00	
1949D	26,034,000	*.40*	*.40*	4.00	
1949S	13,510,000	*.40*	*.40*	19.00	
1950 (51,386)	50,181,500	*.40*	*.40*	1.40	$18.00
1950D	46,803,000	*.40*	*.40*	1.45	
1950S	20,440,000	*.40*	*.40*	8.25	
1951 (57,500)	103,937,602	*.40*	*.40*	1.00	12.00
1951D	56,529,000	*.40*	*.40*	1.00	
1951S	31,630,000	*.40*	*.40*	6.00	
1952 (81,980)	99,122,073	*.40*	*.40*	1.00	8.00
1952D	122,100,000	*.40*	*.40*	1.00	
1952S	44,419,500	*.40*	*.40*	2.20	
1953 (128,800)	53,618,920	*.40*	*.40*	1.00	4.50
1953D	136,433,000	*.40*	*.40*	1.00	
1953S	39,180,000	*.40*	*.40*	1.00	
1954 (233,300)	114,243,503	*.40*	*.40*	1.00	2.00
1954D	106,397,000	*.40*	*.40*	1.00	
1954S	22,860,000	*.40*	*.40*	1.00	
1955 (378,200)	12,828,381	*.40*	*.40*	1.15	2.00
1955D	13,959,000	*.40*	*.40*	1.00	
1955S	18,510,000	*.40*	*.40*	1.00	
1956 (669,384)	109,309,384	*.40*	*.40*	1.00	.90
1956D	108,015,100	*.40*	*.40*	1.00	
1957 (1,247,952)	161,407,952	*.40*	*.40*	.50	.80
1957D	113,354,330	*.40*	*.40*	.50	
1958 (875,652)	32,785,652	*.40*	*.40*	1.00	.90
1958D	136,564,600	*.40*	*.40*	.40	
1959 (1,149,291)	86,929,291	*.40*	*.40*	.40	.75
1959D	164,919,790	*.40*	*.40*	.40	
1960 (1,691,602)	72,081,602	*.40*	*.40*	.40	.75
1960D	200,160,400	*.40*	*.40*	.40	
1961 (3,028,244)	96,758,244	*.40*	*.40*	.40	.65
1961D	209,146,550	*.40*	*.40*	.40	
1962 (3,218,019)	75,668,019	*.40*	*.40*	.40	.65
1962D	334,948,380	*.40*	*.40*	.40	
1963 (3,075,645)	126,725,645	*.40*	*.40*	.40	.65
1963D	421,476,530	*.40*	*.40*	.40	
1964 (3,950,762)	933,310,762	*.40*	*.40*	.40	.65
1964D	1,357,517,180	*.40*	*.40*	.40	

Clad Coinage

Mint mark on
obverse starting 1968

	Quan. Minted	MS-63	Proof-63		Quan. Minted	MS-63	Proof-63
1965	1,652,140,570	$.15		1968	424,470,400	$.10	
1966	1,382,734,540	.12		1968D	480,748,280	.10	
1967	2,244,007,320	.11		1968S Proof	(3,041,506)		$.20

Italic prices indicate unsettled values due to fluctuating bullion market. See
Bullion Chart.

[85]

DIMES

Quan. Minted	MS-63	Proof-63		Quan. Minted	MS-63	Proof-63
1969. 145,790,000	$.12		1979S Proof. . . . . . (3,677,175)			
1969D 563,323,870	.11		Filled S.			$.40
1969S Proof. . . . . . (2,934,631)		$.20	Clear S.			1.00
1970. 345,570,000	.11		1980P 735,170,000	$.10	
1970D 754,942,100	.11		1980D 719,354,321	.10	
1970S Proof. . . . . . (2,632,81)		.30	1980S Proof. . . . . . (3,554,806)		.30
1971. 162,690,000	.11		1981P 676,650,000	.10	
1971D 377,914,240	.11		1981D 712,284,143	.10	
1971S Proof. . . . . . (3,220,733)		.30	1981S Proof. . . . . . (4,063,083)		.30
1972. 431,540,000	.10		1982 (no mint mark).	50.00	
1972D 330,290,000	.10		1982P 519,475,000	.10	
1972S Proof. . . . . . (3,260,996)		.30	1982D 542,713,584	.10	
1973. 315,670,000	.10		1982S Proof. . . . . . (3,857,479)		.50
1973D 455,032,426	.10		1983P 647,025,000	.10	
1973S Proof. . . . . . (2,760,339)		.20	1983D 730,129,224	.10	
1974. 470,248,000	.11		1983S Proof. . . . . . (3,279,126)		.50
1974D 571,083,000	.10		1984P 856,669,000	.10	
1974S Proof. . . . . . (2,612,568)		.30	1984D 704,803,976	.10	
1975. 585,673,900	.10		1984S Proof. . . . . . (3,065,110)		.50
1975D 313,705,300	.10		1985P 705,200,962	.10	
1975S Proof. . . . . . (2,845,450)		.30	1985D 587,979,970	.10	
1976. 568,760,000	.10		1985S Proof. . . . . . (3,362,821)		.50
1976D 695,222,774	.10		1986P 682,649,693	.10	
1976S Proof. . . . . . (4,149,730)		.20	1986D 473,326,970	.10	
1977. 796,930,000	.10		1986S Proof. . . . . . (3,010,497)		.50
1977D 376,607,228	.10		1987P 762,709,481	.10	
1977S Proof. . . . . . (3,251,152)		.20	1987D 653,203,402	.10	
1978. 663,980,000	.10		1987S Proof.		.50
1978D 282,847,540	.10		1988P	.10	
1978S Proof. . . . . . (3,127,781)		.30	1988D	.10	
1979. 315,440,000	.10		1988S Proof.		.50
1979D 390,921,184	.11				

TWENTY-CENT PIECES — 1875-1878

This short-lived coin was authorized by the Act of March 3, 1875. The edge of the coin is plain. Most of the 1876CC coins were melted at the mint and never released. Mint mark is on the reverse below the eagle.

G-4 GOOD—*LIBERTY on shield obliterated. Letters and date legible.*
VG-8 VERY GOOD—*One or two letters in LIBERTY may show. Other details will be bold.*
F-12 FINE—*At least 3 letters of LIBERTY show.*
VF-20 VERY FINE—*LIBERTY completely readable, but partly weak.*
EF-40 EXTREMELY FINE—*LIBERTY sharp. Only slight wear on high points of coin.*
MS-60 UNCIRCULATED—*No trace of wear. Light blemishes.*

	Quan. Minted	G-4	VG-8	F-12	VF-20	EF-40	MS-60	Proof-63
1875 . . . . . . (2,790)	39,700	$23.00	$28.00	$38.00	$60.00	$110.00	$500.00	$1,200
1875CC 133,290		23.00	28.00	38.00	60.00	100.00	450.00	
1875S 1,155,000		20.00	26.00	35.00	50.00	90.00	425.00	——
1876 . . . . . . (1,260)	15,900	34.00	42.00	60.00	70.00	135.00	600.00	1,350
1876CC 10,000		. . . .					——	
1877 . . . . (350)	350	. . . .						1,500
1878 . . . . (600)	600	. . . .						1,750

QUARTER DOLLARS — 1796 to Date

Authorized in 1792, this denomination was not issued until four years later. The first type weighed 104 grains which remained standard until modified to 103⅛ grains by the Act of January 18, 1837. As with the dime and half dime, the weight was reduced and arrows placed at the date in 1853. Rays were placed in the field of the reverse during that year only.

DRAPED BUST TYPE, SMALL EAGLE REVERSE 1796

AG-3 ABOUT GOOD—*Details clear enough to identify.*

G-4 GOOD—*Date readable. Bust outlined, but no detail.*

VG-8 VERY GOOD—*All but deepest drapery folds worn smooth. Hairlines nearly gone and curls lack detail.*

F-12 FINE—*All drapery lines visible. Hair partly worn.*

VF-20 VERY FINE—*Only left side of drapery is indistinct.*

EF-40 EXTREMELY FINE—*Hair well outlined and detailed.*

MS-60 UNCIRCULATED—*No trace of wear. Light blemishes.*

	Quan. Minted	AG-3	G-4	VG-8	F-12	VF-20	EF-40	MS-60
1796	6,146	$800.00	$2,000	$2,500	$3,200	$4,750	$7,750	$14,000

DRAPED BUST TYPE, HERALDIC EAGLE REVERSE 1804-1807

1804	6,738	175.00	350.00	450.00	1,250	2,250	4,500	——
1805	121,395	50.00	120.00	150.00	230.00	500.00	900.00	3,500
1806 6 over 5	206,124	50.00	120.00	150.00	230.00	500.00	900.00	3,500
1806		50.00	120.00	150.00	230.00	500.00	900.00	3,500
1807	220,643	50.00	120.00	150.00	230.00	500.00	900.00	3,500

CAPPED BUST TYPE 1815-1838
Large Size 1815-1828

AG-3 ABOUT GOOD—*Details clear enough to identify.*

G-4 GOOD—*Date, letters and stars readable. Hair under headband smooth. Cap lines worn smooth.*

VG-8 VERY GOOD—*Rim well defined. Main details visible. Full LIBERTY on cap. Hair above eye nearly smooth.*

F-12 FINE—*All hairlines show but drapery has only part details. Shoulder clasp distinct.*

VF-20 VERY FINE—*All details show, but some wear. Clasp and ear sharp.*

EF-40 EXTREMELY FINE—*All details show distinctly. Hair well outlined.*

MS-60 UNCIRCULATED—*No trace of wear. Light blemishes.*

QUARTER DOLLARS

	Quan. Minted	AG-3	G-4	VG-8	F-12	VF-20	EF-40	MS-60
1815 89,235		$10.00	$21.00	$34.00	$55.00	$150.00	$425.00	$1,200
1818 8 over 5 .	361,174	10.00	21.00	34.00	55.00	150.00	425.00	1,200
1818 Normal .		10.00	21.00	30.00	47.50	135.00	350.00	1,100
1819 144,000		10.00	21.00	30.00	47.50	135.00	350.00	1,100
1820 127,444		10.00	21.00	30.00	47.50	135.00	350.00	1,100
1821 216,851		10.00	21.00	30.00	47.50	135.00	350.00	1,100
1822 All kinds .. 64,080		10.00	21.00	30.00	47.50	135.00	350.00	1,200
1822, 25 over 50c		70.00	100.00	150.00	250.00	475.00	800.00	2,200
1823, 3 over 2 .. 17,800		650.00	1,200	3,000	5,000	7,000	12,000	——
1824	168,000	14.00	30.00	37.00	65.00	160.00	385.00	1,500
1825		9.00	20.00	27.50	45.00	125.00	300.00	1,300
1827 Original (Curled base 2 in 25c) 4,000 Minted............................								——
1827 Restrike (Square base 2 in 25c)								
1828 All kds... 102,000		9.00	20.00	27.50	45.00	125.00	300.00	1,400
1828, 25 over 50c		20.00	40.00	60.00	110.00	250.00	400.00	2,000

Reduced Size, No Motto on Reverse 1831-1838

G-4 GOOD—*Bust well defined. Hair under headband smooth. Date, letters, stars readable. Scant rims.*
VG-8 VERY GOOD—*Details apparent but worn on high spots. Rims strong. Full LIBERTY.*
F-12 FINE—*All hairlines visible. Drapery partly worn. Shoulder clasp distinct.*
VF-20 VERY FINE—*Only top spots worn. Clasp sharp. Ear distinct.*
EF-40 EXTREMELY FINE—*Hair details and clasp are bold and clear.*
MS-60 UNCIRCULATED—*No trace of wear. Light blemishes.*

	Quan. Minted	G-4	VG-8	F-12	VF-20	EF-40	MS-60
1831 398,000		$15.00	$19.00	$25.00	$50.00	$125.00	$550.00
1832 320,000		15.00	19.00	25.00	50.00	125.00	550.00
1833 156,000		16.00	21.00	27.50	55.00	150.00	800.00
1834 286,000		15.00	19.00	25.00	50.00	125.00	550.00
1835 1,952,000		15.00	19.00	25.00	50.00	125.00	550.00
1836 472,000		15.00	19.00	25.00	50.00	125.00	550.00
1837 252,400		15.00	19.00	25.00	50.00	125.00	550.00
1838 366,000		15.00	19.00	25.00	50.00	125.00	550.00

QUARTER DOLLARS
LIBERTY SEATED TYPE 1838-1891
No Motto Above Eagle 1838-1853

G-4 GOOD—*Scant rim. LIBERTY on shield worn off. Date and letters readable.*
VG-8 VERY GOOD—*Rim fairly defined, at least 3 letters in LIBERTY evident.*
F-12 FINE—*LIBERTY complete, but partly weak.*
VF-20 VERY FINE—*LIBERTY strong.*
EF-40 EXTREMELY FINE—*Complete LIBERTY and edges of scroll. Clasp shows plainly.*
MS-60 UNCIRCULATED—*No trace of wear. Light blemishes.*

Mint mark location is on the reverse below the eagle.

	Quan. Minted	G-4	VG-8	F-12	VF-20	EF-40	MS-60
1838	466,000	$4.50	$6.00	$11.00	$21.00	$60.00	$1,000
1839	491,146	4.50	6.00	11.00	21.00	70.00	1,000
1840	188,127	7.00	9.00	15.00	30.00	60.00	850.00
1840O	425,200	4.50	6.00	11.00	21.00	70.00	850.00
1841	120,000	11.00	14.00	30.00	50.00	90.00	375.00
1841O	452,000	4.50	6.00	11.00	24.00	70.00	375.00

Small Date Large Date

	Quan. Minted	G-4	VG-8	F-12	VF-20	EF-40	MS-60
1842 Small date. Proof only							
1842	88,000	30.00	40.00	70.00	130.00	225.00	900.00
1842O Small date	769,000	65.00	125.00	200.00	350.00	850.00	——
1842O Large date		5.00	7.00	11.00	15.00	30.00	500.00
1843	645,600	4.50	6.00	9.00	14.00	30.00	500.00
1843O	968,000	7.00	12.00	20.00	35.00	100.00	600.00
1844	421,200	4.50	6.00	11.00	15.00	30.00	200.00
1844O	740,000	4.50	6.00	11.00	21.00	50.00	700.00
1845	922,000	4.50	6.00	9.00	14.00	30.00	200.00
1846	510,000	4.50	6.00	11.00	15.00	30.00	200.00
1847	734,000	4.50	6.00	11.00	14.00	30.00	200.00
1847O	368,000	9.00	14.00	24.00	40.00	90.00	500.00
1848	146,000	8.00	12.00	24.00	40.00	70.00	375.00
1849	340,000	7.00	9.00	15.00	21.00	65.00	275.00
1849O	†incl. below	135.00	225.00	400.00	800.00	1,650	——
1850	190,800	4.50	9.00	14.00	21.00	35.00	375.00
1850O	412,000	12.00	16.00	22.00	35.00	65.00	500.00
1851	160,000	4.50	9.00	14.00	21.00	60.00	325.00
1851O	88,000	65.00	100.00	200.00	300.00	650.00	1,150
1852	177,060	9.00	14.00	21.00	30.00	60.00	375.00
1852O	96,000	100.00	140.00	210.00	350.00	650.00	1,600
1853 No arrows or rays	44,200	70.00	90.00	125.00	225.00	325.00	1,800

†Coinage for 1849O included with 1850O.

Arrows at Date, Rays Around Eagle 1853 Only

1853, 3 over 4

QUARTER DOLLARS

	Quan. Minted	G-4	VG-8	F-12	VF-20	EF-40	MS-60
1853	} 15,210,000	$5.00	$7.00	$9.00	$16.00	$50.00	$525.00
1853, 3 over 4		25.00	60.00	150.00	200.00	450.00	——
1853O	1,332,000	5.00	7.00	11.00	22.00	70.00	600.00

Arrows at Date, No Rays 1854-1855

1854	12,380,000	4.00	5.00	8.00	15.00	35.00	300.00
1854O	1,484,000	4.00	5.00	8.00	15.00	35.00	350.00
1855	2,857,000	4.00	5.00	8.00	15.00	35.00	350.00
1855O	176,000	22.00	35.00	50.00	100.00	170.00	875.00
1855S	396,400	22.00	35.00	50.00	90.00	150.00	850.00

No Motto Above Eagle 1856-1865

	Quan. Minted	G-4	VG-8	F-12	VF-20	EF-40	MS-60	Proof-63
1856	7,264,000	$4.00	$5.00	$7.00	$10.00	$21.00	$180.00	$1,600
1856O	968,000	5.00	7.00	11.00	16.00	30.00	200.00	
1856S	286,000	10.00	14.00	21.00	50.00	100.00	1,100	
1857	9,644,000	4.00	5.00	7.00	10.00	21.00	180.00	1,300
1857O	1,180,000	4.00	6.00	8.00	11.00	21.00	180.00	
1857S	82,000	20.00	32.00	45.00	120.00	225.00	1,250	
1858	7,368,000	4.00	5.00	7.00	10.00	20.00	180.00	1,100
1858O	520,000	4.00	6.00	8.00	11.00	22.00	225.00	
1858S	121,000	16.00	18.00	30.00	90.00	150.00	700.00	
1859 .... (800)	1,344,000	4.00	5.00	7.00	10.00	21.00	180.00	600.00
1859O	260,000	6.00	10.00	16.00	25.00	40.00	400.00	
1859S	80,000	25.00	40.00	75.00	125.00	250.00	1,000	
1860 .. (1,000)	805,400	4.00	5.00	7.00	10.00	21.00	180.00	550.00
1860O	388,000	5.00	7.00	10.00	14.00	30.00	350.00	
1860S	56,000	40.00	65.00	120.00	210.00	450.00	1,250	
1861 .. (1,000)	4,854,600	4.00	5.00	7.00	10.00	21.00	180.00	550.00
1861S	96,000	10.00	14.00	21.00	45.00	150.00	1,100	
1862 .... (550)	932,550	4.00	5.00	7.00	10.00	21.00	180.00	550.00
1862S	67,000	11.00	15.00	22.00	50.00	150.00	1,100	
1863 .... (460)	192,060	7.00	9.00	14.00	20.00	40.00	350.00	575.00
1864 .... (470)	94,070	11.00	15.00	22.00	40.00	80.00	475.00	575.00
1864S	20,000	50.00	85.00	150.00	225.00	500.00	——	
1865 .... (500)	59,300	16.00	21.00	35.00	50.00	90.00	400.00	575.00
1865S	41,000	15.00	20.00	30.00	60.00	135.00	1,700	

Motto Above Eagle 1866-1873

1866 .... (725)	17,525	60.00	90.00	125.00	200.00	350.00	700.00	600.00
1866S	28,000	20.00	30.00	60.00	100.00	200.00	1,200	
1867 .... (625)	20,625	20.00	30.00	70.00	110.00	200.00	450.00	600.00
1867S	48,000	18.00	25.00	40.00	65.00	100.00	1,200	
1868 .... (600)	30,000	19.00	27.00	45.00	70.00	125.00	350.00	600.00

QUARTER DOLLARS

	Quan. Minted	G-4	VG-8	F-12	VF-20	EF-40	MS-60	Proof-63
1868S	96,000	$11.00	$17.00	$30.00	$40.00	$80.00	$550.00	
1869 .... (600)	16,600	20.00	30.00	75.00	110.00	185.00	500.00	$550.00
1869S	76,000	11.00	17.00	28.00	35.00	80.00	500.00	
1870 .. (1,000)	87,400	11.00	15.00	22.00	37.00	60.00	200.00	550.00
1870CC	8,340	375.00	650.00	900.00	1,200	2,100	——	
1871 .... (960)	119,160	4.00	6.00	10.00	18.00	30.00	225.00	
1871CC	10,890	200.00	350.00	500.00	900.00	1,500	——	
1871S	30,900	35.00	65.00	125.00	175.00	270.00	1,300	
1872 .... (950)	182,950	4.00	6.00	9.00	14.00	30.00	200.00	550.00
1872CC	22,850	90.00	125.00	190.00	350.00	800.00	2,250	
1872S	83,000	35.00	65.00	120.00	175.00	275.00	1,700	
1873 .... (600)	212,600	4.00	9.00	14.00	21.00	150.00	200.00	550.00
1873CC	4,000						——	

Arrows at Date 1873-1874

1873 .... (540)	1,271,700	6.00	8.00	14.00	35.00	90.00	500.00	1,100
1873CC	12,462	225.00	275.00	400.00	600.00	950.00	3,000	
1873S	156,000	9.00	10.00	18.00	40.00	100.00	650.00	
1874 .... (700)	471,900	6.00	8.00	14.00	35.00	90.00	500.00	1,100
1874S	392,000	9.00	10.00	18.00	40.00	100.00	650.00	

No Arrows at Date 1875-1891

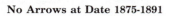

1877S, S over horizontal S

1875 .... (700)	4,293,500	3.00	4.00	5.00	10.00	20.00	225.00	550.00
1875CC	140,000	15.00	20.00	50.00	75.00	160.00	650.00	
1875S	680,000	4.00	6.00	10.00	18.00	30.00	250.00	
1876 .. (1,150)	17,817,150	3.00	4.00	5.00	10.00	20.00	225.00	550.00
1876CC	4,944,000	4.00	5.00	7.00	14.00	30.00	250.00	
1876S	8,596,000	3.00	4.00	5.00	10.00	20.00	225.00	
1877 .... (510)	10,911,710	3.00	4.00	5.00	10.00	20.00	200.00	550.00
1877CC	4,192,000	4.00	5.00	7.00	14.00	30.00	250.00	
1877S	} 8,996,000	3.00	4.00	5.00	10.00	20.00	200.00	
1877S over horizontal S		4.00	6.00	40.00	50.00	90.00	300.00	
1878 .... (800)	2,260,800	3.00	4.00	5.00	10.00	20.00	200.00	550.00
1878CC	996,000	4.00	5.00	7.00	11.00	25.00	300.00	
1878S	140,000	27.00	37.00	65.00	90.00	125.00	1,200	
1879 .. (1,100)	14,700	35.00	40.00	55.00	75.00	100.00	325.00	600.00

QUARTER DOLLARS

	Quan. Minted	G-4	VG-8	F-12	VF-20	EF-40	MS-60	Proof-63
1880 .. (1,355)	14,955	$35.00	$40.00	$55.00	$75.00	$100.00	$325.00	$550.00
1881 .... (975)	12,975	35.00	40.00	55.00	75.00	100.00	300.00	600.00
1882 .. (1,100)	16,300	35.00	40.00	55.00	75.00	100.00	300.00	600.00
1883 .. (1,039)	15,439	35.00	40.00	55.00	75.00	100.00	300.00	600.00
1884 .... (875)	8,875	40.00	50.00	65.00	90.00	125.00	350.00	600.00
1885 .... (930)	14,530	35.00	40.00	55.00	75.00	110.00	325.00	600.00
1886 .... (886)	5,886	45.00	60.00	70.00	100.00	150.00	350.00	600.00
1887 .... (710)	10,710	35.00	40.00	55.00	75.00	110.00	325.00	600.00
1888 .... (832)	10,833	35.00	40.00	55.00	75.00	110.00	325.00	600.00
1888S	1,216,000	4.00	5.00	6.00	11.00	20.00	200.00	
1889 .... (711)	12,711	33.00	37.00	50.00	65.00	90.00	325.00	600.00
1890 .... (590)	80,590	20.00	25.00	33.00	45.00	70.00	275.00	550.00
1891 .... (600)	3,920,600	3.00	4.00	5.00	10.00	20.00	225.00	550.00
1891O.............	68,000	50.00	65.00	100.00	150.00	275.00	1,500	
1891S	2,216,000	3.00	5.00	7.00	12.00	23.00	200.00	

BARBER or LIBERTY HEAD TYPE 1892-1916

Like other silver coins of this type the quarter dollars minted from 1892 to 1916 were designed by Charles E. Barber. His initial B is found at the truncation of the neck of Liberty.

G-4 GOOD—*Date and legends readable. LIBERTY worn off headband.*

VG-8 VERY GOOD—*Minimum of 3 letters in LIBER-TY readable.*

F-12 FINE—*LIBERTY completely readable but not sharp.*

VF-20 VERY FINE—*All letters in LIBERTY evenly plain.*

EF-40 EXTREMELY FINE—*LIBERTY bold, and its ribbon distinct.*

MS-60 UNCIRCULATED—*No trace of wear. Light blemishes.*

Mint mark location is on the reverse below the eagle.

	Quan. Minted	G-4	VG-8	F-12	VF-20	EF-40	MS-60	Proof-63
1892 .. (1,245)	8,237,245	$1.25	$1.75	$3.50	$7.50	$26.00	$150.00	$550.00
1892O.............	2,640,000	1.25	3.00	4.50	9.00	30.00	175.00	
1892S	964,079	7.00	8.00	12.00	20.00	50.00	225.00	
1893 .... (792)	5,444,815	1.25	1.25	3.50	8.00	27.00	175.00	550.00
1893O.............	3,396,000	1.25	1.25	6.00	12.00	28.00	200.00	
1893S	1,454,535	1.25	3.50	8.00	14.00	35.00	200.00	
1894 .... (972)	3,432,972	1.25	1.25	3.50	11.00	27.00	165.00	550.00
1894O.............	2,852,000	1.25	1.25	6.00	9.00	30.00	200.00	
1894S	2,648,821	1.25	1.25	6.00	9.00	30.00	200.00	
1895 .... (880)	4,440,880	1.25	1.25	3.50	7.00	25.00	165.00	550.00
1895O.............	2,816,000	1.25	1.25	6.00	9.00	28.00	225.00	
1895S	1,764,681	1.25	1.25	7.00	12.00	25.00	200.00	
1896 .... (762)	3,874,762	1.25	1.25	3.50	9.00	28.00	165.00	550.00
1896O.............	1,484,000	1.25	3.00	7.00	20.00	60.00	450.00	
1896S	188,039	120.00	150.00	325.00	475.00	700.00	1,750	
1897 .... (731)	8,140,731	1.25	1.50	3.50	7.00	24.00	125.00	550.00
1897O.............	1,414,800	2.00	3.50	8.00	24.00	65.00	450.00	
1897S	542,229	5.00	7.00	14.00	28.00	60.00	225.00	
1898 .... (735)	11,100,735	1.25	1.50	3.50	7.00	24.00	125.00	550.00

Italic prices indicate unsettled values due to fluctuating bullion market. See Bullion Chart.

QUARTER DOLLARS

	Quan. Minted	G-4	VG-8	F-12	VF-20	EF-40	MS-60	Proof-63
1898O	1,868,000	$1.25	$2.00	$6.00	$14.00	$40.00	$350.00	
1898S	1,020,592	1.25	2.00	5.00	9.00	30.00	225.00	
1899 .... (846)	12,624,846	1.25	1.50	3.50	7.00	24.00	125.00	$550.00
1899O	2,644,000	1.25	1.50	5.00	12.00	25.00	250.00	
1899S	708,000	4.50	6.00	9.00	18.00	35.00	200.00	
1900 .... (912)	10,016,912	1.25	1.50	3.50	7.00	24.00	125.00	550.00
1900O	3,416,000	1.25	3.50	8.00	18.00	35.00	275.00	
1900S	1,858,585	1.25	1.50	5.00	11.00	25.00	175.00	
1901 .... (813)	8,892,813	1.25	1.50	3.50	7.00	24.00	125.00	550.00
1901O	1,612,000	5.00	8.00	18.00	35.00	75.00	450.00	
1901S	72,664	550.00	700.00	1,100	1,600	2,200	6,000	
1902 .... (777)	12,197,744	1.25	1.25	3.50	7.00	24.00	125.00	550.00
1902O	4,748,000	1.25	1.25	5.00	10.00	25.00	225.00	
1902S	1,524,612	1.25	4.00	6.00	16.00	38.00	210.00	
1903 .... (755)	9,670,064	1.25	1.25	3.50	7.00	24.00	125.00	550.00
1903O	3,500,000	1.25	1.25	7.00	12.00	27.00	200.00	
1903S	1,036,000	1.25	2.00	8.00	14.00	30.00	225.00	
1904 .... (670)	9,588,813	1.25	1.25	3.50	7.00	24.00	125.00	550.00
1904O	2,456,000	1.25	2.00	8.00	12.00	35.00	375.00	
1905 .... (727)	4,968,250	1.25	1.25	3.50	7.00	24.00	125.00	550.00
1905O	1,230,000	1.25	2.00	8.00	12.00	30.00	210.00	
1905S	1,884,000	1.25	1.25	5.00	11.00	25.00	200.00	
1906 .... (675)	3,656,435	1.25	1.25	3.50	7.00	24.00	125.00	550.00
1906D	3,280,000	1.25	1.25	3.50	7.00	24.00	175.00	
1906O	2,056,000	1.25	1.25	3.50	7.00	24.00	175.00	
1907 .... (575)	7,192,575	1.25	1.25	3.50	7.00	24.00	125.00	550.00
1907D	2,484,000	1.25	1.25	3.50	7.00	24.00	190.00	
1907O	4,560,000	1.25	1.25	3.50	7.00	24.00	175.00	
1907S	1,360,000	1.25	1.25	3.50	7.00	24.00	210.00	
1908 .... (545)	4,232,545	1.25	1.25	3.50	7.00	24.00	125.00	550.00
1908D	5,788,000	1.25	1.25	3.50	7.00	24.00	165.00	
1908O	6,244,000	1.25	1.25	3.50	7.00	24.00	165.00	
1908S	784,000	1.25	4.00	8.00	16.00	45.00	250.00	
1909 .... (650)	9,268,650	1.25	1.25	3.50	7.00	24.00	125.00	550.00
1909D	5,114,000	1.25	1.25	3.50	7.00	24.00	165.00	
1909O	712,000	4.00	6.00	18.00	25.00	75.00	325.00	
1909S	1,348,000	1.25	1.25	3.50	7.00	24.00	210.00	
1910 .... (551)	2,244,551	1.25	1.25	3.50	7.00	24.00	125.00	550.00
1910D	1,500,000	1.25	1.25	3.50	7.00	24.00	190.00	
1911 .... (543)	3,720,543	1.25	1.25	3.50	7.00	24.00	125.00	550.00
1911D	933,600	1.25	1.25	5.00	10.00	30.00	165.00	
1911S	988,000	1.25	1.25	5.00	10.00	30.00	200.00	
1912 .... (700)	4,400,700	1.25	1.25	3.50	7.00	24.00	125.00	550.00
1912S	708,000	1.25	1.25	5.00	10.00	30.00	200.00	
1913 .... (613)	484,613	5.00	8.00	25.00	65.00	225.00	700.00	750.00
1913D	1,450,800	1.25	1.25	3.50	7.00	24.00	165.00	
1913S	40,000	150.00	200.00	375.00	575.00	900.00	2,000	
1914 .... (380)	6,244,610	1.25	1.25	3.50	7.00	24.00	125.00	600.00
1914D	3,046,000	1.25	1.25	3.50	7.00	24.00	160.00	
1914S	264,000	7.00	11.00	20.00	50.00	135.00	350.00	
1915 .... (450)	3,480,450	1.25	1.25	3.50	7.00	24.00	125.00	600.00
1915D	3,694,000	1.25	1.25	3.50	7.00	24.00	125.00	
1915S	704,000	1.25	1.25	5.00	10.00	30.00	150.00	
1916	1,788,000	1.25	1.25	3.50	7.00	24.00	125.00	
1916D	6,540,888	1.25	1.25	3.50	7.00	24.00	125.00	

Italic prices indicate unsettled values due to fluctuating bullion market. See Bullion Chart.

[93]

QUARTER DOLLARS
STANDING LIBERTY TYPE 1916-1930

This design is by Hermon A. MacNeil, whose initial M is above and to the right of the date. Liberty bears a shield of protection in her left arm, while the right hand holds the olive branch of peace. There was a modification in 1917. The reverse has a new arrangement of stars and the eagle is higher. After 1924 the date was "recessed," thereby giving it greater protection from the effects of circulation.

G-4 GOOD—*Date and lettering readable. Top of date worn. Liberty's right leg and toes worn off. Left leg and drapery lines show much wear.*

VG-8 VERY GOOD—*Distinct date. Toes show faintly. Drapery lines visible above her left leg.*

F-12 FINE—*High curve of right leg flat from thigh to ankle. Left leg shows only slight wear. Drapery lines over right thigh seen only at sides of leg.*

VF-20 VERY FINE—*Garment line across right leg will be worn but show at sides.*

EF-40 EXTREMELY FINE—*Flattened only at high spots. Her toes are sharp. Drapery lines across right leg are evident.*

MS-60 UNCIRCULATED—*No trace of wear. Light blemishes.*

No stars below eagle 1916-1917

	Quan. Minted	G-4	VG-8	F-12	VF-20	EF-40	MS-60
1916	52,000	$575.00	$625.00	$725.00	$850.00	$1,100	$1,500
1917	8,740,000	3.00	6.00	7.50	15.00	25.00	90.00
1917D	1,509,200	6.00	9.00	13.00	30.00	60.00	100.00
1917S	1,952,000	5.00	8.00	12.00	30.00	60.00	110.00

Stars below eagle 1917-1930

1918S, 8 over 7

Mint mark position is on obverse at left of date.

1917	13,880,000	5.00	7.00	9.00	12.00	20.00	70.00
1917D	6,224,400	9.00	11.00	20.00	30.00	60.00	100.00
1917S	5,552,000	9.00	11.00	14.00	22.00	40.00	100.00
1918	14,240,000	5.00	7.00	10.00	18.00	30.00	85.00
1918D	7,380,000	13.00	15.00	22.00	30.00	55.00	130.00
1918S Norm. date	} 11,072,000	7.00	11.00	12.00	14.00	30.00	80.00
1918S 8 over 7		500.00	700.00	1,000	1,300	1,800	4,800
1919	11,324,000	15.00	18.00	20.00	25.00	35.00	85.00
1919D	1,944,000	25.00	35.00	60.00	80.00	150.00	285.00
1919S	1,836,000	25.00	35.00	50.00	65.00	135.00	240.00
1920	27,860,000	3.00	4.00	5.00	10.00	18.00	70.00
1920D	3,586,400	15.00	20.00	30.00	50.00	65.00	125.00
1920S	6,380,000	6.00	8.00	12.00	15.00	20.00	85.00
1921	1,916,000	35.00	45.00	65.00	85.00	130.00	250.00
1923	9,716,000	3.00	4.00	5.00	10.00	18.00	75.00
1923S	1,360,000	50.00	75.00	100.00	135.00	200.00	325.00

QUARTER DOLLARS

	Quan. Minted	G-4	VG-8	F-12	VF-20	EF-40	MS-60
1924	10,920,000	$3.00	$4.00	$5.00	$10.00	$18.00	$75.00
1924D	3,112,000	10.00	15.00	25.00	35.00	55.00	85.00
1924S	2,860,000	8.00	10.00	12.00	15.00	28.00	90.00

Recessed Date 1925-1930

	Quan. Minted	G-4	VG-8	F-12	VF-20	EF-40	MS-60
1925	12,280,000	*1.25*	*1.35*	3.00	5.00	10.00	60.00
1926	11,316,000	*1.25*	*1.35*	3.00	5.00	10.00	60.00
1926D	1,716,000	*1.25*	*1.35*	6.00	10.00	15.00	60.00
1926S	2,700,000	*1.25*	*1.35*	4.00	8.00	20.00	100.00
1927	11,912,000	*1.25*	*1.35*	3.00	5.00	10.00	60.00
1927D	976,000	*1.25*	*1.35*	6.00	12.00	18.00	90.00
1927S	396,000	3.00	5.00	20.00	60.00	225.00	700.00
1928	6,336,000	*1.25*	*1.35*	3.00	5.00	10.00	60.00
1928D	1,627,600	*1.25*	*1.35*	3.00	5.00	10.00	60.00
1928S	2,644,000	*1.25*	*1.35*	3.00	5.00	10.00	60.00
1929	11,140,000	*1.25*	*1.35*	3.00	5.00	10.00	60.00
1929D	1,358,000	*1.25*	*1.35*	3.00	5.00	10.00	60.00
1929S	1,764,000	*1.25*	*1.35*	3.00	5.00	10.00	60.00
1930	5,632,000	*1.25*	*1.35*	3.00	5.00	10.00	60.00
1930S	1,556,000	*1.25*	*1.35*	3.00	5.00	10.00	60.00

WASHINGTON TYPE 1932 to Date

This type was intended to be a commemorative issue marking the two-hundredth anniversary of Washington's birth. John Flanagan, a New York sculptor, was the designer. The initals JF are found at the base of the neck. Mint mark is on reverse below wreath. 1932 to 1964. Starting in 1968 mint mark is on obverse at right of ribbon.

VG-8 VERY GOOD—*Wing tips outlined. Rims are fine and even. Tops of letters at rim are flattened.*
F-12 FINE—*Hairlines about ear are visible. Tiny feathers on eagle's breast are faintly visible.*
VF-20 VERY FINE—*Hair details worn but plain. Feathers at sides of eagle's breast are plain.*
EF-40 EXTREMELY FINE—*Hairlines sharp. Wear spots confined to top of eagle's legs and center of breast.*
MS-60 UNCIRCULATED—*No trace of wear. Light blemishes.*
MS-63 UNCIRCULATED—*No trace of wear. Very few noticeable blemishes.*

1976 Bicentennial
reverse design

Starting in 1968
mint mark is on
obverse at right
of ribbon.

Silver Coinage—1932-1964

	Quan. Minted	VG-8	F-12	VF-20	EF-40	MS-60	MS-63
1932	5,404,000	$1.00	$1.25	$1.25	$3.00	$12.00	$30.00
1932D	436,800	20.00	25.00	35.00	60.00	275.00	550.00
1932S	408,000	18.00	23.00	30.00	35.00	100.00	225.00
1934	31,912,052	*1.00*	*1.25*	*1.40*	3.00	15.00	30.00
1934D	3,527,200	*1.00*	*1.25*	*1.40*	5.00	40.00	75.00
1935	32,484,000	*1.00*	*1.25*	*1.40*	3.00	12.00	20.00
1935D	5,780,000	*1.00*	*1.25*	*1.40*	5.00	60.00	80.00
1935S	5,660,000	*1.00*	*1.25*	*1.40*	4.00	40.00	60.00

Italic prices indicate unsettled values due to fluctuating bullion market. See Bullion Chart.

QUARTER DOLLARS

	Quan. Minted	F-12	VF-20	EF-40	MS-60	MS-63	Proof-63
1936 .... (3,837)	41,303,837	*$1.00*	*$1.00*	*$1.00*	$12.00	$20.00	$250.00
1936D 5,374,000		*1.00*	3.00	12.00	110.00	200.00	
1936S 3,828,000		*1.00*	*1.00*	3.00	35.00	60.00	
1937 .... (5,542)	19,701,542	*1.00*	*1.00*	*1.00*	12.00	20.00	100.00
1937D 7,189,600		*1.00*	*1.00*	*1.00*	15.00	30.00	
1937S 1,652,000		*1.00*	*1.00*	5.00	45.00	75.00	
1938 .... (8,045)	9,480,045	*1.00*	*1.00*	4.00	30.00	40.00	80.00
1938S 2,832,000		*1.00*	*1.00*	3.00	30.00	40.00	
1939 .... (8,795)	33,548,795	*1.00*	*1.00*	*1.00*	10.00	10.00	45.00
1939D 7,092,000		*1.00*	*1.00*	*1.00*	15.00	24.00	
1939S 2,628,000		*1.00*	*1.00*	3.00	25.00	40.00	
1940 .... (11,246)	35,715,246	*1.00*	*1.00*	*1.00*	5.00	10.00	28.00
1940D 2,797,600		*1.00*	*1.00*	3.50	30.00	45.00	
1940S 8,244,000		*1.00*	*1.00*	*1.00*	7.00	15.00	
1941 .... (15,287)	79,047,287	*1.00*	*1.00*	*1.00*	2.00	6.00	25.00
1941D 16,714,800		*1.00*	*1.00*	*1.00*	7.00	15.00	
1941S 16,080,000		*1.00*	*1.00*	*1.00*	6.50	13.00	
1942 .... (21,123)	102,117,123	*1.00*	*1.00*	*1.00*	2.00	4.50	25.00
1942D 17,487,200		*1.00*	*1.00*	*1.00*	3.50	8.00	
1942S 19,384,000		*1.00*	*1.00*	*1.00*	20.00	45.00	
1943 99,700,000		*1.00*	*1.00*	*1.00*	2.00	4.00	
1943D 16,095,600		*1.00*	*1.00*	*1.00*	4.00	9.00	
1943S 21,700,000		*1.00*	*1.00*	*1.00*	12.00	22.00	
1944 104,956,000		*1.00*	*1.00*	*1.00*	2.00	3.00	
1944D 14,600,800		*1.00*	*1.00*	*1.00*	3.00	6.00	
1944S 12,560,000		*1.00*	*1.00*	*1.00*	2.00	6.50	
1945 74,372,000		*1.00*	*1.00*	*1.00*	2.00	3.50	
1945D 12,341,600		*1.00*	*1.00*	*1.00*	2.00	5.00	
1945S 17,004,001		*1.00*	*1.00*	*1.00*	2.00	4.00	
1946 53,436,000		*1.00*	*1.00*	*1.00*	2.00	2.25	
1946D 9,072,800		*1.00*	*1.00*	*1.00*	2.00	3.00	
1946S 4,204,000		*1.00*	*1.00*	*1.00*	2.00	3.25	
1947 22,556,000		*1.00*	*1.00*	*1.00*	2.00	3.75	
1947D 15,338,400		*1.00*	*1.00*	*1.00*	2.00	3.75	
1947S 5,532,000		*1.00*	*1.00*	*1.00*	2.00	3.75	
1948 35,196,000		*1.00*	*1.00*	*1.00*	2.00	2.25	
1948D 16,766,800		*1.00*	*1.00*	*1.00*	2.00	4.00	
1948S 15,960,000		*1.00*	*1.00*	*1.00*	2.00	4.50	
1949 9,312,000		*1.00*	*1.00*	*1.00*	5.00	12.00	
1949D 10,068,400		*1.00*	*1.00*	*1.00*	2.00	5.00	
1950 .... (51,386)	24,971,512	*1.00*	*1.00*	*1.00*	2.25	2.25	20.00
1950D		*1.00*	*1.00*	*1.00*	2.00	2.25	
1950D, D over S	21,075,600		30.00	70.00	100.00	225.00	
1950S		*1.00*	*1.00*	*1.00*	2.25	4.00	
1950S, S over D	10,284,004		30.00	75.00	130.00	275.00	
1951 .... (57,500)	43,505,602	*1.00*	*1.00*	*1.00*	2.00	2.25	14.00
1951D 35,354,800		*1.00*	*1.00*	*1.00*	2.00	2.25	
1951S 9,048,000		*1.00*	*1.00*	*1.00*	2.00	5.00	
1952 .... (81,980)	38,862,073	*1.00*	*1.00*	*1.00*	2.00	2.25	12.00
1952D 49,795,200		*1.00*	*1.00*	*1.00*	2.00	2.25	
1952S 13,707,800		*1.00*	*1.00*	*1.00*	2.00	3.00	
1953 ...... (122,800)	18,664,920	*1.00*	*1.00*	*1.00*	2.00	2.25	7.00
1953D 56,112,400		*1.00*	*1.00*	*1.00*	2.00	2.25	
1953S 14,016,000		*1.00*	*1.00*	*1.00*	2.00	2.25	
1954 ...... (233,300)	54,645,503	*1.00*	*1.00*	*1.00*	2.00	2.25	4.00
1954D 46,305,500		*1.00*	*1.00*	*1.00*	2.00	2.25	
1954S 11,834,722		*1.00*	*1.00*	*1.00*	2.00	2.25	
1955 ...... (378,200)	18,558,381	*1.00*	*1.00*	*1.00*	2.00	2.25	3.00
1955D 3,182,400		*1.00*	*1.00*	*1.00*	2.00	2.25	

Italic prices indicate unsettled values due to fluctuating bullion market. See Bullion Chart.

QUARTER DOLLARS

	Quan. Minted	Quan. Minted	F-12	EF-40	MS-63	Proof-63
1956	(669,384)	44,813,384	$1.00	$1.00	$1.25	$2.75
1956D		32,334,500	1.00	1.00	1.25	
1957	(1,247,952)	47,779,952	1.00	1.00	1.25	2.00
1957D		77,924,160	1.00	1.00	1.25	
1958	(875,652)	7,235,652	1.00	1.00	1.75	2.00
1958D		78,124,900	1.00	1.00	1.25	
1959	(1,149,291)	25,533,291	1.00	1.00	1.25	2.00
1959D		62,054,232	1.00	1.00	1.25	
1960	(1,691,602)	30,855,602	1.00	1.00	1.25	2.00
1960D		63,000,324	1.00	1.00	1.25	
1961	(3,028,244)	40,064,244	1.00	1.00	1.25	1.50
1961D		83,656,928	1.00	1.00	1.25	
1962	(3,218,019)	39,374,019	1.00	1.00	1.25	1.50
1962D		127,554,756	1.00	1.00	1.25	
1963	(3,075,645)	77,391,645	1.00	1.00	1.25	1.50
1963D		135,288,184	1.00	1.00	1.25	
1964	(3,950,762)	564,341,347	1.00	1.00	1.25	1.50
1964D		704,135,528	1.00	1.00	1.25	

Clad Coinage—1965 to Date

	Quan. Minted	MS-63	Proof-63		Quan. Minted	MS-63	Proof-63
1965	1,819,717,540	$.25		1971	109,284,000	$.25	
1966	821,101,500	.25		1971D	258,634,428	.25	
1967	1,524,031,848	.25		1971S Proof	(3,220,733)		$.35
1968	220,731,500	.25		1972	215,048 000	.25	
1968D	101,534,000	.25		1972D	311,067,732	.25	
1968S Proof	(3,041,506)		$.35	1972S Proof	(3,260,996)		.35
1969	176,212,000	.25		1973	346,924,000	.25	
1969D	114,372,000	.30		1973D	232,977,400	.25	
1969S Proof	(2,934,631)		.35	1973S Proof	(2,760,339)		.35
1970	136,420,000	.25		1974	801,456,000	.25	
1970D	417,341,364	.25		1974D	353,160,300	.25	
1970S Proof	(2,632,810)		.40	1974S Proof	(2,612,568		.35

BICENTENNIAL COINAGE DATED 1776-1976

	Quan. Minted	MS-63	Proof-65
1776-1976 Copper-nickel clad	809,784,016	$.25	
1776-1976D Copper-nickel clad	860,118,839	.25	
1776-1976S Copper-nickel clad	(7,059,099)		$.50
1776-1976S Silver clad	*11,000,000	.70	
1776-1976S Silver clad	(*4,000,000)		1.25

*Approximate mintage.

Eagle Reverse Resumed (Dies slightly modified to lower relief)

	Quan. Minted	MS-63	Proof-65		Quan. Minted	MS-63	Proof-65
1977	468,556,000	$.25		1981P	601,716,000	$.25	
1977D	256,524,978	.25		1981D	575,722,833	.25	
1977S Proof	(3,251,152)		$.30	1981S Proof	(4,063,083)		$.35
1978	521,452,000	.25		1982P	500,931,000	.25	
1978D	287,373,152	.25		1982D	480,042,788	.25	
1978S Proof	(3,127,781)		.30	1982S Proof	(3,857,479)		.35
1979	515,708,000	.25		1983P	673,535,000	.25	
1979D	489,789,780	.25		1983D	617,806,446	.25	
1979S Proof	(3,677,175)			1983S Proof	(3,279,126)		.35
Filled S			.30	1984P	676,545,000	.25	
Clear S			.60	1984D	546,483,064	.25	
1980P	635,832,000	.25		1984S Proof	(3,065,110)		.35
1980D	518,327,487	.25		1985P	775,818,962	.25	
1980S Proof	(3,554,806)		.30	1985D	519,962,888	25	

Italic prices indicate unsettled values due to fluctuating bullion market. See Bullion Chart.

QUARTER DOLLARS

	Quan. Minted	MS-63	Proof-65		Quan. Minted	MS-63	Proof-65
1985S Proof	(3,362,821)		$.35	1987D	655,594,696	$.25	
1986P	551,199,333	$.25		1987S Proof			$.35
1986D	504,298,660	.25		1988P		.25	
1986S Proof	(3,010,497)		.35	1988D		.25	
1987P	582,499,481	.25		1988S Proof			.35

HALF DOLLARS — 1794 to Date

The half dollar, authorized by the Act of April 2, 1792, was not minted until December, 1794.

The weight of the half dollar was 208 grains and its fineness .8924 when first issued. This standard was not changed until 1837 when the law of January 18, 1837 specified 206¼ grains, .900 fine, which continued in use until 1965.

Arrows at the date in 1853 indicate the reduction of weight to 192 grains. During that year only, rays were added to the field on the reverse side. Arrows remained in 1854 and 1855.

In 1873 the weight was raised to 192.9 grains and arrows were again placed at the date.

FLOWING HAIR TYPE 1794-1795

AG-3 ABOUT GOOD—*Clear enough to identify.*

G-4 GOOD—*Date and letters sufficient to be readable. Main devices outlined, but lack details.*

VG-8 VERY GOOD—*Major details discernible. Letters well formed but worn.*

F-12 FINE—*Hair ends distinguishable. Top hairlines show, but otherwise worn smooth.*

VF-20 VERY FINE—*Hair in center shows some detail. Other details more bold.*

EF-40 EXTREMELY FINE—*Hair above head and down neck detailed with slight wear.*

	Quan. Minted	AG-3	G-4	VG-8	F-12	VF-20	EF-40
			2 Leaves under wings		3 Leaves under wings		
1794	23,464	$210.00	$500.00	$800.00	$1,250	$2,000	$3,250
1795 All kinds	299,680	125.00	225.00	300.00	400.00	650.00	1,200
1795 Recut date		125.00	250.00	350.00	450.00	700.00	1,300
1795 3 leaves under each wing		150.00	300.00	425.00	750.00	1,400	2,600

DRAPED BUST TYPE, SMALL EAGLE REVERSE 1796-1797

Grading same as above for About Good to Fine.

VF-20 VERY FINE—*Right side of drapery slightly worn. Left side to curls is smooth.*

EF-40 EXTREMELY FINE—*All lines in drapery on bust will show distinctly around to hair curls.*

MS-60 UNCIRCULATED—*No trace of wear. Light blemishes.*

HALF DOLLARS

1796, 15 Stars

1796, 16 Stars

	Quan. Minted	AG-3	G-4	VG-8	F-12	VF-20	EF-40
1796, 15 Stars	}	$3,500	$5,000	$7,000	$8,500	$13,000	$20,000
1796, 16 stars............	} 3,918	3,500	5,000	7,000	8,500	13,000	20,000
1797, 15 stars...........	}	3,500	5,000	7,000	8,500	13,000	20,000

DRAPED BUST TYPE, HERALDIC EAGLE REVERSE 1801-1807

	Quan. Minted	G-4	VG-8	F-12	VF-20	EF-40	MS-60
1801	30,289	$75.00	$100.00	$200.00	$400.00	$700.00	$5,000
1802	29,890	65.00	95.00	175.00	300.00	550.00	4,250
1803	188,234	40.00	55.00	125.00	250.00	450.00	4,000

1805, 5 over 4

1806, 6 over 5

1805, 5 over 4	}	50.00	65.00	130.00	275.00	525.00	4,250
1805 Normal date.........	} 211,722	40.00	50.00	80.00	225.00	350.00	3,000
1806	}	40.00	50.00	80.00	225.00	350.00	3,000
1806, 6 over 5	} 839,576	40.00	50.00	90.00	250.00	400.00	3,000
1806, 6 over inverted 6....	}	45.00	55.00	100.00	275.00	425.00	3,500
1807	301,076	35.00	45.00	75.00	200.00	350.00	3,000

CAPPED BUST TYPE, Lettered Edge 1807-1836

John Reich designed this Capped Head concept of Liberty. The head of Liberty facing left was used on all U.S. coin denominations for the next thirty years.

HALF DOLLARS

G-4 GOOD—*Date and letters readable. Bust worn smooth with outline distinct.*
VG-8 VERY GOOD—*LIBERTY visible but faint. Legends distinguishable. Clasp at shoulder visible. Curl above it nearly smooth.*
F-12 FINE—*Clasp and adjacent curl clearly outlined with slight details.*
VF-20 VERY FINE—*Clasp at shoulder clear. Curl has wear only on highest point. Hair over brow distinguishable.*
EF-40 EXTREMELY FINE—*Clasp and adjacent curl fairly sharp. Brow and hair above distinct. Curls well defined.*
MS-60 UNCIRCULATED—*No trace of wear. Light blemishes.*

First style 1807-1808

	Quan. Minted	G-4	VG-8	F-12	VF-20	EF-40	MS-60
1807	750,500	$16.00	$21.00	$35.00	$75.00	$150.00	$650.00
1808, 8 over 7 . . . . }	1,368,600	16.00	20.00	30.00	50.00	90.00	550.00
1808		16.00	20.00	25.00	40.00	70.00	450.00

Remodeled Portrait and Eagle 1809-1834

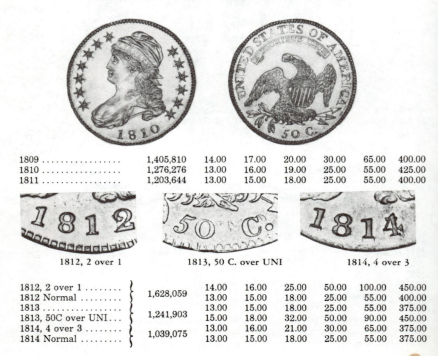

1809	1,405,810	14.00	17.00	20.00	30.00	65.00	400.00
1810	1,276,276	13.00	16.00	19.00	25.00	55.00	425.00
1811	1,203,644	13.00	15.00	18.00	25.00	55.00	400.00

1812, 2 over 1   1813, 50 C. over UNI   1814, 4 over 3

1812, 2 over 1 . . . . }	1,628,059	14.00	16.00	25.00	50.00	100.00	450.00
1812 Normal		13.00	15.00	18.00	25.00	55.00	400.00
1813	1,241,903	13.00	15.00	18.00	25.00	55.00	375.00
1813, 50C over UNI . . .		15.00	18.00	32.00	50.00	90.00	450.00
1814, 4 over 3	1,039,075	13.00	16.00	21.00	30.00	65.00	375.00
1814 Normal		13.00	15.00	18.00	25.00	55.00	375.00

HALF DOLLARS

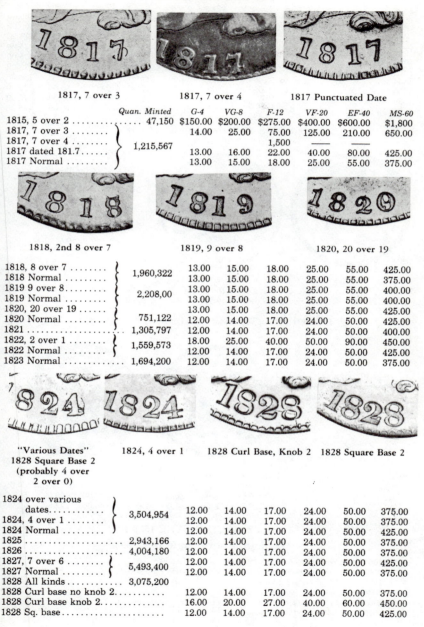

1817, 7 over 3   1817, 7 over 4   1817 Punctuated Date

	Quan. Minted	G-4	VG-8	F-12	VF-20	EF-40	MS-60
1815, 5 over 2	47,150	$150.00	$200.00	$275.00	$400.00	$600.00	$1,800
1817, 7 over 3		14.00	25.00	75.00	125.00	210.00	650.00
1817, 7 over 4	1,215,567			1,500	—	—	
1817 dated 181.7		13.00	16.00	22.00	40.00	80.00	425.00
1817 Normal		13.00	15.00	18.00	25.00	55.00	375.00

1818, 2nd 8 over 7   1819, 9 over 8   1820, 20 over 19

1818, 8 over 7	1,960,322	13.00	15.00	18.00	25.00	55.00	425.00
1818 Normal		13.00	15.00	18.00	25.00	55.00	375.00
1819 9 over 8.........	2,208,00	13.00	15.00	18.00	25.00	55.00	400.00
1819 Normal		13.00	15.00	18.00	25.00	55.00	400.00
1820, 20 over 19	751,122	13.00	15.00	18.00	25.00	55.00	425.00
1820 Normal		12.00	14.00	17.00	24.00	50.00	425.00
1821	1,305,797	12.00	14.00	17.00	24.00	50.00	400.00
1822, 2 over 1	1,559,573	18.00	25.00	40.00	50.00	90.00	450.00
1822 Normal		12.00	14.00	17.00	24.00	50.00	425.00
1823 Normal	1,694,200	12.00	14.00	17.00	24.00	50.00	375.00

"Various Dates"   1824, 4 over 1   1828 Curl Base, Knob 2   1828 Square Base 2
1828 Square Base 2
(probably 4 over
2 over 0)

1824 over various dates............	3,504,954	12.00	14.00	17.00	24.00	50.00	375.00
1824, 4 over 1		12.00	14.00	17.00	24.00	50.00	375.00
1824 Normal		12.00	14.00	17.00	24.00	50.00	425.00
1825	2,943,166	12.00	14.00	17.00	24.00	50.00	375.00
1826	4,004,180	12.00	14.00	17.00	24.00	50.00	375.00
1827, 7 over 6	5,493,400	12.00	14.00	17.00	24.00	50.00	425.00
1827 Normal		12.00	14.00	17.00	24.00	50.00	375.00
1828 All kinds	3,075,200						
1828 Curl base no knob 2..........		12.00	14.00	17.00	24.00	50.00	375.00
1828 Curl base knob 2.............		16.00	20.00	27.00	40.00	60.00	450.00
1828 Sq. base....................		12.00	14.00	17.00	24.00	50.00	425.00

HALF DOLLARS

	Quan. Minted	G-4	VG-8	F-12	VF-20	EF-40	MS-60
1829, 9 over 7	} 3,712,156	$12.00	$14.00	$17.00	$24.00	$50.00	$400.00
1829 Normal		12.00	14.00	17.00	24.00	50.00	400.00
1830 4,764,800		12.00	14.00	17.00	24.00	50.00	375.00
1831 5,873,660		12.00	14.00	17.00	24.00	50.00	375.00
1832 4,797,000		12.00	14.00	17.00	24.00	50.00	375.00
1833 5,206,000		12.00	14.00	17.00	24.00	50.00	375.00
1834 6,412,004		12.00	14.00	17.00	24.00	50.00	400.00
1835 5,352,006		12.00	14.00	17.00	24.00	50.00	375.00
1836	} 6,545,000	12.00	14.00	17.00	24.00	50.00	375.00
1836, 50 over 00		15.00	20.00	25.00	38.00	70.00	475.00

Reeded Edge, Reverse "50 CENTS" 1836-1837

G-4 GOOD—*LIBERTY discernible on headband.*

VG-8 VERY GOOD—*Minimum of 3 letters in LIBERTY must be clear.*

F-12 FINE—*LIBERTY complete.*

VF-20 VERY FINE—*LIBERTY is sharp. Shoulder clasp is clear.*

EF-40 EXTREMELY FINE—*LIBERTY sharp and strong. Hair details show.*

MS-60 UNCIRCULATED—*No trace of wear. Light blemishes.*

		G-4	VG-8	F-12	VF-20	EF-40	MS-60
1836 1,200		175.00	225.00	300.00	500.00	900.00	2,300
1837 3,629,820		18.00	20.00	25.00	38.00	70.00	500.00

Reeded Edge, Reverse "HALF DOL." 1838-1839

In 1838-39 the mint mark appears on the obverse; thereafter it is on the reverse below the eagle.

		G-4	VG-8	F-12	VF-20	EF-40	MS-60
1838 3,546,000		18.00	20.00	25.00	38.00	70.00	500.00
1838O........................ (20)							30,000
1839 1,392,976		18.00	20.00	25.00	38.00	70.00	500.00
1839O................... 178,976		55.00	80.00	125.00	185.00	275.00	2,000

LIBERTY SEATED TYPE 1839-1891
No Motto Above Eagle 1839-1853

G-4 GOOD—*Scant rim. LIBERTY on shield worn off. Date and letters readable.*
VG-8 VERY GOOD—*Rim fairly defined. At least 3 letters in LIBERTY are evident.*
F-12 FINE—*LIBERTY complete, but weak.*
VF-20 VERY FINE—*LIBERTY mostly sharp.*
EF-40 EXTREMELY FINE—*LIBERTY entirely sharp. Scroll edges and clasp distinct.*
MS-60 UNCIRCULATED—*No trace of wear. Light blemishes.*

HALF DOLLARS

	Quan. Minted	G-4	VG-8	F-12	VF-20	EF-40	MS-60
1839 No drapery from elbow.......		$17.00	$25.00	$40.00	$90.00	$300.00	$3,000

Drapery from Elbow starting 1839   1842 Small Date

	Quan. Minted	G-4	VG-8	F-12	VF-20	EF-40	MS-60
1839	1,972,400	9.00	11.00	16.00	22.00	40.00	250.00
1840	1,435,008	8.00	10.00	15.00	20.00	37.00	250.00
1840O...................	855,100	8.00	10.00	15.00	20.00	37.00	250.00
1841	310,000	8.00	10.00	15.00	20.00	45.00	275.00
1841O...................	401,000	8.00	10.00	15.00	20.00	37.00	250.00
1842 Sm. date	} 2,012,764	8.00	10.00	15.00	21.00	37.00	250.00
1842 Med. date		8.00	10.00	15.00	21.00	37.00	250.00
1842O Small date	203,000	125.00	250.00	450.00	900.00	1,750	——
1842O Med. date..........	754,000	8.00	9.00	13.00	20.00	35.00	250.00
1843	3,844,000	8.00	9.00	13.00	20.00	35.00	250.00
1843O...................	2,268,000	8.00	9.00	13.00	20.00	35.00	250.00
1844	1,766,000	8.00	9.00	13.00	20.00	35.00	250.00
1844O...................	2,005,000	8.00	9.00	13.00	20.00	35.00	250.00
1845	589,000	8.00	9.00	13.00	20.00	35.00	250.00
1845O...................	2,094,000	8.00	9.00	13.00	20.00	35.00	250.00
1846 All kinds	2,210,000	8.00	9.00	13.00	18.00	35.00	250.00
1846 over horizontal 6 (error)......		15.00	30.00	45.00	75.00	100.00	525.00
1846O...................	2,304,000	8.00	9.00	13.00	18.00	35.00	250.00
1847	1,156,000	8.00	9.00	13.00	18.00	35.00	250.00
1847O...................	2,584,000	8.00	9.00	13.00	18.00	35.00	250.00
1848	580,000	12.00	17.00	25.00	35.00	60.00	400.00
1848O...................	3,180,000	8.00	9.00	13.00	18.00	35.00	250.00
1849	1,252,000	8.00	9.00	13.00	18.00	35.00	250.00
1849O...................	2,310,000	8.00	9.00	13.00	18.00	35.00	250.00
1850	227,000	15.00	21.00	35.00	45.00	125.00	600.00
1850O...................	2,456,000	8.00	9.00	13.00	18.00	35.00	250.00
1851	200,750	15.00	21.00	35.00	45.00	125.00	600.00
1851O...................	402,000	8.00	9.00	13.00	18.00	35.00	250.00
1852	77,130	35.00	60.00	100.00	150.00	250.00	700.00
1852O...................	144,000	15.00	21.00	35.00	45.00	125.00	600.00
1853O...................		2,000	4,000	10,000	15,000		

HALF DOLLARS

Arrows at Date, Rays Around Eagle 1853 Only

	Quan. Minted	G-4	VG-8	F-12	VF-20	EF-40	MS-60
1853	3,532,708	$7.00	$9.00	$15.00	$45.00	$100.00	$1,100
1853O All kinds.	1,328,000	7.00	9.00	15.00	45.00	110.00	1,200

Arrows at Date, No Rays 1854-1855

	Quan. Minted	G-4	VG-8	F-12	VF-20	EF-40	MS-60
1854	2,982,000	6.00	8.00	12.00	21.00	50.00	400.00
1854O.	5,240,000	6.00	8.00	12.00	21.00	50.00	400.00
1855 over 1854 . . . . }			25.00	50.00	100.00	200.00	700.00
1855 Normal date. . . . . }	759,500	6.00	8.00	12.00	21.00	50.00	400.00
1855O.	3,688,000	6.00	8.00	12.00	21.00	50.00	400.00
1855S	129,950	125.00	175.00	250.00	500.00	1,000	——

No Arrows at Date 1856-1866

	Quan. Minted	G-4	VG-8	F-12	VF-20	EF-40	MS-60
1856	938,000	7.00	8.00	12.00	17.00	35.00	235.00
1856O.	2,658,000	7.00	8.00	12.00	17.00	35.00	235.00
1856S.	211,000	9.00	11.00	17.00	40.00	80.00	500.00
1857	1,988,000	7.00	8.00	12.00	17.00	35.00	235.00
1857O.	818,000	7.00	8.00	12.00	17.00	35.00	235.00
1857S	158,000	11.00	16.00	20.00	45.00	100.00	650.00

	Quan. Minted	G-4	VG-8	F-12	VF-20	EF-40	MS-60	Proof-63
1858	4,226,000	$7.00	$8.00	$12.00	$17.00	$35.00	$235.00	$1,300
1858O.	7,294,000	7.00	8.00	12.00	17.00	35.00	235.00	
1858S.	476,000	9.00	11.00	15.00	24.00	45.00	500.00	
1859 . . . . . . (800)	748,000	7.00	8.00	12.00	17.00	35.00	235.00	800.00
1859O.	2,834,000	7.00	8.00	12.00	17.00	35.00	235.00	
1859S	566,000	9.00	11.00	15.00	25.00	70.00	450.00	
1860 . . . . . (1,000)	303,700	9.00	11.00	14.00	22.00	40.00	235.00	625.00
1860O.	1,290,000	7.00	8.00	12.00	17.00	35.00	235.00	
1860S	472,000	9.00	11.00	14.00	20.00	35.00	275.00	
1861 . . . . . (1,000)	2,888,400	7.00	8.00	12.00	17.00	35.00	235.00	625.00
1861O.	2,532,633	7.00	8.00	12.00	17.00	35.00	235.00	
1861S	939,500	7.00	8.00	12.00	17.00	35.00	250.00	
1862 . . . . . . (550)	253,550	10.00	14.00	18.00	35.00	50.00	400.00	625.00
1862S	1,352,000	7.00	8.00	12.00	17.00	35.00	250.00	
1863 . . . . . . (460)	503,660	9.00	11.00	14.00	22.00	40.00	275.00	625.00
1863S	916,000	7.00	8.00	12.00	17.00	35.00	250.00	
1864 . . . . . . (470)	379,570	9.00	11.00	14.00	22.00	40.00	275.00	625.00
1864S	658,000	7.00	8.00	12.00	17.00	35.00	250.00	
1865 . . . . . . (500)	511,900	9.00	11.00	14.00	22.00	40.00	275.00	625.00
1865S	675,000	7.00	8.00	12.00	17.00	35.00	250.00	
1866S No motto	60,000	23.00	39.00	70.00	120.00	175.00	2,000	

HALF DOLLARS

Motto "In God We Trust" Added Above Eagle 1866-1873

	Quan. Minted	G-4	VG-8	F-12	VF-20	EF-40	MS-60	Proof-63
1866 .... (725)	745,625	$4.00	$5.00	$10.00	$15.00	$30.00	$225.00	$600.00
1866S	994,000	4.00	5.00	10.00	15.00	30.00	275.00	
1867 .... (625)	449,925	5.00	6.00	11.00	16.00	35.00	325.00	600.00
1867S	1,196,000	4.00	5.00	10.00	15.00	30.00	275.00	
1868 .... (600)	418,200	4.00	5.00	10.00	15.00	30.00	250.00	600.00
1868S	1,160,000	4.00	5.00	10.00	15.00	30.00	275.00	
1869 .... (600)	795,900	4.00	5.00	10.00	15.00	30.00	250.00	600.00
1869S	656,000	4.00	5.00	10.00	15.00	30.00	275.00	
1870 ...... (1,000)	634,900	4.00	5.00	10.00	15.00	30.00	250.00	600.00
1870CC	54,617	125.00	250.00	450.00	700.00	1,400	——	
1870S	1,004,000	4.00	5.00	10.00	15.00	30.00	275.00	
1871 .... (960)	1,204,560	4.00	5.00	10.00	15.00	30.00	250.00	600.00
1871CC	153,950	24.00	35.00	65.00	140.00	300.00	1,700	
1871S	2,178,000	4.00	5.00	10.00	15.00	30.00	275.00	
1872 .... (950)	881,550	4.00	5.00	10.00	15.00	30.00	225.00	600.00
1872CC	257,000	15.00	25.00	45.00	100.00	170.00	1,200	
1872S	580,000	5.00	6.00	11.00	15.00	30.00	325.00	
1873 .... (600)	801,800	4.00	5.00	10.00	15.00	30.00	325.00	600.00
1873CC	122,500	23.00	37.00	80.00	135.00	200.00	1,500	

Arrows at Date 1873-1874

1873 .... (550)	1,815,700	10.00	14.00	18.00	45.00	125.00	525.00	1,100
1873CC	214,560	16.00	25.00	50.00	90.00	150.00	1,000	
1873S	228,000	14.00	20.00	30.00	50.00	125.00	525.00	
1874 ...... (700)	2,360,300	10.00	14.00	18.00	45.00	125.00	525.00	1,100
1874CC	59,000	45.00	75.00	150.00	225.00	500.00	2,000	
1874S	394,000	14.00	20.00	30.00	50.00	125.00	750.00	

No Arrows at Date 1875-1891

1875 .... (700)	6,027,500	4.00	5.00	10.00	15.00	27.00	225.00	600.00
1875CC	1,008,000	4.00	6.00	11.00	20.00	35.00	250.00	

HALF DOLLARS

	Quan. Minted	G-4	VG-8	F-12	VF-20	EF-40	MS-60	Proof-63
1875S	3,200,000	$4.00	$5.00	$10.00	$15.00	$27.00	$225.00	
1876 . . . . . (1,150)	8,419,150	4.00	5.00	10.00	15.00	27.00	225.00	$600.00
1876CC	1,956,000	4.00	5.00	10.00	16.00	30.00	350.00	
1876S	4,528,000	4.00	5.00	10.00	15.00	27.00	225.00	
1877 . . . . . . (510)	8,304,510	4.00	5.00	10.00	15.00	27.00	225.00	600.00
1877CC	1,420,000	4.00	5.00	10.00	16.00	32.00	250.00	
1877S	5,356,000	4.00	5.00	10.00	15.00	27.00	225.00	
1878 . . . . . . (800)	1,378,400	4.00	5.00	10.00	15.00	27.00	225.00	600.00
1878CC	62,000	60.00	120.00	175.00	270.00	450.00	1,800	
1878S	12,000	800.00	1,200	1,800	2,750	4,000	7,000	
1879 . . . . . (1,100)	5,900	60.00	75.00	100.00	125.00	180.00	500.00	700.00
1880 . . . . . (1,355)	9,755	50.00	65.00	90.00	110.00	150.00	450.00	700.00
1881 . . . . . . (975)	10,975	50.00	65.00	90.00	110.00	150.00	450.00	700.00
1882 . . . . . (1,100)	5,500	60.00	75.00	100.00	125.00	180.00	500.00	700.00
1883 . . . . . (1,039)	9,039	50.00	65.00	90.00	110.00	150.00	450.00	700.00
1884 . . . . . . (875)	5,275	60.00	75.00	100.00	125.00	180.00	550.00	700.00
1885 . . . . . . (930)	6,130	50.00	65.00	90.00	110.00	150.00	550.00	700.00
1886 . . . . . . (886)	5,886	50.00	65.00	90.00	110.00	150.00	550.00	700.00
1887 . . . . . . (710)	5,710	50.00	65.00	90.00	110.00	150.00	550.00	700.00
1888 . . . . . . (832)	12,833	45.00	60.00	75.00	100.00	140.00	450.00	700.00
1889 . . . . . . (711)	12,711	45.00	60.00	75.00	100.00	140.00	450.00	700.00
1890 . . . . . . (590)	12,590	45.00	60.00	75.00	100.00	140.00	450.00	700.00
1891 . . . . . . (600)	200,600	6.00	10.00	13.00	22.00	40.00	275.00	700.00

BARBER or LIBERTY HEAD TYPE 1892-1915

Like the dime and quarter dollar, this type was designed by Charles E. Barber, whose initial B is on the truncation of the neck.

G-4 GOOD—*Date and legends readable. LIBERTY worn off headband.*

VG-8 VERY GOOD—*Minimum of 3 letters readable in LIBERTY.*

F-12 FINE—*LIBERTY completely readable, but not sharp.*

VF-20 VERY FINE—*All letters in LIBERTY evenly plain.*

EF-40 EXTREMELY FINE—*LIBERTY bold, and its ribbon distinct.*

MS-60 UNCIRCULATED—*No trace of wear. Light blemishes.*

Mint mark location on reverse below eagle.

	Quan. Minted	G-4	VG-8	F-12	VF-20	EF-40	MS-60	Proof-63
1892 . . . . . (1,245)	935,245	$6.50	$9.50	$12.00	$25.00	$85.00	$300.00	$900.00
1892O	390,000	45.00	55.00	80.00	135.00	225.00	525.00	
1892S	1,029,028	45.00	55.00	80.00	135.00	225.00	525.00	
1893 . . . . . . (792)	1,826,792	4.00	6.00	12.00	25.00	85.00	300.00	900.00
1893O	1,389,000	8.00	12.00	20.00	45.00	140.00	325.00	
1893S	740,000	22.50	30.00	45.00	110.00	180.00	525.00	
1894 . . . . . . (972)	1,148,972	4.00	6.00	12.00	27.00	85.00	300.00	900.00
1894O	2,138,000	4.00	6.00	12.00	27.00	90.00	325.00	
1894S	4,048,690	4.00	6.00	12.00	27.00	90.00	325.00	

Italic prices indicate unsettled values due to fluctuating bullion market. See Bullion Chart.

HALF DOLLARS

	Quan. Minted	G-4	VG-8	F-12	VF-20	EF-40	MS-60	Proof-63
1895 ...... (880)	1,835,218	$4.00	$6.50	$12.00	$27.00	$85.00	$300.00	$900.00
1895O...........	1,766,000	4.00	6.50	12.00	27.00	90.00	400.00	
1895S...........	1,108,086	7.50	11.00	19.00	40.00	90.00	300.00	
1896 ...... (762)	950,762	4.50	6.50	12.00	27.00	85.00	300.00	900.00
1896O...........	924,000	7.00	12.00	20.00	50.00	140.00	575.00	
1896S...........	1,140,948	25.00	30.00	42.50	95.00	175.00	650.00	
1897 ...... (731)	2,480,731	2.50	2.75	8.00	17.00	65.00	300.00	900.00
1897O...........	632,000	25.00	30.00	42.50	110.00	240.00	825.00	
1897S...........	933,900	45.00	50.00	65.00	120.00	225.00	725.00	
1898 ...... (735)	2,956,735	2.50	2.75	8.00	17.00	65.00	300.00	900.00
1898O...........	874,000	6.50	9.00	15.00	40.00	120.00	400.00	
1898S...........	2,358,550	3.00	4.50	12.00	25.00	85.00	375.00	
1899 ...... (846)	5,538,846	2.50	2.75	8.00	17.00	65.00	300.00	900.00
1899O...........	1,724,000	3.00	4.50	12.00	25.00	110.00	400.00	
1899S...........	1,686,411	3.00	4.50	12.00	25.00	85.00	300.00	
1900 ...... (912)	4,762,912	2.50	2.75	8.00	17.00	65.00	300.00	900.00
1900O...........	2,744,000	3.00	4.50	12.00	25.00	110.00	400.00	
1900S...........	2,560,322	3.00	4.50	12.00	25.00	85.00	300.00	
1901 ...... (813)	4,268,813	2.50	2.75	8.00	17.00	65.00	300.00	900.00
1901O...........	1,124,000	3.00	5.00	15.00	30.00	150.00	675.00	
1901S...........	847,044	6.00	9.00	20.00	70.00	225.00	775.00	
1902 ...... (777)	4,922,777	2.50	2.75	8.00	17.00	65.00	300.00	900.00
1902O...........	2,526,000	3.00	4.50	12.00	25.00	90.00	400.00	
1902S...........	1,460,670	3.00	4.50	12.00	25.00	90.00	375.00	
1903 ...... (755)	2,278,755	2.50	2.75	8.00	17.00	65.00	300.00	900.00
1903O...........	2,100,000	2.75	4.50	12.00	25.00	95.00	360.00	
1903S...........	1,920,772	2.75	4.50	12.00	25.00	95.00	360.00	
1904 ...... (670)	2,992,670	2.50	2.75	8.00	17.00	65.00	300.00	900.00
1904O...........	1,117,600	4.00	6.50	14.00	30.00	160.00	625.00	
1904S...........	553,038	5.00	8.00	20.00	65.00	175.00	600.00	
1905 ...... (727)	662,727	2.50	2.75	8.00	17.00	65.00	300.00	900.00
1905O...........	505,000	5.00	6.50	16.00	40.00	135.00	425.00	
1905S...........	2,494,000	2.50	4.50	12.00	25.00	85.00	375.00	
1906 ...... (675)	2,638,675	2.50	2.75	8.00	17.00	65.00	300.00	900.00
1906D...........	4,028,000	2.50	4.50	12.00	20.00	70.00	300.00	
1906O...........	2,446,000	2.50	4.25	10.00	18.00	70.00	325.00	
1906S...........	1,740,154	2.50	2.75	10.00	22.00	85.00	345.00	
1907 ...... (575)	2,598,575	2.50	2.75	8.00	17.00	65.00	300.00	900.00
1907D...........	3,856,000	2.50	2.75	10.00	18.00	70.00	300.00	
1907O...........	3,946,600	2.50	2.75	10.00	18.00	70.00	300.00	
1907S...........	1,250,000	2.50	2.75	12.00	20.00	100.00	375.00	
1908 ...... (545)	1,354,545	2.50	2.75	8.00	17.00	65.00	300.00	900.00
1908D...........	3,280,000	2.50	2.75	9.00	18.00	65.00	300.00	
1908O...........	5,360,000	2.50	2.75	9.00	18.00	65.00	300.00	
1908S...........	1,644,828	2.50	2.75	10.00	18.00	90.00	325.00	
1909 ...... (650)	2,368,650	2.50	2.75	8.00	17.00	65.00	300.00	900.00
1909O...........	925,400	4.50	5.00	14.00	27.50	110.00	400.00	
1909S...........	1,764,000	2.50	2.75	10.00	19.00	85.00	325.00	
1910 ...... (551)	418,551	4.50	6.00	15.00	30.00	120.00	360.00	900.00
1910S...........	1,948,000	2.50	2.75	10.00	19.00	85.00	325.00	
1911 ...... (543)	1,406,543	2.50	2.75	8.00	17.00	65.00	300.00	900.00
1911D...........	695,080	2.50	2.75	10.00	18.00	70.00	325.00	
1911S...........	1,272,000	2.50	2.75	10.00	18.00	70.00	325.00	

Italic prices indicate unsettled values due to fluctuating bullion market. See Bullion Chart.

HALF DOLLARS

	Quan. Minted	G-4	VG-8	F-12	VF-20	EF-40	MS-60	Proof-63
1912 ...... (700)	1,550,700	$2.50	$2.75	$8.00	$17.00	$65.00	$300.00	$900.00
1912D..........	2,300,800	2.50	2.75	9.00	18.00	70.00	300.00	
1912S..........	1,370,000	2.50	2.75	9.00	18.00	70.00	300.00	
1913 ...... (627)	188,627	9.00	11.00	18.00	45.00	120.00	475.00	950.00
1913D.............	534,000	2.50	2.75	12.00	22.00	80.00	325.00	
1913S.............	604,000	2.50	2.75	13.00	35.00	70.00	325.00	
1914 ...... (380)	124,610	11.00	13.50	25.00	70.00	160.00	475.00	1,000
1914S.............	992,000	2.50	2.75	12.00	22.00	70.00	325.00	
1915 ...... (450)	138,450	10.00	12.50	22.50	50.00	125.00	475.00	1,000
1915D..........	1,170,400	2.50	2.75	8.00	17.00	65.00	300.00	
1915S..........	1,604,000	2.50	2.75	8.00	17.00	65.00	300.00	

LIBERTY WALKING TYPE 1916-1947

This type was designed by A. A. Weinman. The designer's monogram AAW appears under the tip of the wing feathers. On the 1916 coins and some of the 1917 coins the mint mark is located on the obverse below the motto.

G-4 GOOD—*Rims are defined. Motto IN GOD WE TRUST readable.*
VG-8 VERY GOOD—*Motto is distinct. About half of skirt lines at left are clear.*
F-12 FINE—*All skirt lines evident, but worn in spots. Details in sandal below motto are clear.*
VF-20 VERY FINE—*Skirt lines sharp including leg area. Little wear on breast and right arm.*
EF-40 EXTREMELY FINE—*All skirt lines bold.*
MS-60 UNCIRCULATED—*No trace of wear. Light blemishes.*
MS-63 UNCIRCULATED—*No trace of wear. Slight blemishes. Attractive mint luster.*

1916-1917

1917-1947

Mint mark location.

Choice uncirculated well struck specimens are worth more than values listed.

	Quan. Minted	G-4	VG-8	F-12	VF-20	EF-40	MS-60
1916	608,000	$10.00	$12.00	$25.00	$50.00	$100.00	$210.00
1916D........... (Obv.)	1,014,400	7.00	10.00	16.00	35.00	75.00	200.00
1916S........... (Obv.)	508,000	16.00	22.00	55.00	125.00	200.00	425.00
1917	12,292,000	2.50	2.75	4.00	9.00	18.00	80.00
1917D........... (Obv.)	765,400	5.00	6.50	16.00	45.00	75.00	275.00
1917D........... (Rev.)	1,940,000	2.50	2.75	10.00	25.00	70.00	310.00
1917S........... (Obv.)	952,000	5.00	7.00	20.00	80.00	200.00	650.00
1917S........... (Rev.)	5,554,000	2.50	2.75	4.00	14.00	22.00	135.00
1918	6,634,000	2.50	2.75	4.00	24.00	65.00	200.00
1918D....................	3,853,040	2.50	2.75	4.00	25.00	70.00	400.00
1918S....................	10,282,000	2.50	2.75	4.00	15.00	25.00	150.00
1919	962,000	5.00	7.00	10.00	60.00	180.00	625.00

Italic prices indicate unsettled values due to fluctuationg bullion market. See Bullion Chart.

HALF DOLLARS

	Quan. Minted	G-4	VG-8	F-12	VF-20	EF-40	MS-60	Proof-63
1919D	1,165,000	$4.00	$6.00	$9.00	$75.00	$200.00	$900.00	
1919S	1,552,000	2.50	5.00	8.00	55.00	175.00	800.00	
1920	6,372,000	2.00	2.50	2.50	12.00	25.00	125.00	
1920D	1,551,000	2.00	2.50	12.00	60.00	125.00	550.00	
1920S	4,624,000	2.00	2.50	7.50	20.00	60.00	400.00	
1921	246,000	22.00	38.00	75.00	225.00	575.00	800.00	
1921D	208,000	38.00	52.00	125.00	275.00	625.00	1,000	
1921S	548,000	7.00	10.00	20.00	115.00	675.00	3,800	
1923S	2,178,000	2.00	2.00	5.00	22.50	70.00	425.00	
1927S	2,392,000	2.00	2.00	2.50	13.00	40.00	350.00	
1928S	1,940,000	2.00	2.00	2.50	15.00	50.00	400.00	
1929D	1,001,200	2.00	2.00	2.50	9.00	30.00	150.00	
1929S	1,902,000	2.00	2.00	2.50	8.50	35.00	150.00	
1933S	1,786,000	2.00	2.00	2.50	6.00	21.00	125.00	
1934	6,964,000	2.00	2.00	2.00	2.25	5.00	40.00	
1934D	2,361,400	2.00	2.00	2.00	2.50	14.00	80.00	
1934S	3,652,000	2.00	2.00	2.00	2.50	12.50	155.00	
1935	9,162,000	2.00	2.00	2.00	2.25	4.00	30.00	
1935D	3,003,800	2.00	2.00	2.00	2.50	14.00	80.00	
1935S	3,854,000	2.00	2.00	2.00	2.50	12.00	95.00	
1936 .... (3,901)	12,617,901	2.00	2.00	2.00	2.25	4.00	30.00	$675.00
1936D	4,252,400	2.00	2.00	2.00	2.50	10.00	50.00	
1936S	3,884,000	2.00	2.00	2.00	2.50	11.00	65.00	
1937 ..... (5,728)	9,527,728	2.00	2.00	2.00	2.25	4.00	30.00	500.00
1937D	1,676,000	2.00	2.00	2.00	2.50	15.00	100.00	
1937S	2,090,000	2.00	2.00	2.00	2.50	10.00	70.00	
1938 ..... (8,152)	4,118,152	2.00	2.00	2.00	2.25	5.00	50.00	375.00
1938D	491,600	11.00	12.00	16.00	20.00	50.00	200.00	
1939 ..... (8,808)	6,820,808	2.00	2.00	2.00	2.25	4.00	40.00	350.00
1939D	4,267,800	2.00	2.00	2.00	2.25	5.00	35.00	
1939S	2,552,000	2.00	2.00	2.00	2.25	7.00	50.00	

	Quan. Minted	VG-8	F-12	VF-20	EF-40	MS-60	MS-63	
1940 ... (11,279)	9,167,279	$2.00	$2.00	$2.00	$2.50	$25.00	$60.00	340.00
1940S	4,550,000	2.00	2.00	2.00	2.50	35.00	55.00	
1941 .. (15,412)	24,207,412	2.00	2.00	2.00	2.50	20.00	50.00	330.00
1941D	11,248,400	2.00	2.00	2.00	2.50	30.00	85.00	
1941S	8,098,000	2.00	2.00	2.00	2.50	75.00	250.00	
1942 .. (21,120)	47,839,120	2.00	2.00	2.00	2.50	20.00	65.00	330.00
1942D	10,973,800	2.00	2.00	2.00	2.50	30.00	110.00	
1942S	12,708,000	2.00	2.00	2.00	2.50	45.00	125.00	
1943	53,190,000	2.00	2.00	2.00	2.50	20.00	65.00	
1943D	11,346,000	2.00	2.00	2.00	2.50	40.00	120.00	
1943S	13,450,000	2.00	2.00	2.00	2.50	50.00	135.00	
1944	28,206,000	2.00	2.00	2.00	2.50	20.00	60.00	
1944D	9,769,000	2.00	2.00	2.00	2.50	25.00	100.00	
1944S	8,904,000	2.00	2.00	2.00	2.50	40.00	90.00	
1945	31,502,000	2.00	2.00	2.00	2.50	20.00	55.00	
1945D	9,966,800	2.00	2.00	2.00	2.50	25.00	75.00	
1945S	10,156,000	2.00	2.00	2.00	2.50	35.00	70.00	
1946	12,118,000	2.00	2.00	2.00	2.50	20.00	65.00	
1946D	2,151,000	2.00	2.00	2.00	2.50	25.00	60.00	
1946S	3,724,000	2.00	2.00	2.00	2.50	25.00	70.00	
1947	4,094,000	2.00	2.00	2.00	2.50	40.00	75.00	
1947D	3,900,600	2.00	2.00	2.00	2.50	35.00	70.00	

Italic prices indicate unsettled values due to fluctuating bullion market. See Bullion Chart.

HALF DOLLARS
FRANKLIN-LIBERTY BELL TYPE 1948-1963

The Benjamin Franklin half dollar and the Roosevelt dime were both designed by John R. Sinnock. His initials appear below the shoulder.

VF-20 VERY FINE—*At least half of the lower and upper incused lines on the rim of the bell must show.*

EF-40 EXTREMELY FINE—*Wear spots appear at top of end curls and hair back of ears. On reverse, Liberty Bell will show wear at top and on lettering.*

MS-60 UNCIRCULATED—*No trace of wear. A few noticeable blemishes.*

MS-63 UNCIRCULATED—*No trace of wear. Light blemishes. Attractive mint luster.*

Mint mark location

Choice, well struck uncirculated halves command higher prices.

	Quan. Minted	VF-20	EF-40	MS-60	MS-63	Proof-63
1948	3,006,814	$2.00	$2.00	$5.00	$15.00	
1948D	4,028,600	2.00	2.00	5.00	8.00	
1949	5,614,000	2.00	2.00	15.00	32.00	
1949D	4,120,600	2.00	2.00	14.00	30.00	
1949S	3,744,000	2.00	2.00	20.00	75.00	
1950	(51,386) 7,793,509	2.00	2.00	12.00	27.00	$200.00
1950D	8,031,600	2.00	2.00	7.00	18.00	
1951	(57,500) 16,859,602	2.00	2.00	4.00	10.00	100.00
1951D	9,475,200	2.00	2.00	10.00	25.00	
1951S	13,696,000	2.00	2.00	10.00	22.00	
1952	(81,980) 21,274,073	2.00	2.00	4.00	7.50	50.00
1952D	25,395,600	2.00	2.00	4.00	8.75	
1952S	5,526,000	2.00	2.00	10.00	22.00	
1953	(128,800) 2,796,920	2.00	2.00	7.00	17.00	40.00
1953D	20,900,400	2.00	2.00	4.00	6.50	
1953S	4,148,000	2.00	2.00	6.00	14.00	
1954	(233,300) 13,421,503	2.00	2.00	3.50	7.00	25.00
1954D	25,445,580	2.00	2.00	3.50	5.00	
1954S	4,993,400	2.00	2.00	5.00	9.00	
1955	(378,200) 2,876,381	2.00	2.00	5.00	7.50	15.00
1956	(669,384) 4,701,384	2.00	2.00	4.00	7.50	12.00
1957	(1,247,952) 6,361,952	2.00	2.00	3.00	7.00	10.00
1957D	19,966,850	2.00	2.00	3.00	4.50	
1958	(875,652) 4,917,652	2.00	2.00	3.00	6.50	14.00
1958D	23,962,412	2.00	2.00	3.00	5.50	
1959	(1,149,291) 7,349,291	2.00	2.00	3.00	5.00	10.00
1959D	13,053,750	2.00	2.00	3.00	4.50	
1960	(1,691,602) 7,715,602	2.00	2.00	2.50	4.00	9.00
1960D	18,215,812	2.00	2.00	2.50	4.00	
1961	(3,028,244) 11,318,244	2.00	2.00	2.50	4.00	7.00
1961D	20,276,442	2.00	2.00	2.50	4.00	
1962	(3,218,019) 12,932,019	2.00	2.00	2.50	3.50	7.00
1962D	35,473,281	2.00	2.00	2.50	3.50	
1963	(3,075,645) 25,239,645	2.00	2.00	2.50	3.50	7.00
1963D	67,069,292	2.00	2.00	2.50	3.50	

Italic prices indicate unsettled values due to fluctuating bullion market. See Bullion Chart.

HALF DOLLARS
KENNEDY TYPE 1964 to Date

Gilroy Roberts, former Chief Engraver of the Mint, designed the obverse of this coin. His stylized initials are on the truncation of the forceful bust of President John F. Kennedy. The reverse, which uses the presidential coat of arms for the motif, is the work of Chief Engraver Frank Gasparro.

1964 Mint mark location

1968 Mint mark location

Silver Coinage 1964

	Quan. Minted	MS-63	Proof-63
1964 . . . . (3,950,762)	277,254,766	*$2.50*	$6.00
1964D	156,205,446	*2.50*	

Silver Clad Coinage 1965-1970

	Quan. Minted	MS-63	Proof
1965	65,879,366	.80	
1966	108,984,932	.80	
1967	295,046,978	.80	
1968D	246,951,930	.80	
1968S Proof . . . . (3,041,506)			2.00
1969D	129,881,800	.80	
1969S Proof . . . . (2,934,631)			2.00
1970D (Issued only in mint sets)	2,150,000	12.00	
1970S Proof . . . . (2,632,810)			4.00

Copper-Nickel Clad Coinage 1971-

	Quan. Minted	MS-63	Proof-65		Quan. Minted	MS-63	Proof-65
1971	155,164,000	$.50		1973	64,964,000	$.50	
1971D	302,097,424	.50		1973D	83,171,400	.50	
1971S Proof	(3,220,733)		$1.00	1973S Proof	(2,760,339)		$1.00
1972	153,180,000	.50		1974	201,596,000	.50	
1972D	141,890,000	.50		1974D	79,066,300	.50	
1972S Proof	(3,260,996)		1.00	1974S Proof	(2,612,568)		1.50

BICENTENNIAL COINAGE DATED 1776—1976

	Quan. Minted	MS-63	Proof-65
1776-1976 Copper-nickel clad	234,308,000	$.50	
1776-1976D Copper-nickel clad	287,565,248	.50	

Italic prices indicate unsettled values due to fluctuating bullion market. See Bullion Chart.

HALF DOLLARS

	Quan. Minted	MS-63	Proof-65
1776-1976S Copper-nickel clad .... (7,059,099)			$.75
1776-1976S Copper-nickel clad *11,000,000		$1.25	
1776-1976S Silver clad.............................. *(4,000,000)			2.50

*Approximate mintage.

Eagle Reverse Resumed

	Quan. Minted	MS-63	Proof-65		Quan. Minted	MS-63	Proof-65
1977	43,598,000	$.50		1982S Proof....	(3,857,479)		$3.00
1977D..........	31,449,106	.50		1983P..........	34,139,000	$.50	
1977S Proof	(3,251,152)		$.90	1983D	32,472,244	.50	
1978	14,350,000	.50		1983S Proof....	(3,279,126)		2.50
1978D..........	13,765,799	.70		1984P..........	26,029,000	.50	
1978S Proof	(3,127,781)		1.50	1984D	26,262,158	.50	
1979	68,312,000	.50		1984S Proof....	(3,065,110)		3.00
1979D..........	15,815,422	.50		1985P..........	18,706,962	.50	
1979S Proof	(3,677,175)			1985D	19,814,034	.50	
Filled S			1.00	1985S Proof....	(3,362,821)		3.00
Clear S.................			6.00	1986P..........	13,107,633	.50	
1980P..........	44,134,000	.50		1986D	15,336,145	.50	
1980D..........	33,456,449	.50		1986S Proof....	(3,010,497)		2.00
1980S Proof	(3,554,806)		.85	1987P..................		.75	
1981P..........	29,544,000	.50		1987D		.75	
1981D..........	27,839,533	.50		1987S Proof.............			2.00
1981S Proof	(4,063,083)		1.50	1988P..................		.50	
1982P..........	10,819,000	.50		1988D		.50	
1982D..........	13,140,102	.50		1988S Proof.............			2.00

SILVER DOLLARS — 1794 to Date

The silver dollar was authorized by Congress April 2, 1792. Weight and fineness were specified at 416 grains and 892.4 fine. The first issues appeared in 1794 and until 1804 all silver dollars had the value stamped on the edge: HUNDRED CENTS, ONE DOLLAR OR UNIT. After a lapse in coinage of the silver dollar during the period 1804 to 1835, coins were made with either plain or reeded edges and the value was placed on the reverse side.

The weight was changed by the law of January 18, 1837 to 412½ grains, fineness .900. The coinage was discontinued by the Act of February 12, 1873 and reauthorized by the Act of February 28, 1878. The dollar was again discontinued after 1935, and since then only the copper-nickel pieces first authorized in 1971 have been coined for circulation.

FLOWING HAIR TYPE 1794-1795

AG-3 ABOUT GOOD—*Clear enough to identify.*

G-4 GOOD—*Date and letters readable. Main devices outlined, but lack details.*

VG-8 VERY GOOD—*Major details discernible. Letters well formed but worn.*

F-12 FINE—*Hair ends distinguishable. Top hairlines show, but otherwise worn smooth.*

VF-20 VERY FINE—*Hair in center shows some detail. Other details more bold.*

EF-40 EXTREMELY FINE—*Hair well defined but will show some wear.*

MS-60 UNCIRCULATED—*No trace of wear. Light blemishes.*

SILVER DOLLARS

	Quan. Minted	AG-3	G-4	VG-8	F-12	VF-20	EF-40	MS-60
1794	1,758	$1,600	$3,000	$4,500	$7,000	$12,000	$20,000	—
1795	160,295	250.00	500.00	650.00	800.00	1,500	2,500	$11,000

DRAPED BUST TYPE, SMALL EAGLE REVERSE 1795-1798

AG-3 ABOUT GOOD—*Clear enough to identify.*
G-4 GOOD—*Bust outlined, no detail. Date readable, some leaves evident.*
VG-8 VERY GOOD—*Drapery worn except deepest folds. Hairlines smooth.*
F-12 FINE—*All drapery lines distinguishable. Hairlines near cheek and neck show some detail.*
VF-20 VERY FINE—*Left side of drapery worn smooth.*
EF-40 EXTREMELY FINE—*Drapery shows distinctly. Hair well outlined and detailed.*
MS-60 UNCIRCULATED—*No trace of wear. Light blemishes.*

		AG-3	G-4	VG-8	F-12	VF-20	EF-40
1795 Bust Type	42,738	$185.00	$375.00	$500.00	$675.00	$950.00	$1,800	$8,500
1796	72,920	150.00	325.00	450.00	600.00	800.00	1,700	7,500
1797	7,776	150.00	325.00	450.00	600.00	800.00	1,700	7,500
1798 All kinds	327,536	150.00	325.00	450.00	600.00	800.00	1,700	7,500

HERALDIC EAGLE REVERSE 1798-1804

G-4 GOOD—*Letters and date readable. E PLURIBUS UNUM obliterated.*
VG-8 VERY GOOD—*Motto partially readable. Only deepest drapery details visible. All other lines smooth.*
F-12 FINE—*All drapery lines distinguishable. Hairlines near cheek and neck show some detail.*
VF-20 VERY FINE—*Left side of drapery worn smooth.*
EF-40 EXTREMELY FINE—*Drapery is distinct. Hair well detailed.*
MS-60 UNCIRCULATED—*No trace of wear. Light blemishes.*

SILVER DOLLARS

	Quan. Minted	G-4	VG-8	F-12	VF-20	EF-40	MS-60
1798 Heraldic eagle................		$175.00	$225.00	$275.00	$450.00	$775.00	$5,000
1799	423,515	175.00	225.00	275.00	450.00	775.00	5,000
1800	220,920	175.00	225.00	275.00	450.00	775.00	5,000
1801 ....,	54,454	175.00	225.00	275.00	450.00	775.00	5,000
1802	41,650	175.00	225.00	275.00	450.00	775.00	5,000
1803	85,634	175.00	225.00	275.00	450.00	775.00	5,000
1804 Variety 1, letter O in "OF" above cloud						Proof $150,000	
1804 Variety 2, letter O above space between clouds						Proof $200,000	

GOBRECHT SILVER DOLLARS

Silver dollars of 1836, 1838 and 1839 were mostly made as trial pieces, but some were made in quantities for general circulation. There was no regular issue of dollars 1805 to 1835 inclusive.

	VF-20	EF-40	Proof-60
1836 C. GOBRECHT F. on base. Rev. Eagle flying left amid stars. Plain edge. Although scarce, this is the most common variety and was issued for circulation as regular coinage................	$1,750	$2,200	$4,500
1838 Similar obv., designer's name omitted, stars added around border. Rev. Eagle flying left in plain field. Reeded edge................................	1,850	2,500	4,750
1839 Obv. as above. Rev. Eagle in plain field. Reeded edge. Issued for circulation as regular coinage...................	1,900	2,700	5,000

SILVER DOLLARS
LIBERTY SEATED TYPE — REGULAR ISSUES 1840-1873

In 1840 silver dollars were again issued for general circulation, and the seated figure of Liberty device was adopted for the obverse, and a heraldic eagle on the reverse.

VG-8 VERY GOOD—*Any 3 letters of LIBERTY at least two-thirds complete.*
F-12 FINE—*All 7 letters of LIBERTY visible though weak.*
VF-20 VERY FINE—*LIBERTY is strong but its ribbon shows slight wear.*
EF-40 EXTREMELY FINE—*Horizontal lines of shield complete. Eagle's eye plain.*
MS-60 UNCIRCULATED—*No trace of wear. Light marks or blemishes.*

Mint mark location is on the reverse below eagle.

	Quan. Minted	VG-8	F-12	VF-20	EF-40	MS-60	Proof-63
1840	61,005	$50.00	$85.00	$125.00	$185.00	$550.00	$1,400
1841	173,000	50.00	80.00	120.00	175.00	500.00	1,400
1842	184,618	50.00	80.00	120.00	175.00	500.00	1,400
1843	165,100	50.00	80.00	120.00	175.00	500.00	1,400
1844	20,000	60.00	90.00	135.00	200.00	750.00	1,400
1845	24,500	60.00	90.00	135.00	200.00	750.00	1,400
1846	110,600	50.00	80.00	120.00	175.00	500.00	1,400
1846O	59,000	65.00	100.00	135.00	225.00	1,000	
1847	140,750	50.00	80.00	120.00	175.00	500.00	1,400
1848	15,000	60.00	90.00	135.00	225.00	750.00	1,400
1849	62,600	50.00	80.00	120.00	175.00	500.00	1,400
1850	7,500	60.00	90.00	135.00	200.00	1,300	2,500
1850O	40,000	65.00	100.00	160.00	270.00	1,200	
1851	1,300	450.00	600.00	1,000	2,000	6,000	6,000
1852	1,100	. . . . .	. . . . .	. . . . .	. . . . .	5,000	4,500
1853	46,110	50.00	80.00	120.00	175.00	625.00	2,500
1854	33,140	55.00	100.00	150.00	250.00	775.00	1,600
1855	26,000	95.00	125.00	175.00	300.00	775.00	2,750
1856	63,500	60.00	100.00	140.00	200.00	700.00	2,600
1857	94,000	55.00	90.00	135.00	185.00	700.00	1,400
1858 Est. (80)	80	. . . . .	. . . . .	. . . . .	. . . . .	. . . . .	2,700
1859 (800)	256,500	50.00	80.00	120.00	175.00	550.00	1,400
1859O	360,000	50.00	80.00	120.00	175.00	550.00	
1859S	20,000	55.00	90.00	135.00	225.00	900.00	
1860 (1,330)	218,930	50.00	80.00	120.00	175.00	500.00	1,400
1860O	515,000	50.00	80.00	120.00	175.00	500.00	
1861 (1,000)	78,500	55.00	85.00	125.00	185.00	600.00	1,400
1862 (550)	12,090	95.00	125.00	225.00	325.00	950.00	1,400
1863 (460)	27,660	60.00	100.00	140.00	235.00	700.00	1,400
1864 (470)	31,170	60.00	100.00	140.00	235.00	700.00	1,400
1865 (500)	47,000	60.00	100.00	140.00	235.00	700.00	1,400

SILVER DOLLARS
Motto "In God We Trust" Added to Reverse

		Quan. Minted	VG-8	F-12	VF-20	EF-40	MS-60	Proof-63
1866	(725)	49,625	$50.00	$80.00	$120.00	$175.00	$525.00	$1,400
1867	(625)	47,525	50.00	80.00	120.00	175.00	525.00	1,400
1868	(600)	162,700	50.00	80.00	120.00	175.00	500.00	1,400
1869	(600)	424,300	50.00	80.00	120.00	175.00	500.00	1,400
1870	(1,000)	416,000	50.00	80.00	120.00	175.00	500.00	1,400
1870CC		12,462	70.00	100.00	150.00	275.00	1,100	
1870S					25,000	35,000	50,000	
1871	(960)	1,074,760	50.00	80.00	120.00	175.00	500.00	1,400
1871CC		1,376	350.00	500.00	750.00	1,200	4,200	
1872	(950)	1,106,450	50.00	80.00	120.00	175.00	500.00	1,400
1872CC		3,150	200.00	300.00	400.00	600.00	2,100	
1872S		9,000	65.00	100.00	150.00	375.00	1,400	
1873	(600)	293,600	50.00	80.00	120.00	175.00	500.00	1,400
1873CC		2,300	375.00	600.00	900.00	1,600	6,500	

TRADE DOLLARS 1873-1885

This coin was issued for circulation in the Orient to compete with dollar-size coins of other countries. It weighed 420 grains compared to 412½ grains, the weight of the regular silver dollar.

VG-8 VERY GOOD—*About half of mottoes IN GOD WE TRUST and E PLURIBUS UNUM will show. Rim on both sides well defined.*

F-12 FINE—*Mottoes and LIBERTY readable but worn.*

EF-40 EXTREMELY FINE—*Mottoes and LIBERTY are sharp. Only slight wear on rims.*

MS-60 UNCIRCULATED—*No trace of wear. Light blemishes.*

1875S
S over CC

TRADE DOLLARS 1873 - 1885

	Quan. Minted	VG-8	F-12	EF-40	MS-60	Proof-63
1873 .... (865)	397,500	$30.00	$40.00	$80.00	$375.00	$1,200
1873CC	124,500	35.00	45.00	85.00	550.00	
1873S	703,000	30.00	40.00	80.00	375.00	
1874 .... (700)	987,800	30.00	40.00	80.00	350.00	1,200
1874CC	1,373,200	35.00	45.00	85.00	475.00	
1874S	2,549,000	30.00	40.00	80.00	350.00	
1875 .... (700)	218,900	40.00	60.00	125.00	550.00	1,200
1875CC	1,573,700	35.00	45.00	85.00	400.00	
1875S	} 4,487,000	30.00	40.00	80.00	350.00	
1875S, S over CC		40.00	70.00	150.00	700.00	
1876 .... (1,150)	456,150	30.00	40.00	80.00	350.00	1,200
1876CC	509,000	35.00	45.00	85.00	400.00	
1876S	5,227,000	30.00	40.00	80.00	350.00	
1877 .... (510)	3,039,710	30.00	40.00	80.00	350.00	1,200
1877CC	534,000	35.00	50.00	100.00	550.00	
1877S	9,519,000	30.00	40.00	80.00	350.00	
1878 .... (900)	900					1,300
1878CC	97,000	60.00	95.00	260.00	1,400	
1878S	4,162,000	30.00	40.00	80.00	350.00	
1879 .... (1,541)	1,541					1,300
1880 .... (1,987)	1,987					1,300
1881 .... (960)	960					1,300
1882 .... (1,097)	1,097					1,300
1883 .... (979)	979					1,300

LIBERTY HEAD OR MORGAN TYPE 1878-1921

George T. Morgan, formerly a pupil of Wyon in the Royal Mint in London, designed the new dollar. His initial M is found at the truncation of the neck, at the last tress. It also appears on the reverse on the left-hand loop of the ribbon.

Sharply struck "proof-like" coins have a highly reflective surface and usually command substantial premiums.

VF-20 VERY FINE—*Two-thirds of hairlines from top of forehead to ear must show. Ear well defined. Feathers on eagle's breast worn.*

EF-40 EXTREMELY FINE—*All hairlines strong and ear bold. Eagle's feathers all plain but slight wear on breast and wing tips.*

AU-50 ABOUT UNCIRCULATED—*Slight trace of wear. Most of mint luster is present although marred by bag marks.*

MS-60 UNCIRCULATED—*No trace of wear. Has full mint luster, but may be noticeably marred by scuff marks or bag abrasions.*

MS-63 UNCIRCULATED—*No trace of wear, full mint luster, few noticeable surface marks.*

Most uncirculated silver dollars have scratches or nicks because of handling of mint bags. Choice sharply struck coins with full brilliance and without blemishes are worth more than listed values.

8 Tail Feathers, 1878 Philadelphia Only
Mint mark location on the reverse below wreath

SILVER DOLLARS

	Quan. Minted	VF-20	EF-40	AU-50	MS-60	MS-63
1878, 8 tail feathers. (500)	750,000	$10.00	$13.00	$20.00	$40.00	$80.00
1878, 7 tail feathers. (500)		7.00	8.00	10.00	35.00	60.00
1878, 7 over 8 feathers...	9,759,550	15.00	18.00	27.50	40.00	95.00
1878CC	2,212,000	18.00	23.00	35.00	65.00	125.00
1878S	9,774,000	7.00	8.00	13.00	25.00	55.00
1879 .... (1,100)	14,807,100	7.00	8.00	10.00	18.00	35.00
1879CC	756,000	38.00	100.00	180.00	450.00	700.00
1879O	2,887,000	7.00	8.00	12.00	22.00	105.00
1879S	9,110,000	7.00	8.00	12.00	21.00	45.00
1880 .... (1,355)	12,601,355	7.00	8.00	10.00	18.00	35.00
1880CC	591,000	30.00	50.00	65.00	110.00	200.00
1880O	5,305,000	7.00	8.00	10.00	40.00	110.00
1880S	8,900,000	7.00	8.00	10.00	24.00	40.00
1881 .... (975)	9,163,975	7.00	8.00	10.00	18.00	37.00
1881CC	296,000	50.00	65.00	85.00	160.00	225.00
1881O	5,708,000	7.00	8.00	10.00	18.00	35.00
1881S	11,760,000	7.00	8.00	10.00	23.00	40.00
1882 .... (1,100)	11,101,100	7.00	8.00	10.00	18.00	35.00
1882CC	1,133,000	22.00	27.00	36.00	60.00	105.00
1882O	6,090,000	7.00	8.00	10.00	18.00	35.00
1882S	9,250,000	7.00	8.00	10.00	25.00	45.00
1883 .... (1,039)	12,291,039	7.00	8.00	10.00	18.00	37.00
1883CC	1,204,000	20.00	26.00	35.00	60.00	105.00
1883O	8,725,000	7.00	8.00	10.00	18.00	35.00
1883S	6,250,000	12.00	15.00	55.00	235.00	550.00
1884 .... (875)	14,070,875	7.00	8.00	10.00	18.00	35.00
1884CC	1,136,000	24.00	30.00	38.00	60.00	105.00
1884O	9,730,000	7.00	8.00	10.00	18.00	35.00
1884S	3,200,000	13.00	18.00	100.00	950.00	2,500
1885 .... (930)	17,787,767	7.00	8.00	10.00	18.00	35.00
1885CC	228,000	80.00	100.00	110.00	150.00	240.00
1885O	9,185,000	7.00	8.00	10.00	18.00	35.00
1885S	1,497,000	7.00	12.00	20.00	60.00	125.00
1886 .... (886)	19,963,886	7.00	8.00	10.00	18.00	35.00
1886O	10,710,000	7.00	13.00	28.00	190.00	400.00
1886S	750,000	14.00	18.00	27.00	80.00	200.00
1887 .... (710)	20,290,710	7.00	8.00	10.00	18.00	35.00
1887O	11,550,000	7.00	8.00	10.00	20.00	45.00
1887S	1,771,000	7.00	8.00	10.00	40.00	125.00
1888 .... (832)	19,183,333	7.00	8.00	10.00	18.00	35.00
1888O	12,150,000	7.00	8.00	10.00	18.00	35.00
1888S	657,000	15.00	20.00	30.00	80.00	200.00
1889 .... (811)	21,726,811	7.00	8.00	10.00	18.00	35.00
1889CC	350,000	150.00	350.00	1,300	3,750	5,500
1889O	11,875,000	7.00	8.00	13.00	50.00	160.00
1889S	700,000	18.00	22.00	30.00	75.00	170.00
1890 .... (590)	16,802,590	7.00	8.00	10.00	18.00	35.00
1890CC	2,309,041	20.00	25.00	45.00	140.00	250.00
1890O	10,701,000	7.00	8.00	10.00	27.50	50.00

Proof Morgan Dollars where indicated in mintage record (quantity shown in parentheses) are valued approximately as follows:

Proof-60 $450.00   Proof-63 $1,350   Proof-65 $5,000

Italic prices indicate unsettled values due to fluctuating bullion market. See Bullion Chart.

SILVER DOLLARS

	Quan. Minted	VF-20	EF-40	AU-50	MS-60	MS-63
1890S	8,230,373	$7.00	$9.00	$13.00	$40.00	$65.00
1891 . . . . (650)	8,694,206	7.00	11.00	15.00	45.00	90.00
1891CC	1,618,000	19.00	24.00	40.00	140.00	250.00
1891O	7,954,529	7.00	11.00	18.00	35.00	70.00
1891S	5,296,000	7.00	9.00	12.00	37.00	65.00
1892 . . . . (1,245)	1,037,245	7.00	13.00	22.00	70.00	180.00
1892CC	1,352,000	27.50	42.00	105.00	220.00	350.00
1892O	2,744,000	10.00	12.00	26.00	70.00	235.00
1892S	1,200,000	27.50	70.00	400.00	2,800	6,000
1893 . . . . (792)	389,792	32.00	52.00	85.00	170.00	375.00
1893CC	677,000	70.00	160.00	275.00	475.00	1,200
1893O	300,000	40.00	100.00	165.00	600.00	1,300
1893S	100,000	800.00	1,750	5,400	10,000	14,500
1894 . . . . (972)	110,972	150.00	190.00	315.00	575.00	775.00
1894O	1,723,000	11.00	16.00	42.00	250.00	600.00
1894S	1,260,000	20.00	42.00	85.00	200.00	425.00
1895 . . . . (880)	12,880				†8,500	†11,500
1895O	450,000	45.00	90.00	225.00	1,200	3,200
1895S	400,000	80.00	175.00	310.00	400.00	800.00
1896 . . . . (762)	9,976,762	7.00	8.00	10.00	18.00	35.00
1896O	4,900,000	7.00	12.00	40.00	375.00	800.00
1896S	5,000,000	18.00	45.00	110.00	300.00	500.00
1897 . . . . (731)	2,822,731	7.00	8.00	10.00	18.00	35.00
1897O	4,004,000	7.00	8.00	25.00	200.00	600.00
1897S	5,825,000	8.00	10.00	12.00	38.00	100.00
1898 . . . . (735)	5,884,735	7.00	8.00	10.00	18.00	35.00
1898O	4,440,000	7.00	8.00	10.00	18.00	35.00
1898S	4,102,000	8.00	12.00	32.00	100.00	210.00
1899 . . . . (846)	330,846	20.00	28.00	38.00	50.00	115.00
1899O	12,290,000	8.00	10.00	12.00	18.00	35.00
1899S	2,562,000	8.00	15.00	30.00	75.00	200.00
1900 . . . . (912)	8,830,912	7.00	8.00	10.00	18.00	35.00
1900O	12,590,000	8.00	10.00	12.00	18.00	35.00
1900S	3,540,000	7.00	14.00	28.00	65.00	175.00
1901 . . . . (813)	6,962,813	15.00	30.00	90.00	575.00	1,500
1901O	13,320,000	8.00	10.00	12.00	18.00	35.00
1901S	2,284,000	11.00	17.50	37.00	150.00	400.00
1902 . . . . (777)	7,994,777	7.00	10.00	14.00	30.00	60.00
1902O	8,636,000	7.00	8.00	12.00	18.00	35.00
1902S	1,530,000	30.00	50.00	70.00	125.00	250.00
1903 . . . . (755)	4,652,755	7.00	10.00	14.00	25.00	50.00
1903O	4,450,000	100.00	115.00	130.00	150.00	225.00
1903S	1,241,000	27.00	100.00	350.00	1,150	2,000
1904 . . . . (650)	2,788,650	7.00	9.00	19.00	50.00	175.00
1904O	3,720,000	7.00	9.00	12.00	18.00	35.00
1904S	2,304,000	30.00	60.00	240.00	550.00	1,350
1921	44,690,000	7.00	8.00	9.00	12.00	20.00
1921D	20,345,000	7.00	8.00	10.00	15.00	30.00
1921S	21,695,000	7.00	8.00	10.00	15.00	30.00

†Values are for proofs.

Proof Morgan Dollars where indicated in mintage record (quantity shown in parenthesis) are valued approximately as follows:

Proof-60 $450.00   Proof-63 $1,350   Proof-65 $5,000

Italic prices indicate unsettled values due to fluctuating bullion market. See Bullion Chart.

SILVER DOLLARS
PEACE TYPE 1921-1935

Anthony De Francisci, a medalist, designed this dollar. His monogram is located in the field of the coin under the neck of Liberty.

VF-20 VERY FINE—*Hair over eye well worn. Some strands over ear well defined. Some eagle feathers on top and outside edge of right wing will show.*

EF-40 EXTREMELY FINE—*Hairlines over brow and ear are strong though slightly worn. Outside wing feathers at right and those at top are visible but faint.*

AU-50 ABOUT UNCIRCULATED—*Slight trace of wear. Most of mint luster is present although marred by contact marks.*

MS-60 UNCIRCULATED—*No trace of wear. Has full mint luster but may be noticeably marred by stains, surface marks or bag abrasions.*

MS-63 UNCIRCULATED—*No trace of wear, full mint luster, few noticeable surface marks.*

Most uncirculated silver dollars have scratches or nicks because of handling of mint bags. Choice sharply struck coins with full brilliance and without blemishes are worth more than listed values.

Mint mark location is on reverse below one.

	Quan. Minted	VF-20	EF-40	AU-50	MS-60	MS-63
1921	1,006,473	$15.00	$22.00	$35.00	$85.00	$225.00
1922	51,737,000	7.00	8.00	9.00	12.00	20.00
1922D	15,063,000	7.00	8.00	10.00	15.00	30.00
1922S	17,475,000	7.00	8.00	10.00	15.00	35.00
1923	30,800,000	7.00	8.00	9.00	12.00	20.00
1923D	6,811,000	7.00	8.00	10.00	15.00	40.00
1923S	19,020,000	7.00	8.00	10.00	15.00	35.00
1924	11,811,000	7.00	8.00	10.00	12.00	20.00
1924S	1,728,000	7.00	9.00	23.00	75.00	200.00
1925	10,198,000	7.00	8.00	10.00	12.00	20.00
1925S	1,610,000	7.00	9.00	13.00	50.00	125.00
1926	1,939,000	7.00	8.00	12.00	15.00	50.00
1926D	2,348,700	7.00	8.00	14.00	30.00	75.00
1926S	6,980,000	7.00	8.00	12.00	15.00	40.00
1927	848,000	7.00	12.00	19.00	40.00	75.00
1927D	1,268,900	7.00	9.00	37.50	100.00	300.00
1927S	866,000	7.00	9.00	27.50	75.00	150.00
1928	360,649	60.00	75.00	85.00	125.00	225.00
1928S	1,632,000	7.00	11.00	24.00	65.00	200.00
1934	954,057	10.00	12.00	19.00	50.00	130.00
1934D	1,569,500	7.00	13.00	21.00	55.00	165.00
1934S	1,011,000	18.00	60.00	250.00	650.00	1,000
1935	1,576,000	7.00	8.00	13.00	20.00	60.00
1935S	1,964,000	7.00	8.00	24.00	60.00	175.00

Italic prices indicate unsettled values due to fluctuating bullion market. See Bullion Chart.

EISENHOWER DOLLARS 1971-1978

Honoring both President Dwight D. Eisenhower and the first landing of man on the moon, this design is the work of Chief Engraver Frank Gasparro, whose initials are on the truncation and below the eagle. The reverse is an adaptation of the official Apollo 11 insignia.

Mint mark location is above the date.

	Quan. Minted			
	Proof	Regular	MS-63	Proof-65
1971 Copper-nickel clad		47,799,000	$1.00	
1971D Copper-nickel clad..............................		68,587,424	1.00	
1971S Silver clad	(4,265,234)	6,868,530	3.00	$4.00
1972 Copper-nickel clad		75,890,000	1.00	
1972D Copper-nickel clad...............................		92,548,511	1.00	
1972S Silver clad	(1,811,631)	2,193,056	4.00	5.00
1973 Copper-nickel clad		*2,000,056	4.00	
1973D Copper-nickel clad...............................		*2,000,000	4.00	
1973S Copper-nickel clad	(2,760,339)			1.75
1973S Silver clad	(1,013,646)	1,883,140	10.00	25.00
1974 Copper-nickel clad		27,366,000	1.00	
1974D Copper-nickel clad...............................		45,517,000	1.00	
1974S Copper-nickel clad	(2,612,568)			1.75
1974S Silver clad	(1,306,579)	1,900,000	4.50	7.00

*1,769,258 of each sold only in sets and not released for circulation. Unissued coins destroyed at mint.

BICENTENNIAL COINAGE DATED 1776-1976

Obverse and Reverse Variety II   Reverse Var. I

Variety I: Design in low relief, bold lettering on reverse. Variety II: Sharp design, delicate lettering on reverse.

[121]

BICENTENNIAL DOLLARS

	Quan. Minted	MS-63	Proof-65
1776-1976 Copper-nickel clad, variety I	4,019,000	$1.00	
1776-1976 Copper-nickel clad, variety II	113,318,000	1.00	
1776-1976D Copper-nickel clad, variety I	21,048,710	1.00	
1776-1976D Copper-nickel clad, variety II	82,179,564	1.00	
1776-1976S Copper-nickel clad, variety I	(2,845,450)		$3.25
1776-1976S Copper-nickel clad, variety II	(4,149,730)		2.00
1776-1976S Silver clad, variety I	* 11,000,000	3.00	
1776-1976S Silver clad, variety I	*(4,000,000)		5.00

*Approximate mintage.

EAGLE REVERSE RESUMED

1977 Copper-nickel clad	12,596,000	1.00	
1977D Copper-nickel clad	32,983,006	1.00	
1977S Copper-nickel clad	(3,251,152)		1.75
1978 Copper-nickel clad	25,702,000	1.00	
1978D Copper-nickel clad	23,012,890	1.00	
1978S Copper-nickel clad	(3,127,781)		1.75

SUSAN B. ANTHONY DOLLARS 1979-1981

					Clear S		Filled S	
	Quan. minted	MS-63	Proof-65			Quan. minted	MS-63	Proof-65
1979P	360,222,000	$1.00·		1980D	41,628,708	$1.00	
1979D	288,015,744	1.00		1980S	20,422,000	1.10	
1979S	109,576,000	1.00		1980S Proof	(3,554,806)		$3.50
1979S Proof	(3,677,175)			1981P	3,000,000	1.50	
Filled S			$3.50	1981D	3,250,000	1.50	
Clear S			40.00	1981S	3,492,000	1.50	
1980P	27,610,000	1.00		1981S Proof	(4,063,083)		3.50

GOLD
GOLD DOLLARS 1849-1889

Coinage of the gold dollar was authorized by the Act of March 3, 1849. The weight was 25.8 grains, fineness .900. The first type, struck until 1854, is known as the Liberty Head or small-sized type.

In 1854 the piece was made larger in diameter and thinner. The design was changed to a feather headdress on a female, generally referred to as the Indian Head or large-sized type. In 1856 the type was changed slightly by enlarging the size of the head.

LIBERTY HEAD TYPE 1849-1854

VF-20 VERY FINE—*LIBERTY on headband complete and readable. Knobs on coronet are defined.*

EF-40 EXTREMELY FINE—*Slight wear on Liberty's hair. Knobs on coronet sharp.*

AU-50 ABOUT UNCIRCULATED—*Trace of wear over eye and on coronet.*

MS-60 UNCIRCULATED—*No trace of wear. Light marks and blemishes.*

Mint mark is below wreath.

	Quan. Minted	VF-20	EF-40	AU-50	MS-60
1849	688,567	$100.00	$125.00	$150.00	$500.00
1849C	11,634	175.00	300.00	550.00	1,650
1849D	21,588	175.00	300.00	500.00	1,500
1849O	215,000	110.00	125.00	150.00	550.00
1850	481,953	100.00	125.00	150.00	500.00
1850C	6,966	175.00	300.00	500.00	1,500
1850D	8,382	175.00	250.00	375.00	1,000
1850O	14,000	120.00	140.00	200.00	700.00
1851	3,317,671	100.00	125.00	150.00	500.00
1851C	41,267	150.00	225.00	335.00	900.00
1851D	9,882	150.00	225.00	335.00	950.00
1851O	290,000	110.00	125.00	150.00	600.00
1852	2,045,351	100.00	125.00	150.00	500.00
1852C	9,434	150.00	225.00	335.00	1,250
1852D	6,360	150.00	225.00	335.00	1,250
1852O	140,000	110.00	125.00	150.00	600.00
1853	4,076,051	100.00	125.00	150.00	500.00
1853C	11,515	150.00	225.00	335.00	1,250
1853D	6,583	150.00	225.00	335.00	1,250
1853O	290,000	110.00	125.00	150.00	550.00
1854	855,502	100.00	125.00	150.00	500.00
1854D	2,935	225.00	275.00	600.00	1,500
1854S	14,632	125.00	225.00	325.00	750.00

INDIAN HEAD TYPE, Small Head 1854-1856

VF-20 VERY FINE—*Feather curl tips outlined but details worn.*

EF-40 EXTREMELY FINE—*Slight wear on tips of feather curls on headdress.*

AU-50 ABOUT UNCIRCULATED—*Trace of wear on headdress.*

MS-60 UNCIRCULATED—*No trace of wear. Light marks and blemishes.*

	Quan. Minted	VF-20	EF-40	AU-50	MS-60
1854	783,943	$175.00	$300.00	$900.00	$3,500
1855	758,269	175.00	300.00	900.00	3,500
1855C	9,803	350.00	650.00	1,200	4,000
1855D	1,811	1,500	2,500	3,000	9,000
1855O	55,000	250.00	375.00	1,000	3,750
1856S	24,600	250.00	375.00	1,000	3,750

GOLD DOLLARS

INDIAN HEAD TYPE, Large Head 1856-1889

VF-20 VERY FINE—*Curled feathers have slight detail. Details worn smooth at eyebrow, hair below head-dress and behind ear and bottom curl.*

EF-40 EXTREMELY FINE—*Slight wear above and to right of eye and on top of curled feathers.*

AU-50 ABOUT UNCIRCULATED—*Trace of wear on headdress.*

MS-60 UNCIRCULATED—*No trace of wear. Light marks and blemishes.*

	Quan. Minted	VF-20	EF-40	AU-50	MS-60	Proof-63
1856	1,762,936	$100.00	$125.00	$150.00	$450.00	$3,500
1856D	1,460	1,200	2,200	3,000	7,500	
1857	774,789	100.00	125.00	150.00	450.00	3,500
1857C	13,280	200.00	250.00	350.00	800.00	
1857D	3,533	275.00	375.00	600.00	2,000	
1857S	10,000	125.00	150.00	225.00	700.00	
1858	117,995	100.00	125.00	150.00	450.00	3,500
1858D	3,477	325.00	425.00	650.00	1,800	
1858S	10,000	125.00	150.00	225.00	700.00	
1859 (80)	168,244	100.00	125.00	150.00	450.00	3,400
1859C	5,235	160.00	250.00	350.00	1,300	
1859D	4,952	225.00	325.00	450.00	1,500	
1859S	15,000	115.00	150.00	225.00	700.00	
1860 (154)	36,668	100.00	125.00	150.00	450.00	3,000
1860D	1,566	1,000	2,200	4,000	6,500	
1860S	13,000	115.00	150.00	225.00	700.00	
1861 (349)	527,499	100.00	125.00	150.00	450.00	3,000
1861D		3,000	5,000	7,000	14,000	
1862 (35)	1,361,390	100.00	125.00	150.00	450.00	3,300
1863 (50)	6,250	150.00	200.00	375.00	1,500	4,750
1864 (50)	5,950	140.00	175.00	350.00	1,400	4,750
1865 (25)	3,725	140.00	175.00	350.00	1,400	4,750
1866 (30)	7,130	115.00	160.00	300.00	700.00	4,000
1867 (50)	5,250	125.00	180.00	325.00	800.00	4,000
1868 (25)	10,525	100.00	150.00	250.00	550.00	4,000
1869 (25)	5,925	115.00	160.00	300.00	675.00	4,000
1870 (35)	6,335	115.00	160.00	300.00	675.00	4,000
1870S	3,000	250.00	375.00	600.00	1,800	
1871 (30)	3,930	115.00	160.00	250.00	675.00	4,000
1872 (30)	3,530	115.00	160.00	250.00	675.00	4,000
1873 Closed 3 (25)	1,825	125.00	175.00	275.00	775.00	4,500
1873 Open 3	123,300	100.00	125.00	150.00	450.00	
1874 (20)	198,820	100.00	125.00	150.00	450.00	4,000
1875 (20)	420	950.00	1,400	2,350	4,750	12,000
1876 (45)	3,245	115.00	150.00	200.00	700.00	3,000
1877 (20)	3,920	115.00	150.00	200.00	700.00	3,000
1878 (20)	3,020	115.00	150.00	200.00	700.00	3,000
1879 (30)	3,030	115.00	150.00	200.00	700.00	3,000
1880 (36)	1,636	115.00	150.00	200.00	700.00	3,000
1881 (87)	7,707	100.00	125.00	150.00	450.00	2,900
1882 (125)	5,125	100.00	125.00	150.00	450.00	2,900
1883 (207)	11,007	100.00	125.00	150.00	450.00	2,900
1884 (1,006)	6,236	100.00	125.00	150.00	450.00	2,500
1885 (1,105)	12,261	100.00	125.00	150.00	450.00	2,500
1886 (1,016)	6,016	100.00	125.00	150.00	450.00	2,500
1887 (1,043)	8,543	100.00	125.00	150.00	450.00	2,500
1888 (1,079)	16,580	100.00	125.00	150.00	450.00	2,500
1889 (1,779)	30,729	100.00	125.00	150.00	450.00	2,500

QUARTER EAGLES—1796-1929
($2.50 GOLD PIECES)

Although authorized by the Act of April 2, 1792, coinage of quarter eagles was not begun until 1796.

CAPPED BUST TO RIGHT 1796-1807

No Stars on Obverse 1796 Only

F-12 FINE—*Hair worn smooth on high spots. E PLURIBUS UNUM weak but readable.*

VF-20 VERY FINE—*Some wear on high spots.*

EF-40 EXTREMELY FINE—*Only slight wear on hair and cheek.*

MS-60 UNCIRCULATED—*No trace of wear. Light blemishes.*

Stars on Obverse 1796-1807

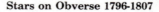

	Quan. Minted	F-12	VF-20	EF-40	MS-60
1796 No stars on obverse	963	$5,000	$8,000	$12,000	$27,500
1796 Stars on obverse	432	3,750	5,750	7,500	16,500
1797	427	2,750	4,000	6,500	12,000
1798	1,094	2,000	2,600	3,600	9,000
1802, 2 over 1	3,035	1,250	2,000	2,750	8,500
1804, 13-Star reverse	} 3,327	2,400	4,000	6,000	11,000
1804, 14-Star reverse		1,250	2,000	3,000	8,500
1805	1,781	1,250	2,000	3,000	8,500
1806, 6 over 4, stars 8+5	1,136	1,250	2,000	3,000	8,500
1806, 6 over 5, stars 7+6	480	1,750	2,750	4,000	9,500
1807	6,812	1,250	2,000	3,000	8,500

CAPPED BUST TO LEFT, Large Size 1808

F-12 FINE—*E PLURIBUS UNUM and LIBERTY on headband readable but weak.*

VF-20 VERY FINE—*Motto and LIBERTY clear.*

EF-40 EXTREMELY FINE—*All details of hair are plain.*

MS-60 UNCIRCULATED—*No trace of wear. Light blemishes.*

1808	2,710	5,000	7,500	11,000	28,000

CAPPED HEAD TO LEFT 1821-1834

Those dated 1829-1834 are smaller in diameter than the 1821-1827 pieces.

1821	6,448	1,200	2,500	3,500	9,000
1824, 4 over 1	2,600	1,200	2,500	3,500	9,000
1825	4,434	1,200	2,500	3,500	9,000
1826	760	2,200	3,300	5,000	16,000

QUARTER EAGLES

	Quan. Minted	F-12	VF-20	EF-40	MS-60
1827	2,800	$1,200	$2,500	$3,500	$9,000
1829	3,403	1,200	2,500	3,500	8,000
1830	4,540	1,000	2,000	3,000	8,000
1831	4,520	1,000	2,000	3,000	8,000
1832	4,400	1,000	2,000	3,000	8,000
1833	4,160	1,000	2,000	3,000	8,000
1834 (Motto)	4,000	2,600	4,300	6,750	14,000

CLASSIC HEAD TYPE, No Motto on Reverse 1834-1839

In 1834 the quarter eagle was redesigned. A ribbon binding the hair, bearing the word LIBERTY, replaces the Liberty cap. The motto was omitted from the reverse.

F-12 FINE—*LIBERTY readable and complete. Curl under ear oulined but no detail.*

VF-20 VERY FINE—*LIBERTY plain. Hair curl has detail.*

EF-40 EXTREMELY FINE—*Small amount of wear on top of hair and below L in LIBERTY. Wear evident on wing.*

AU-50 ABOUT UNCIRCULATED—*Trace of wear on coronet and hair above ear.*

MS-60 UNCIRCULATED—*No trace of wear. Light blemishes.*

Mint mark location.

	Quan. Minted	F-12	VF-20	EF-40	AU-50	MS-60
1834 No motto	112,234	$135.00	$165.00	$250.00	$475.00	$1,000
1835	131,402	135.00	165.00	250.00	475.00	1,000
1836	547,986	135.00	165.00	250.00	475.00	1,000
1837	45,080	135.00	175.00	275.00	525.00	1,500
1838	47,030	135.00	175.00	275.00	525.00	1,500
1838C	7,880	175.00	250.00	500.00	625.00	2,500
1839	27,021	135.00	175.00	275.00	525.00	1,500
1839C	18,140	175.00	250.00	500.00	625.00	2,300
1839D	13,674	175.00	250.00	500.00	675.00	2,500
1839O	17,781	150.00	200.00	300.00	550.00	2,000

CORONET TYPE 1840-1907

Plain 4

Crosslet 4

Mint mark location.

	Quan. Minted	VF-20	EF-40	AU-50	MS-60
1840	18,859	$150.00	$175.00	$225.00	$600.00
1840C	12,822	200.00	300.00	450.00	1,200
1840D	3,532	400.00	650.00	1,200	2,500
1840O	33,580	150.00	175.00	225.00	700.00
1841 Proofs only		6,000	12,500	17,500	32,500
1841C	10,281	275.00	450.00	525.00	900.00
1841D	4,164	325.00	575.00	850.00	2,000
1842	2,823	275.00	450.00	525.00	1,200
1842C	6,729	275.00	450.00	525.00	900.00
1842D	4,643	300.00	475.00	800.00	1,750
1842O	19,800	150.00	175.00	225.00	700.00
1843	100,546	150.00	175.00	225.00	700.00

QUARTER EAGLES

	Quan. Minted	VF-20	EF-40	AU-50	MS-60
1843D	36,209	$275.00	$450.00	$525.00	$1,100
1843O	364,002	150.00	175.00	225.00	700.00
1844	6,784	160.00	200.00	350.00	800.00
1844C	11,622	200.00	250.00	400.00	1,200
1844D	17,332	200.00	300.00	500.00	1,400
1845	91,051	150.00	175.00	200.00	700.00
1845D	19,460	200.00	250.00	400.00	1,200
1845O	4,000	500.00	800.00	1,200	5,000
1846	21,598	150.00	175.00	200.00	700.00
1846C	4,808	300.00	500.00	800.00	1,700
1846D	19,303	225.00	300.00	600.00	1,300
1846O	62,000	150.00	175.00	200.00	700.00
1847	29,814	150.00	175.00	200.00	700.00
1847C	23,226	200.00	225.00	375.00	900.00
1847D	15,784	200.00	225.00	400.00	1,100
1847O	124,000	150.00	175.00	200.00	600.00
1848	7,497	250.00	400.00	600.00	1,200

CAL. Above Eagle on Reverse

California Gold Quarter Eagle

In 1848 about two hundred and thirty ounces of gold were sent to Secretary of War Marcy by Col. R. B. Mason, Military Governor of California. The gold was turned over to the mint and made into quarter eagles. The distinguishing mark "CAL." was punched above the eagle on the reverse side, while the coins were in the die.

1848 CAL. above eagle	1,389	3,000	5,000	7,000	14,000
1848C	16,788	200.00	285.00	400.00	1,000
1848D	13,771	250.00	350.00	550.00	1,150
1849	23,294	150.00	165.00	200.00	700.00
1849C	10,220	225.00	375.00	600.00	1,200
1849D	10,945	250.00	450.00	750.00	1,500
1850	252,923	125.00	150.00	185.00	550.00
1850C	9,148	250.00	375.00	650.00	1,200
1850D	12,148	250.00	400.00	750.00	1,500
1850O	84,000	125.00	150.00	185.00	650.00
1851	1,372,748	125.00	150.00	185.00	550.00
1851C	14,923	200.00	250.00	400.00	1,000
1851D	11,264	200.00	275.00	450.00	1,100
1851O	148,000	125.00	150.00	185.00	550.00
1852	1,159,681	125.00	150.00	185.00	550.00
1852C	9,772	200.00	300.00	450.00	1,000
1852D	4,078	300.00	450.00	700.00	2,000
1852O	140,000	125.00	150.00	185.00	650.00
1853	1,404,668	125.00	150.00	185.00	550.00
1853D	3,178	350.00	600.00	850.00	2,200
1854	596,258	125.00	150.00	185.00	550.00
1854C	7,295	250.00	400.00	600.00	1,200
1854D	1,760	1,200	1,800	2,500	5,000
1854O	153,000	125.00	150.00	185.00	550.00
1854S	246		13,000	22,000	——
1855	235,480	125.00	150.00	185.00	550.00
1855C	3,677	350.00	600.00	850.00	2,250

QUARTER EAGLES

	Quan. Minted	VF-20	EF-40	AU-50	MS-60	Proof-63
1855D.............................	1,123	$1,200	$2,100	$3,200	$8,000	
1856	384,240	125.00	150.00	185.00	550.00	
1856C.............................	7,913	200.00	300.00	,450.00	1,300	
1856D.............................	874	1,600	4,000	6,500	12,500	
1856O.............................	21,100	150.00	165.00	250.00	650.00	
1856S.............................	72,120	150.00	165.00	250.00	650.00	
1857	214,130	125.00	150.00	185.00	550.00	$7,500
1857D.............................	2,364	300.00	450.00	800.00	2,000	
1857O.............................	34,000	125.00	150.00	185.00	650.00	
1857S.............................	69,200	125.00	150.00	200.00	550.00	
1858	47,377	125.00	150.00	185.00	650.00	7,500
1858C.............................	9,056	180.00	250.00	400.00	1,000	
1859 .... (80)	39,444	125.00	150.00	185.00	650.00	6,000
1859D.............................	2,244	250.00	500.00	850.00	2,000	
1859S.............................	15,200	150.00	170.00	225.00	550.00	
1860 .... (112)	22,675	125.00	150.00	185.00	550.00	4,000
1860C.............................	7,469	185.00	350.00	450.00	1,200	
1860S.............................	35,600	150.00	165.00	225.00	650.00	
1861 .... (90) 1,283,878		125.00	150.00	185.00	550.00	4,000
1861S.............................	24,000	150.00	165.00	225.00	650.00	
1862, 2 over 1	} 98,543		700.00	1,000	——	
1862 .... (35)		125.00	150.00	185.00	550.00	4,500
1862S.............................	8,000	200.00	350.00	500.00	1,100	
1863 Proofs only.............. (30)	30					——
1863S.............................	10,800	150.00	165.00	225.00	1,000	
1864 .... (50)	2,874	400.00	800.00	1,500	3,000	7,000
1865 .... (25)	1,545	400.00	800.00	1,500	3,000	7,000
1865S.............................	23,376	150.00	165.00	225.00	650.00	
1866 .... (30)	3,110	175.00	225.00	400.00	900.00	4,500
1866S.............................	38,960	150.00	160.00	225.00	700.00	
1867 .... (50)	3,250	165.00	200.00	350.00	800.00	3,750
1867S.............................	28,000	150.00	165.00	225.00	650.00	
1868 .... (25)	3,625	150.00	190.00	350.00	700.00	3,750
1868S.............................	34,000	150.00	165.00	225.00	650.00	
1869 .... (25)	4,345	150.00	165.00	300.00	700.00	3,750
1869S.............................	29,500	150.00	165.00	200.00	600.00	
1870 ....:................... (35)	4,555	150.00	165.00	225.00	650.00	3,750
1870S.............................	16,000	150.00	165.00	200.00	600.00	
1871 .... (30)	5,350	150.00	165.00	225.00	650.00	3,750
1871S.............................	22,000	125.00	150.00	185.00	550.00	
1872 .... (30)	3,030	150.00	175.00	275.00	650.00	3,750
1872S.............................	18,000	125.00	150.00	185.00	550.00	
1873 .... (25)	178,025	125.00	150.00	185.00	550.00	3,750
1873S.............................	27,000	125.00	150.00	185.00	600.00	
1874 .... (20)	3,940	160.00	175.00	275.00	600.00	4,500
1875 .... (20)	420	900.00	1,800	2,750	5,500	13,000
1875S.............................	11,600	125.00	150.00	185.00	600.00	
1876 .... (45)	4,221	150.00	185.00	300.00	650.00	3,600
1876S.............................	5,000	150.00	165.00	225.00	600.00	
1877 .... (20)	1,652	250.00	325.00	425.00	1,000	4,500
1877S.............................	35,400	125.00	150.00	185.00	550.00	
1878 .... (20)	286,260	125.00	150.00	185.00	550.00	3,600
1878S.............................	178,000	125.00	150.00	185.00	550.00	
1879 .... (30)	88,990	125.00	150.00	185.00	550.00	3,600
1879S.............................	43,500	125.00	150.00	185.00	550.00	
1880 .... (36)	2,996	150.00	165.00	225.00	600.00	3,600
1881 .... (51)	691	350.00	500.00	1,000	1,900	5,000
1882 .... (67)	4,067	150.00	165.00	200.00	600.00	3,600

QUARTER EAGLES

	Quan. Minted	VF-20	EF-40	AU-50	MS-60	Proof-63
1883 .... (82)	2,002	$150.00	$175.00	$225.00	$650.00	$3,750
1884 .... (73)	2,023	150.00	175.00	225.00	650.00	3,750
1885 .... (87)	887	350.00	500.00	900.00	1,500	4,750
1886 .... (88)	4,088	150.00	175.00	225.00	650.00	4,000
1887 .... (122)	6,282	150.00	165.00	200.00	650.00	3,500
1888 .... (97)	16,098	125.00	150.00	185.00	550.00	3,500
1889 .... (48)	17,648	125.00	150.00	185.00	550.00	3,500
1890 .... (93)	8,813	125.00	150.00	185.00	550.00	3,500
1891 .... (80)	11,040	125.00	150.00	185.00	550.00	3,500
1892 .... (105)	2,545	150.00	175.00	225.00	650.00	3,500
1893 .... (106)	30,106	125.00	150.00	185.00	550.00	3,500
1894 .... (122)	4,122	150.00	165.00	200.00	650.00	3,200
1895 .... (119)	6,119	125.00	150.00	185.00	550.00	3,200
1896 .... (132)	19,202	125.00	150.00	185.00	550.00	3,200
1897 .... (136)	29,904	125.00	150.00	185.00	550.00	3,200
1898 .... (165)	24,165	125.00	150.00	185.00	550.00	3,000
1899 .... (150)	27,350	125.00	150.00	185.00	550.00	3,000
1900 .... (205)	67,205	125.00	150.00	185.00	550.00	3,000
1901 .... (223)	91,323	125.00	150.00	185.00	550.00	3,000
1902 .... (193)	133,733	125.00	150.00	185.00	550.00	3,000
1903 .... (197)	201,257	125.00	150.00	185.00	550.00	3,000
1904 .... (170)	160,960	125.00	150.00	185.00	550.00	3,000
1905 .... (144)	217,944	125.00	150.00	185.00	550.00	3,000
1906 .... (160)	176,490	125.00	150.00	185.00	550.00	3,000
1907 .... (154)	336,448	125.00	150.00	185.00	550.00	3,000

INDIAN HEAD TYPE 1908-1929

Bela Lyon Pratt was the designer of this and the half eagle piece. The coin has no raised milling and the main devices and legends are incuse.

VF-20 VERY FINE—*Hair cord knot distinct. Feathers at top of head clear. Cheekbone worn.*

EF-40 EXTREMELY FINE—*Cheekbone, war bonnet and head-band feathers slightly worn.*

AU-50 ABOUT UNCIRCULATED—*Trace of wear on cheekbone and headdress.*

MS-60 UNCIRCULATED—*No trace of wear. Light blemishes.*

Mint mark location is on reverse left of fasces.

	Quan. Minted	VF-20	EF-40	AU-50	MS-60	Matte Proof-63
1908 .... (236)	565,057	$115.00	$125.00	$150.00	$250.00	$4,000
1909 .... (139)	441,899	115.00	125.00	150.00	250.00	4,000
1910 .... (682)	492,682	115.00	125.00	150.00	250.00	4,000
1911 .... (191)	704,191	115.00	125.00	150.00	250.00	4,000
1911D........................	55,680	450.00	650.00	900.00	2,000	
1912 .... (197)	616,197	115.00	125.00	150.00	250.00	4,000
1913 .... (165)	722,165	115.00	125.00	150.00	250.00	4,000
1914 .... (117)	240,117	115.00	125.00	150.00	250.00	4,000
1914D........................	448,000	115.00	125.00	150.00	250.00	
1915 .... (100)	606,100	115.00	125.00	150.00	250.00	4,000
1925D........................	578,000	115.00	125.00	150.00	250.00	
1926	446,000	115.00	125.00	150.00	250.00	
1927	388,000	115.00	125.00	150.00	250.00	
1928	416,000	115.00	125.00	150.00	250.00	
1929	532,000	115.00	125.00	150.00	250.00	

THREE DOLLAR GOLD PIECES

THREE DOLLAR GOLD PIECES — 1854-1889

The three dollar gold piece was authorized by the Act of February 21, 1853. The coin was first struck in 1854. It was never popular and saw very little circulation.

VF-20 VERY FINE—*Eyebrow, hair about forehead and ear and bottom curl are worn smooth. Curled feather-ends have faint details showing.*

EF-40 EXTREMELY FINE—*Light wear above and to right of eye and on top of curled feathers.*

AU-50 ABOUT UNCIRCULATED—*Trace of wear on top of curled feathers and in hair above and to right of eye.*

MS-60 UNCIRCULATED—*No trace of wear. Light blemishes.*

Mint mark location is on reverse below wreath

	Quan. Minted	VF-20	EF-40	AU-50	MS-60	Proof-63
1854	138,618	$300.00	$450.00	$700.00	$1,850	$13,000
1854D	1,120	3,000	6,000	10,000	15,000	
1854O	24,000	300.00	450.00	700.00	1,850	
1855	50,555	300.00	450.00	700.00	1,850	16,000
1855S	6,600	300.00	450.00	700.00	2,000	
1856	26,010	300.00	450.00	700.00	1,850	10,000
1856S	34,500	300.00	450.00	700.00	1,850	
1857	20,891	300.00	450.00	700.00	1,850	8,500
1857S	14,000	300.00	450.00	700.00	1,850	
1858	2,133	400.00	500.00	800.00	2,000	8,000
1859 (80)	15,638	300.00	450.00	700.00	1,850	7,000
1860 (119)	7,155	300.00	450.00	700.00	1,850	5,500
1860S (2,592 melted at Mint)	7,000	400.00	550.00	800.00	2,000	
1861 (113)	6,072	300.00	450.00	700.00	1,850	5,500
1862 (35)	5,785	300.00	450.00	700.00	1,850	5,500
1863 (39)	5,039	300.00	450.00	700.00	1,850	5,500
1864 (50)	2,680	300.00	450.00	700.00	1,850	5,500
1865 (25)	1,165	400.00	600.00	900.00	3,500	7,500
1866 (30)	4,030	300.00	450.00	700.00	1,850	5,500
1867 (50)	2,650	300.00	450.00	700.00	1,850	5,500
1868 (25)	4,875	300.00	450.00	700.00	1,850	5,500
1869 (25)	2,525	300.00	450.00	700.00	1,850	5,500
1870 (35)	3,535	300.00	450.00	700.00	1,850	5,500
1870S	1	(Unique)				
1871 (30)	1,330	400.00	500.00	800.00	1,850	5,500
1872 (30)	2,030	300.00	450.00	700.00	1,850	5,500
1873 Open 3 (original) (25)	25					17,000
1873 Closed 3		1,200	1,850	2,300	4,000	9,000
1874 (20)	41,820	300.00	450.00	700.00	1,850	6,000
1875 Proofs only (20)	20					—
1876 Proofs only (45)	45					—
1877 (20)	1,488	400.00	700.00	1,250	2,000	7,000
1878 (20)	82,324	300.00	450.00	700.00	1,850	6,000
1879 (30)	3,030	300.00	450.00	700.00	1,850	5,500
1880 (36)	1,036	350.00	500.00	800.00	1,850	5,500
1881 (54)	554	500.00	700.00	1,300	2,000	6,000
1882 (76)	1,576	300.00	450.00	700.00	1,850	5,000
1883 (89)	989	350.00	500.00	800.00	1,850	5,000
1884 (106)	1,106	350.00	500.00	800.00	1,850	5,000
1885 (109)	910	350.00	500.00	800.00	2,000	5,000
1886 (142)	1,142	300.00	450.00	700.00	1,850	5,000
1887 (160)	6,160	300.00	450.00	700.00	1,850	5,000
1888 (291)	5,291	300.00	450.00	700.00	1,850	5,000
1889 (129)	2,429	300.00	450.00	700.00	1,850	5,000

FOUR DOLLAR GOLD OR "STELLA"

These pattern coins were first suggested by the Hon. John A. Kasson, then U.S. Minister to Austria; and it was through the efforts of Dr. W. W. Hubbell, who patented the goloid metal used in making the goloid metric dollars, that we have these beautiful and interesting pieces. Only those struck in gold are listed.

	Quan. Minted	VF-20	EF-40	Proof-60
1879 Flowing hair	425	$7,000	$11,000	$18,000
1879 Coiled hair	10	15,000	21,000	37,500
1880 Flowing hair	15	10,000	13,000	23,000
1880 Coiled hair	10	15,000	21,000	37,500

HALF EAGLES — 1795-1929
($5.00 GOLD PIECES)

The half eagle was the first gold coin struck for the United States. The $5.00 piece was authorized to be coined by the Act of April 2, 1792, and the first type weighed 135 grains, 916 2/3 fine. The weight was changed by the Act of June 28, 1834 to 129 grains, 899.225 fine. Fineness became .900 by the Act of January 18, 1837.

CAPPED BUST TO RIGHT, SMALL EAGLE 1795-1798

F-12 FINE—*Hair worn smooth but with distinct outline. For heraldic type, E PLURIBUS UNUM is faint but readable.*
VF-20 VERY FINE—*Slight to noticeable wear on high spots such as hair, turban, eagle's head and wings.*
EF-40 EXTREMELY FINE—*Slight wear on hair and highest part of cheek.*
MS-60 UNCIRCULATED—*No trace of wear. Light blemishes.*

	Quan. Minted	F-12	VF-20	EF-40	MS-60
1795 Small eagle	8,707	$2,500	$4,000	$6,000	$15,000

1796, 6 over 5	1797, 15 Stars	1797, 16 Stars

1796, 6 over 5	6,196	2,500	4,000	6,000	16,000
1797, 15 stars		3,500	5,000	7,500	18,000

HALF EAGLES

	Quan. Minted	F-12	VF-20	EF-40	MS-60
1797, 16 stars All kinds.	3,609	$3,750	$5,500	$8,000	$19,000
1798 Small eagle (7 known)		—	—	—	—

CAPPED BUST TO RIGHT, HERALDIC EAGLE 1795-1807

		F-12	VF-20	EF-40	MS-60
1795 Heraldic eagle		4,000	6,000	11,000	24,000
1797, 7 over 5		3,500	5,250	9,000	16,000
1798 13 star reverse	⎱ 24,867	750.00	1,000	1,800	5,500
1798 14 star reverse	⎰	1,000	1,800	2,500	7,000
1799	7,451	750.00	1,000	1,800	5,500
1800	37,628	750.00	1,000	1,800	5,500
1802, 2 over 1	53,176	750.00	1,000	1,800	5,500
1803, 3 over 2	33,506	750.00	1,000	1,800	5,500
1804	30,475	750.00	1,000	1,800	5,500
1805	33,183	750.00	1,000	1,800	5,500
1806	64,093	750.00	1,000	1,800	5,500
1807	32,488	750.00	1,000	1,800	5,500

CAPPED DRAPED BUST TO LEFT 1807-1812

F-12 FINE—*LIBERTY readable but partly weak.*

VF-20 VERY FINE—*Headband edges slightly worn. LIBERTY is bold.*

EF-40 EXTREMELY FINE—*Slight wear on highest portions of hair. 80% of major curls are plain.*

MS-60 UNCIRCULATED—*No trace of wear. Light blemishes.*

		F-12	VF-20	EF-40	MS-60
1807	51,605	750.00	1,000	2,000	5,750
1808, 8 over 7	⎱ 55,578	650.00	900.00	1,500	4,500
1808	⎰	650.00	900.00	1,500	4,500
1809, 9 over 8	33,875	650.00	900.00	1,500	4,500
1810	100,287	650.00	900.00	1,500	4,500
1811	99,581	650.00	900.00	1,500	4,500
1812	58,087	650.00	900.00	1,500	4,500

CAPPED HEAD TO LEFT 1813-1829

		F-12	VF-20	EF-40	MS-60
1813	95,428	700.00	1,100	1,750	5,000
1814, 4 over 3	15,454	800.00	1,400	2,000	7,000
1815	635				80,000
1818	48,588	750.00	1,200	1,800	5,000
1819	51,723			20,000	35,000
1820	263,806	750.00	1,200	1,900	6,000
1821	34,641	1,600	3,500	5,000	16,000
1822	17,796	—	—	—	—

HALF EAGLES

	Quan. Minted	F-12	VF-20	EF-40	MS-60
1823	14,485	$1,250	$2,100	$2,500	$10,000
1824	17,340	3,250	5,000	9,500	19,000
1825, 5 over 1	} 29,060	1,750	3,000	4,500	13,000
1825, 5 over 4				—	
1826	18,069	2,000	3,500	5,000	14,500
1827	24,913	3,250	5,500	13,500	19,000
1828, 8 over 7	} 28,029	2,700	4,000	8,000	13,000
1828		3,250	5,000	9,500	19,000
1829 Large date	57,442	—	—	—	—

CAPPED HEAD TO LEFT (reduced diameter) 1829-1834

	Quan. Minted	F-12	VF-20	EF-40	MS-60
1829 Small date	inc. above		11,000	16,000	37,000
1830	126,351	1,400	2,500	3,500	8,500
1831	140,594	1,400	2,500	3,500	8,500
1832 Curved-base 2, 12 stars (4 known)	} 157,487	—	—	—	—
1832 Square-base 2, 13 stars		2,200	4,000	6,000	11,000
1833	193,630	1,400	2,500	3,500	8,250
1834	50,141	1,400	2,500	3,500	8,250

CLASSIC HEAD TYPE 1834-1838

	Quan. Minted	F-12	VF-20	EF-40	MS-60
1834	657,460	135.00	175.00	275.00	1,100
1835	371,534	135.00	175.00	275.00	1,100
1836	553,147	135.00	175.00	275.00	1,100
1837	207,121	135.00	175.00	275.00	1,100
1838	286,588	135.00	175.00	275.00	1,100
1838C	17,179	400.00	500.00	1,000	4,200
1838D	20,583	400.00	500.00	1,000	4,200

CORONET TYPE, No Motto Above Eagle 1839-1866

VF-20 VERY FINE—*LIBERTY bold. Major lines show in neck hair.*

EF-40 EXTREMELY FINE—*Neck hair details clear. Slight wear on top and lower part of coronet, and hair.*

AU-50 ABOUT UNCIRCULATED—*Trace of wear on coronet and hair above eye.*

MS-60 UNCIRCULATED—*No trace of wear. Light blemishes.*

Mint mark above date 1839 only, below eagle 1840-1908.

HALF EAGLES

	Quan. Minted	VF-20	EF-40	AU-50	MS-60
1839	118,143	$110.00	$125.00	$275.00	$600.00
1839C	17,205	150.00	300.00	500.00	1,200
1839D	18,939	150.00	300.00	500.00	1,200
1840	137,382	110.00	120.00	225.00	600.00
1840C	18,992	150.00	300.00	500.00	1,200
1840D	22,896	150.00	300.00	500.00	1,200
1840O	40,120	125.00	200.00	400.00	700.00
1841	15,833	125.00	200.00	400.00	700.00
1841C	21,467	150.00	300.00	500.00	1,200
1841D	29,392	150.00	300.00	500.00	1,200

1842 Large Date	Large letters	Small Letters

	Quan. Minted	VF-20	EF-40	AU-50	MS-60
1842 Small Letters	27,578	110.00	120.00	185.00	600.00
1842 Large letters		110.00	120.00	185.00	600.00
1842C Small date	27,432	350.00	500.00	900.00	1,750
1842C Large date		125.00	200.00	400.00	1,000
1842D Small date	59,608	125.00	200.00	400.00	1,200
1842D Large date		150.00	300.00	500.00	1,400
1842O	16,400	110.00	150.00	300.00	625.00
1843	611,205	110.00	120.00	175.00	500.00
1843C	44,277	125.00	200.00	400.00	1,000
1843D	98,452	125.00	200.00	400.00	1,000
1843O Small letters	19,075	110.00	150.00	300.00	625.00
1843O Large letters	82,000	110.00	120.00	200.00	900.00
1844	340,330	110.00	120.00	175.00	500.00
1844C	23,631	125.00	250.00	500.00	1,400
1844D	88,982	125.00	200.00	400.00	1,000
1844O	364,600	110.00	120.00	200.00	600.00
1845	417,099	110.00	120.00	175.00	500.00
1845D	90,629	125.00	200.00	250.00	900.00
1845O	41,000	110.00	120.00	200.00	600.00
1846	395,942	110.00	120.00	175.00	500.00
1846C	12,995	150.00	300.00	500.00	1,200
1846D	80,294	125.00	200.00	400.00	900.00
1846O	58,000	110.00	120.00	200.00	600.00
1847	915,981	110.00	120.00	175.00	500.00
1847C	84,151	125.00	200.00	400.00	1,000
1847D	64,405	125.00	200.00	400.00	1,000
1847O	12,000	125.00	225.00	450.00	1,000
1848	260,775	110.00	120.00	175.00	500.00
1848C	64,472	125.00	200.00	400.00	900.00
1848D	47,465	125.00	200.00	400.00	1,000
1849	133,070	110.00	120.00	175.00	500.00
1849C	64,823	125.00	200.00	400.00	1,000
1849D	39,036	125.00	200.00	400.00	1,000
1850	64,491	110.00	120.00	175.00	500.00

Values of common gold coins are based on the prevailing price of gold bullion, and will vary according to current market price. See Bullion Chart.

HALF EAGLES

	Quan. Minted	VF-20	EF-40	AU-50	MS-60	Proof-63
1850C	63,591	$125.00	$200.00	$400.00	$1,000	
1850D	43,984	125.00	200.00	400.00	1,000	
1851	377,505	110.00	120.00	175.00	500.00	
1851C	49,176	125.00	200.00	400.00	1,000	
1851D	62,710	125.00	200.00	400.00	1,000	
1851O	41,000	110.00	125.00	250.00	600.00	
1852	573,901	110.00	120.00	175.00	500.00	
1852C	72,574	125.00	200.00	400.00	1,000	
1852D	91,584	125.00	200.00	400.00	1,000	
1853	305,770	110.00	120.00	175.00	500.00	
1853C	65,571	125.00	200.00	400.00	1,000	
1853D	89,678	125.00	200.00	400.00	1,000	
1854	160,675	110.00	120.00	175.00	500.00	
1854C	39,283	125.00	200.00	400.00	1,000	
1854D	56,413	125.00	200.00	400.00	1,000	
1854O	46,000	110.00	125.00	250.00	600.00	
1854S	268	——	——	——	——	
1855	117,098	110.00	120.00	175.00	500.00	
1855C	39,788	125.00	200.00	400.00	1,000	
1855D	22,432	125.00	200.00	400.00	1,000	
1855O	11,100	125.00	200.00	400.00	1,000	
1855S	61,000	110.00	120.00	175.00	600.00	
1856	197,990	110.00	120.00	175.00	500.00	
1856C	28,457	125.00	200.00	400.00	1,000	
1856D	19,786	125.00	200.00	400.00	1,000	
1856O	10,000	150.00	300.00	500.00	1,200	
1856S	105,100	110.00	120.00	175.00	500.00	
1857	98,188	110.00	120.00	175.00	500.00	
1857C	31,360	125.00	200.00	400.00	1,000	
1857D	17,046	125.00	200.00	400.00	1,000	
1857O	13,000	125.00	200.00	400.00	1,000	
1857S	87,000	110.00	120.00	175.00	500.00	
1858	15,136	110.00	125.00	250.00	600.00	
1858C	38,856	125.00	200.00	400.00	1,000	
1858D	15,362	125.00	200.00	400.00	1,000	
1858S	18,600	110.00	125.00	275.00	550.00	
1859 (80)	16,814	110.00	125.00	250.00	550.00	$7,000
1859C	31,847	125.00	200.00	400.00	1,000	
1859D	10,366	150.00	250.00	500.00	1,250	
1859S	13,220	110.00	125.00	275.00	550.00	
1860 (62)	19,825	110.00	125.00	250.00	550.00	6,500
1860C	14,813	125.00	200.00	400.00	1,000	
1860D	14,635	125.00	200.00	400.00	1,200	
1860S	21,200	110.00	125.00	250.00	——	
1861 (66)	688,150	110.00	120.00	175.00	500.00	6,500
1861C	6,879	700.00	1,000	1,700	3,250	
1861D	1,597	2,000	3,500	5,000	14,000	
1861S	18,000	110.00	125.00	185.00	——	
1862 (35)	4,465	110.00	150.00	275.00	——	6,500
1862S	9,500	125.00	225.00	350.00	——	
1863 (30)	2,472	150.00	350.00	500.00	1,250	6,500
1863S	17,000	110.00	150.00	275.00	625.00	
1864 (50)	4,220	125.00	200.00	400.00	1,400	6,500
1864S	3,888	350.00	700.00	1,200	——	
1865 (25)	1,295	300.00	400.00	650.00	1,500	6,500
1865S	27,612	110.00	125.00	185.00	——	
1866S	9,000	125.00	200.00	400.00		

Values of common gold coins are based on the prevailing price of gold bullion, and will vary according to current market price. See Bullion Chart.

HALF EAGLES
Motto Above Eagle 1866-1908

VF-20 VERY FINE—*Half of hairlines above coronet missing. Hair curls under ear evident, but worn. Motto and its ribbon sharp.*

EF-40 EXTREMELY FINE—*Small amount of wear on top of hair and below L in LIBERTY. Wear evident on wing tips and neck of eagle.*

AU-50 ABOUT UNCIRCULATED—*Trace of wear on tip of coronet and hair above eye.*

MS-60 UNCIRCULATED—*No trace of wear. Light blemishes.*

	Quan Minted	VF-20	EF-40	AU-50	MS-60	Proof-63
1866 .... (30)	6,730	$120.00	$170.00	$300.00	$750.00	$6,000
1866S	34,920	110.00	150.00	275.00	500.00	
1867 .... (50)	6,920	120.00	170.00	300.00	700.00	5,000
1867S	29,000	110.00	150.00	250.00	——	
1868 .... (25)	5,725	120.00	170.00	300.00	700.00	6,000
1868S	52,000	110.00	150.00	250.00	——	
1869 .... (25)	1,785	150.00	275.00	400.00	1,000	6,000
1869S	31,000	110.00	120.00	175.00	400.00	
1870 .... (35)	4,035	110.00	150.00	275.00	500.00	6,000
1870CC	7,675	650.00	1,200	2,000		
1870S	17,000	110.00	120.00	200.00	——	
1871 .... (30)	3,230	120.00	170.00	300.00	——	6,000
1871CC	20,770	150.00	275.00	500.00	1,100	
1871S	25,000	110.00	120.00	200.00	600.00	
1872 .... (30)	1,690	200.00	275.00	500.00	1,100	6,000
1872CC	16,980	200.00	275.00	500.00	1,100	
1872S	36,400	110.00	120.00	175.00	350.00	
1873 .... (25)	112,505	110.00	115.00	125.00	200.00	6,000
1873CC	7,416	200.00	400.00	700.00	1,500	
1873S	31,000	110.00	120.00	200.00	500.00	
1874 .... (20)	3,508	120.00	170.00	300.00	750.00	6,000
1874CC	21,198	120.00	170.00	300.00	850.00	
1874S	16,000	110.00	120.00	175.00	——	
1875 .... (20)	220	——	——	——		——
1875CC	11,828	150.00	350.00	550.00	1,000	
1875S	9,000	125.00	275.00	400.00	850.00	
1876 .... (45)	1,477	200.00	350.00	600.00	1,250	6,000
1876CC	6,887	150.00	275.00	500.00	1,100	
1876S	4,000	150.00	275.00	500.00	1,000	
1877 .... (20)	1,152	175.00	325.00	600.00	1,500	6,000
1877CC	8,680	150.00	275.00	500.00	1,100	
1877S	26,700	110.00	115.00	125.00	225.00	
1878 .... (20)	131,740	110.00	115.00	125.00	200.00	6,000
1878CC	9,054	400.00	900.00	1,250		
1878S	144,700	110.00	115.00	125.00	200.00	
1879 .... (30)	301,950	110.00	115.00	125.00	200.00	6,000
1879CC	17,281	125.00	150.00	300.00	650.00	
1879S	426,200	110.00	115.00	125.00	200.00	
1880 .... (36)	3,166,436	110.00	115.00	125.00	200.00	5,500
1880CC	51,017	120.00	170.00	225.00	450.00	
1880S	1,348,900	110.00	115.00	125.00	200.00	
1881 .... (42)	5,708,802	110.00	115.00	125.00	200.00	5,500
1881CC	13,886	125.00	150.00	300.00	600.00	
1881S	969,000	110.00	115.00	125.00	200.00	
1882 .... (48)	2,514,568	110.00	115.00	125.00	200.00	5,000
1882CC	82,817	110.00	120.00	175.00	350.00	
1882S	969,000	110.00	115.00	125.00	200.00	

Values of common gold coins are based on the prevailing price of gold bullion, and will vary according to current market price. See Bullion Chart.

HALF EAGLES

	Quan. Minted	VF-20	EF-40	AU-50	MS-60	Proof-63
1883 .... (61)	233,461	$110.00	$115.00	$125.00	$200.00	$5,000
1883CC	12,958	125.00	150.00	300.00	450.00	
1883S	83,200	110.00	115.00	125.00	200.00	
1884 .... (48)	191,078	110.00	115.00	125.00	200.00	5,000
1884CC	16,402	125.00	150.00	300.00	450.00	
1884S	177,000	110.00	115.00	125.00	200.00	
1885 .... (66)	601,506	110.00	115.00	125.00	200.00	5,000
1885S	1,211,500	110.00	115.00	125.00	200.00	
1886 .... (72)	388,432	110.00	115.00	125.00	200.00	5,000
1886S	3,268,000	110.00	115.00	125.00	200.00	
1887 Proofs only .... (87)	87					12,000
1887S	1,912,000	110.00	115.00	125.00	200.00	
1888 .... (95)	18,296	110.00	130.00	140.00	225.00	4,000
1888S	293,900	110.00	115.00	125.00	200.00	
1889 .... (45)	7,565	110.00	125.00	200.00	500.00	4,000
1890 .... (88)	4,328	110.00	200.00	300.00	600.00	4,000
1890CC	53,800	110.00	120.00	175.00	275.00	
1891 .... (53)	61,413	110.00	115.00	125.00	200.00	4,000
1891CC	208,000	110.00	120.00	150.00	250.00	
1892 .... (92)	753,572	110.00	115.00	125.00	200.00	4,000
1892CC	82,968	110.00	120.00	150.00	225.00	
1892O...............................	10,000	225.00	350.00	600.00	1,100	
1892S	298,400	110.00	115.00	125.00	200.00	
1893 .... (77)	1,528,197	110.00	115.00	125.00	200.00	4,000
1893CC	60,000	110.00	115.00	150.00	300.00	
1893O...............................	110,000	110.00	115.00	175.00	350.00	
1893S	224,000	110.00	115.00	125.00	200.00	
1894 .... (75)	957,955	110.00	115.00	125.00	200.00	4,000
1894O...............................	16,600	110.00	115.00	175.00	375.00	
1894S	55,900	110.00	115.00	125.00	210.00	
1895 .... (81)	1,345,936	110.00	115.00	125.00	200.00	4,000
1895S	112,000	110.00	115.00	125.00	200.00	
1896 .... (103)	59,063	110.00	115.00	125.00	200.00	4,000
1896S	155,400	110.00	115.00	125.00	200.00	
1897 .... (83)	867,883	110.00	115.00	125.00	200.00	4,000
1897S	354,000	110.00	115.00	125.00	200.00	
1898 .... (75)	633,495	110.00	115.00	125.00	200.00	4,000
1898S	1,397,400	110.00	115.00	125.00	200.00	
1899 .... (99)	1,710,729	110.00	115.00	125.00	200.00	4,000
1899S	1,545,000	110.00	115.00	125.00	200.00	
1900 .... (230)	1,405,730	110.00	115.00	125.00	200.00	4,000
1900S	329,000	110.00	115.00	125.00	200.00	
1901 .... (140)	616,040	110.00	115.00	125.00	200.00	4,000
1901S, 1 over 0 .... ⎫	3,648,000	110.00	115.00	125.00	225.00	
1901S .... ⎭		110.00	115.00	125.00	200.00	
1902 .... (162)	172,562	110.00	115.00	125.00	200.00	4,000
1902S	939,000	110.00	115.00	125.00	200.00	
1903 .... (154)	227,024	110.00	115.00	125.00	200.00	4,000
1903S	1,855,000	110.00	115.00	125.00	200.00	
1904 .... (136)	392,136	110.00	115.00	125.00	200.00	4,000
1904S	97,000	110.00	115.00	125.00	200.00	
1905 .... (108)	302,308	110.00	115.00	125.00	200.00	4,000
1905S	880,700	110.00	115.00	125.00	200.00	
1906 .... (85)	348,820	110.00	115.00	125.00	200.00	4,000
1906D..............................	320,000	110.00	115.00	125.00	200.00	
1906S	598,000	110.00	115.00	125.00	200.00	
1907 .... (92)	626,192	110.00	115.00	125.00	200.00	4,000
1907D..............................	888,000	110.00	115.00	125.00	200.00	
1908	421,874	110.00	115.00	125.00	200.00	

*Values of common gold coins are based on the prevailing price of gold bullion,
and will vary according to current market price. See Bullion Chart.*

HALF EAGLES

INDIAN HEAD TYPE 1908-1929

This type conforms to the quarter eagle of the same date. The incuse designs and lettering make this a unique series, along with the quarter eagle, in United States coinage.

VF-20 VERY FINE—*Noticeable wear on large middle feathers and tip of eagle's wing.*

EF-40 EXTREMELY FINE—*Cheekbone, war bonnet and headband feathers slightly worn. Feathers on eagle's upper wing show considerable wear.*

AU-50 ABOUT UNCIRCULATED—*Trace of wear on cheekbone and headdress.*

MS-60 UNCIRCULATED—*No trace of wear. Light blemishes.*

Scarcer coins with well struck mint marks command higher prices.

Mint mark location

	Quan. Minted	VF-20	EF-40	AU-50	MS-60	Matte Proof-63
1908 .... (167)	578,012	$135.00	$150.00	$175.00	$500.00	$5,500
1908D............................	148,000	135.00	150.00	175.00	500.00	
1908S............................	82,000	150.00	200.00	300.00	1,500	
1909 .... (78)	627,138	135.00	150.00	175.00	500.00	5,500
1909D........................	3,423,560	135.00	150.00	175.00	500.00	
1909O............................	34,200	275.00	500.00	900.00	3,750	
1909S............................	297,200	135.00	150.00	200.00	1,000	
1910 .... (250)	604,250	135.00	150.00	175.00	500.00	5,500
1910D............................	193,600	135.00	150.00	175.00	600.00	
1910S............................	770,200	135.00	150.00	200.00	1,100	
1911 .... (139)	915,139	135.00	150.00	175.00	500.00	5,500
1911D.........................	72,500	150.00	200.00	350.00	2,500	
1911S........................	1,416,000	135.00	150.00	185.00	900.00	
1912 .... (144)	790,144	135.00	150.00	175.00	500.00	5,500
1912S............................	392,000	135.00	150.00	185.00	950.00	
1913 .... (99)	916,000	135.00	150.00	175.00	500.00	5,500
1913S............................	408,000	135.00	150.00	275.00	1,600	
1914 .... (125)	247,125	135.00	150.00	175.00	500.00	5,500
1914D............................	247,000	135.00	150.00	175.00	500.00	
1914S............................	263,000	135.00	150.00	175.00	550.00	
1915 .... (75)	588,075	135.00	150.00	175.00	500.00	5,500
1915S............................	164,000	135.00	150.00	200.00	1,200	
1916S............................	240,000	135.00	150.00	180.00	850.00	
1929	662,000	1,200	1,800	2,200	3,500	

EAGLES ($10.00 Gold Pieces) — 1795-1933

Coinage authority including specified weights and fineness of the eagle conforms to that of the half eagle. The small eagle reverse was used until 1797 when the large, heraldic eagle replaced it.

Values of common gold coins are based on the prevailing price of gold bullion, and will vary according to current market price. See Bullion Chart.

HALF EAGLES
CAPPED BUST TO RIGHT, SMALL EAGLE 1795-1797

F-12 FINE—*Details on turban and head obliterated.*

VF-20 VERY FINE—*Neck hairlines and details under turban and over forehead are worn but distinguishable.*

EF-40 EXTREMELY FINE—*Definite wear on hair to left of eye and strand of hair across and around turban, also on eagle's wing tips.*

MS-60 UNCIRCULATED—*No trace of wear. Light blemishes.*

	Quan. Minted	F-12	VF-20	EF-40	MS-60
1795	5,583	$3,000	$4,100	$6,600	$17,000
1796	4,146	2,750	4,000	6,500	16,000
1797 Small eagle	3,615	2,750	4,000	7,000	18,000

CAPPED BUST TO RIGHT, HERALDIC EAGLE 1797-1804

1797 Large eagle	10,940	1,100	1,800	2,250	8,500
1798, 8 over 7, 9 stars left, 4 right	900	2,400	4,250	6,500	14,000
1798, 8 over 7, 7 stars left, 6 right	842	6,000	12,000	—	—
1799	37,449	1,000	1,500	2,400	7,500
1800	5,999	1,000	1,500	2,500	8,000

1801	44,344	1,000	1,600	2,400	7,500
1803	15,017	1,000	1,600	2,500	8,000
1804	3,757	1,500	2,400	3,750	12,500

EAGLES
CORONET TYPE, No Motto Above Eagle 1838-1866

In 1838 the weight and diameter of the eagle were reduced and the obverse and reverse were redesigned. Liberty now faces left and the word LIBERTY is placed on the coronet.

VF-20 VERY FINE—*Hairlines above coronet partly worn. Curls under ear worn but defined.*

EF-40 EXTREMELY FINE—*Small amount of wear on top of hair and below L in LIBERTY. Wear evident on wing tips and neck of eagle.*

AU-50 ABOUT UNCIRCULATED—*Trace of wear on tip of coronet and hair above eye.*

MS-60 UNCIRCULATED—*No trace of wear. Light blemishes.*

Mint mark location on reverse below eagle

	Quan. Minted	VF-20	EF-40	AU-50	MS-60	Proof-63
1838	7,200	$300.00	$600.00	$1,000	$4,000	
1839 Large letters	25,801	225.00	400.00	750.00	2,750	
1839 Small letters	12,447	275.00	500.00	1,000	3,000	
1840	47,338	210.00	225.00	350.00	1,700	
1841	63,131	210.00	225.00	350.00	1,500	
1841O	2,500	250.00	550.00	700.00	3,000	
1842	81,507	210.00	225.00	325.00	1,400	
1842O	27,400	210.00	225.00	350.00	2,000	
1843	75,462	210.00	225.00	325.00	1,400	
1843O	175,162	210.00	225.00	300.00		$1,400
1844	6,361	200.00	400.00	550.00		2,000
1844O	118,700	210.00	225.00	300.00	1,400	
1845	26,153	210.00	225.00	325.00	1,500	
1845O	47,500	210.00	225.00	300.00	1,400	
1846	20,095	210.00	225.00	325.00		1,500
1846O	81,780	210.00	225.00	300.00	1,400	
1847	862,258	210.00	225.00	300.00	1,400	
1847O	571,500	210.00	225.00	300.00	1,400	
1848	145,484	210.00	225.00	300.00	1,400	
1848O	35,850	210.00	225.00	300.00	1,400	
1849	653,618	210.00	225.00	300.00	1,400	
1849O	23,900	210.00	225.00	300.00	1,400	
1850	291,451	210.00	225.00	300.00	1,400	
1850O	57,500	210.00	225.00	300.00	1,400	
1851	176,328	210.00	225.00	300.00	1,400	
1851O	263,000	210.00	225.00	300.00	1,400	
1852	263,106	210.00	225.00	300.00	1,400	
1852O	18,000	210.00	250.00	350.00	1,500	
1853, 3 over 2	} 201,253	225.00	400.00			
1853		210.00	225.00	300.00	1,400	
1853O	51,000	210.00	225.00	300.00	1,400	
1854	54,250	210.00	225.00	300.00	1,400	
1854O	52,500	210.00	225.00	300.00	1,400	
1854S	123,826	210.00	225.00	300.00	1,400	
1855	121,701	210.00	225.00	300.00	1,400	
1855O	18,000	220.00	250.00	350.00	1,500	
1855S	9,000	250.00	400.00	600.00	2,500	
1856	60,490	210.00	225.00	300.00	1,400	
1856O	14,500	210.00	250.00	300.00	1,500	
1856S	68,000	210.00	225.00	300.00	1,400	
1857	16,606	210.00	225.00	300.00	1,400	
1857O	5,500	300.00	600.00	800.00	2,500	
1857S	26,000	210.00	225.00	300.00	1,400	

EAGLES

	Quan. Minted	VF-20	EF-40	AU-50	MS-60	Proof-63
1858	2,521	$2,000	$3,000	$4,500	$12,000	——
1858O	20,000	210.00	225.00	300.00	1,500	
1858S	11,800	210.00	250.00	350.00	1,600	
1859 (80)	16,093	210.00	225.00	300.00	1,400	$4,000
1859O	2,300	550.00	900.00	1,500	3,000	
1859S	7,000	300.00	550.00	700.00	2,000	
1860 (50)	15,105	210.00	225.00	300.00	1,500	3,500
1860O	11,100	210.00	250.00	300.00	1,600	
1860S	5,000	300.00	600.00	750.00	2,500	
1861 (69)	113,233	210.00	225.00	300.00	1,400	3,500
1861S	15,500	210.00	225.00	300.00	1,400	
1862 (35)	10,995	210.00	225.00	300.00	1,400	3,500
1862S	12,500	210.00	225.00	300.00	1,400	
1863 (30)	1,248	1,000	2,200	2,800	3,500	7,000
1863S	10,000	275.00	400.00	550.00	1,500	
1864 (50)	3,580	400.00	650.00	850.00	2,000	5,500
1864S	2,500	900.00	1,600			
1865 (25)	4,005	340.00	550.00	675.00	2,000	4,500
1865S	16,700	340.00	550.00	675.00	2,000	
1866S	8,500	400.00	750.00	1,100	2,400	

Motto Above Eagle 1866-1907

Mint mark location on the reverse below eagle.

VF-20 VERY FINE—*Half of hairlines over coronet visible. Curls under ear worn but defined. IN GOD WE TRUST and its ribbon are sharp.*

EF-40 EXTREMELY FINE—*Small amount of wear on top of hair and below L in LIBERTY. Wear evident on wing tips and neck of eagle.*

AU-50 ABOUT UNCIRCULATED—*Trace of wear on hair above eye and on coronet.*

MS-60 UNCIRCULATED—*No trace of wear. Light blemishes.*

	Quan. Minted	VF-20	EF-40	AU-50	MS-60	Proof-63
1866 (30)	3,780	$225.00	$275.00	$450.00	$1,000	$7,000
1866S	11,500	210.00	250.00	300.00	700.00	
1867 (50)	3,140	225.00	275.00	450.00	1,000	6,000
1867S	9,000	210.00	250.00	300.00	700.00	
1868 (25)	10,655	210.00	250.00	300.00	600.00	6,000
1868S	13,500	210.00	250.00	300.00	600.00	
1869 (25)	1,855	300.00	500.00	800.00	1,200	6,000
1869S	6,430	210.00	250.00	300.00	700.00	
1870 (35)	4,025	225.00	300.00	450.00	750.00	6,000
1870CC	5,908	600.00	1,500	2,500		
1870S	8,000	210.00	250.00	300.00	700.00	
1871 (30)	1,820	300.00	500.00	800.00	2,000	6,000
1871CC	8,085	300.00	500.00	800.00		
1871S	16,500	210.00	250.00	300.00	600.00	
1872 (30)	1,650	400.00	700.00	1,100	1,800	6,000
1872CC	4,600	275.00	475.00	600.00	1,800	
1872S	17,300	210.00	250.00	300.00	550.00	
1873 (25)	825	650.00	1,200	2,000	4,000	14,000

Values of common gold coins are based on the prevailing price of gold bullion, and will vary according to current market price. See Bullion Chart.

EAGLES

	Quan. Minted	VF-20	EF-40	AU-50	MS-60	Proof-63
1873CC	4,543	$425.00	$800.00	$1,500	$3,000	
1873S	12,000	210.00	250.00	300.00	550.00	
1874 (20)	53,160	210.00	220.00	200.00	260.00	$6,500
1874CC	16,767	210.00	220.00	275.00	700.00	
1874S	10,000	210.00	220.00	275.00	550.00	
1875 (20)	120		——	——		——
1875CC	7,715	250.00	275.00	550.00	1,200	
1876 (45)	732	500.00	1,100	1,800	4,000	8,000
1876CC	4,696	300.00	600.00	725.00	1,600	
1876S	5,000	210.00	250.00	425.00	900.00	
1877 (20)	817	600.00	1,100	1,800	4,500	12,000
1877CC	3,332	300.00	550.00	800.00	2,000	
1877S	17,000	210.00	220.00	230.00	315.00	
1878 (20)	73,800	210.00	220.00	230.00	260.00	6,500
1878CC	3,244	300.00	550.00	1,000	2,000	
1878S	26,100	210.00	220.00	230.00	260.00	
1879 (30)	384,770	210.00	220.00	230.00	260.00	5,500
1879CC	1,762	1,100	2,500	3,500	7,000	
1879O	1,500	500.00	900.00	1,500	4,000	
1879S	224,000	210.00	220.00	230.00	260.00	
→1880	1,644,876	210.00	220.00	230.00	260.00	5,500
1880CC	11,190	210.00	220.00	275.00	600.00	
1880O	9,200	210.00	220.00	230.00	400.00	
1880S	506,250	210.00	220.00	230.00	260.00	
1881 (40)	3,877,260	210.00	220.00	230.00	260.00	5,500
1881CC	24,015	210.00	220.00	275.00	375.00	
1881O	8,350	210.00	225.00	300.00	550.00	
1881S	970,000	210.00	220.00	230.00	260.00	
1882 (40)	2,324,480	210.00	220.00	230.00	260.00	5,500
1882CC	6,764	210.00	250.00	300.00	600.00	
1882O	10,820	210.00	220.00	250.00	350.00	
1882S	132,000	210.00	220.00	230.00	260.00	
1883 (40)	208,740	210.00	220.00	230.00	260.00	5,500
1883CC	12,000	210.00	250.00	300.00	600.00	
1883O	800	900.00	1,800	3,000	6,000	
1883S	38,000	210.00	220.00	230.00	260.00	
1884 (45)	76,905	210.00	220.00	230.00	260.00	10,000
1884CC	9,925	210.00	250.00	300.00	600.00	
1884S	124,250	210.00	220.00	230.00	260.00	
1885 (65)	253,527	210.00	220.00	230.00	260.00	5,500
1885S	228,000	210.00	220.00	230.00	260.00	
1886 (60)	236,160	210.00	220.00	230.00	260.00	5,500
1886S	826,000	210.00	220.00	230.00	260.00	
1887 (80)	53,680	210.00	220.00	230.00	260.00	5,500
1887S	817,000	210.00	220.00	230.00	260.00	
1888 (75)	132,996	210.00	220.00	230.00	260.00	5,500
1888O	21,335	210.00	220.00	230.00	300.00	
1888S	648,700	210.00	220.00	230.00	260.00	
1889 (45)	4,485	210.00	250.00	300.00	550.00	5,500
1889S	425,400	210.00	220.00	230.00	260.00	
1890 (63)	58,043	210.00	220.00	230.00	375.00	5,500
1890CC	17,500	210.00	220.00	230.00	300.00	
1891 (48)	91,868	210.00	220.00	230.00	260.00	5,500
1891CC	103,732	210.00	220.00	230.00	300.00	
1892 (72)	797,552	210.00	220.00	230.00	260.00	5,500
1892CC	40,000	210.00	220.00	230.00	400.00	
1892O	28,688	210.00	220.00	230.00	260.00	
1892S	115,500	210.00	220.00	230.00	260.00	

Values of common gold coins are based on the prevailing price of gold bullion, and will vary according to current market price. See Bullion Chart.

EAGLES

	Quan. Minted	VF-20	EF-40	AU-50	MS-60	Proof-63
1893 .... (55)	1,840,895	$210.00	$220.00	$230.00	$260.00	$5,000
1893CC	14,000	210.00	250.00	300.00	450.00	
1893O................................	17,000	210.00	220.00	250.00	350.00	
1893S................................	141,350	210.00	220.00	230.00	260.00	
1894 .... (43)	2,470,778	210.00	220.00	230.00	260.00	5,000
1894O................................	107,500	210.00	220.00	230.00	260.00	
1894S................................	25,000	210.00	220.00	230.00	260.00	
1895 .... (56)	567,826	210.00	220.00	230.00	260.00	5,000
1895O................................	98,000	210.00	220.00	230.00	260.00	
1895S................................	49,000	210.00	220.00	230.00	260.00	
1896 .... (78)	76,348	210.00	220.00	230.00	260.00	5,000
1896S................................	123,750	210.00	220.00	230.00	260.00	
1897 .... (69)	1,000,159	210.00	220.00	230.00	260.00	5,000
1897O................................	42,500	210.00	220.00	230.00	260.00	
1897S................................	234,750	210.00	220.00	230.00	260.00	
1898 .... (67)	812,197	210.00	220.00	230.00	260.00	5,000
1898S................................	473,600	210.00	220.00	230.00	260.00	
1899 .... (86)	1,262,305	210.00	220.00	230.00	260.00	5,000
1899O................................	37,047	210.00	220.00	230.00	260.00	
1899S................................	841,000	210.00	220.00	230.00	260.00	
1900 .... (120)	293,960	210.00	220.00	230.00	260.00	5,000
1900S................................	81,000	210.00	220.00	230.00	260.00	
1901 .... (85)	1,718,825	210.00	220.00	230.00	260.00	5,000
1901O................................	72,041	210.00	220.00	230.00	260.00	
1901S................................	2,812,750	210.00	220.00	230.00	260.00	
1902 .... (113)	82,513	210.00	220.00	230.00	260.00	5,000
1902S................................	469,500	210.00	220.00	230.00	260.00	
1903 .... (96)	125,926	210.00	220.00	230.00	260.00	5,000
1903O................................	112,771	210.00	220.00	230.00	260.00	
1903S................................	538,000	210.00	220.00	230.00	260.00	
1904 .... (108)	162,038	210.00	220.00	230.00	260.00	5,000
1904O................................	108,950	210.00	220.00	230.00	260.00	
1905 .... (86)	201,078	210.00	220.00	230.00	260.00	5,000
1905S................................	369,250	210.00	220.00	230.00	260.00	
1906 .... (77)	165,497	210.00	220.00	230.00	260.00	5,000
1906D................................	981,000	210.00	220.00	230.00	260.00	
1906O................................	86,895	210.00	220.00	230.00	260.00	
1906S................................	457,000	210.00	220.00	230.00	260.00	
1907 .... (74)	1,203,973	210.00	220.00	230.00	260.00	5,000
1907D................................	1,030,000	210.00	220.00	230.00	260.00	
1907S................................	210,500	210.00	220.00	230.00	260.00	

INDIAN HEAD TYPE 1907-1933

No Motto

With Motto
IN GOD WE TRUST

Mint mark location is above left tip of branch on 1908D no motto, and at left of arrow points thereafter.

Values of common gold coins are based on the prevailing price of gold bullion, and will vary according to current market price. See Bullion Chart.

EAGLES

VF-20 VERY FINE—*Bonnet feathers worn near band. Hair high points show wear.*
EF-40 EXTREMELY FINE—*Slight wear on cheekbone and headdress feathers. Eagle's eye and left wing will show slight wear.*
AU-50 ABOUT UNCIRCULATED—*Trace of wear on hair above eye and on forehead.*
MS-60 UNCIRCULATED—*No trace of wear. Light blemishes.*

Uncirculated (MS-65) coins are worth substantial premiums.

No Motto on Reverse 1907-1908

	Quan. Minted	VF-20	EF-40	AU-50	MS-60	Proof-63
1907 Wire rim, periods	500			$2,600	$5,500	$9,000
1907 Rounded rim, periods before and after						
•E•PLURIBUS•UNUM•	42					15,000
1907 No periods	239,406	$300.00	$350.00	375.00	550.00	
1908 No motto	33,500	300.00	375.00	400.00	900.00	
1908D No motto	210,000	300.00	325.00	350.00	600.00	

Motto on Reverse 1908-1933

	Quan. Minted	VF-20	EF-40	AU-50	MS-60	Matte Proof-63
1908 (116)	341,486	300.00	325.00	350.00	500.00	7,500
1908D	836,500	300.00	325.00	350.00	550.00	
1908S	59,850	300.00	325.00	350.00	1,750	
1909 (74)	184,863	300.00	325.00	350.00	500.00	7,500
1909D	121,540	300.00	325.00	350.00	550.00	
1909S	292,350	300.00	325.00	350.00	800.00	
1910 (204)	318,704	300.00	325.00	350.00	500.00	7,500
1910D	2,356,640	300.00	325.00	350.00	500.00	
1910S	811,000	300.00	325.00	350.00	800.00	
1911 (95)	505,595	300.00	325.00	350.00	500.00	7,500
1911D	30,100	325.00	350.00	500.00	2,750	
1911S	51,000	300.00	325.00	400.00	1,200	
1912 (83)	405,083	300.00	325.00	350.00	500.00	7,500
1912S	300,000	300.00	325.00	350.00	900.00	
1913 (71)	442,071	300.00	325.00	350.00	500.00	7,500
1913S	66,000	300.00	350.00	500.00	4,500	
1914 (50)	151,050	300.00	325.00	350.00	500.00	8,000
1914D	343,500	300.00	325.00	350.00	500.00	
1914S	208,000	300.00	325.00	350.00	850.00	
1915 (75)	351,075	300.00	325.00	350.00	500.00	8,000
1915S	59,000	300.00	325.00	400.00	1,400	
1916S	138,500	300.00	325.00	350.00	750.00	
1920S	126,500	2,200	3,500	6,000	10,000	
1926	1,014,000	300.00	325.00	350.00	500.00	
1930S	96,000	1,300	1,800	3,250	7,000	
1932	4,463,000	300.00	325.00	350.00	500.00	
1933	312,500				——	

DOUBLE EAGLES ($20.00 Gold Pieces) — 1850-1933

This largest denomination of all regular United States issues was authorized to be coined by the Act of March 3, 1849. Its weight was 516 grains, .900 fine.

VF-20 VERY FINE—*LIBERTY is bold. Jewels on crown defined. Lower half worn flat. Hair worn about ear.*
EF-40 EXTREMELY FINE—*Trace of wear on rounded prongs of crown and down hair curls. Minor bag marks.*
AU-50 ABOUT UNCIRCULATED—*Trace of wear on hair over eye and on coronet.*
MS-60 UNCIRCULATED—*No trace of wear. Light blemishes.*

Values of common gold coins are based on the prevailing price of gold bullion, and will vary according to current market price. See Bullion Chart.

DOUBLE EAGLES

Mint mark location is below the eagle

Without Motto on Reverse 1850-1866

	Quan. Minted	VF-20	EF-40	AU-50	MS-60	Proof-63
1850	1,170,261	$435.00	$465.00	$500.00	$1,200	
1850O	141,000	435.00	465.00	550.00	1,500	
1851	2,087,155	435.00	465.00	500.00	1,100	
1851O	315,000	435.00	465.00	550.00	1,500	
1852	2,053,026	435.00	465.00	500.00	1,100	
1852O	190,000	435.00	465.00	550.00	1,500	
1853	1,261,326	435.00	465.00	500.00	1,000	
1853O	71,000	435.00	465.00	550.00	1,700	
1854	757,899	435.00	465.00	500.00	1,000	
1854O	3,250	12,000	18,000	27,500		
1854S	141,468	435.00	465.00	500.00	1,900	
1855	364,666	435.00	465.00	500.00	900.00	
1855O	8,000	1,000	1,500	2,800	——	
1855S	879,675	435.00	465.00	500.00	900.00	
1856	329,878	435.00	465.00	500.00	900.00	
1856O	2,250	12,000	20,000	30,000		
1856S	1,189,750	435.00	465.00	500.00	900.00	
1857	439,375	435.00	465.00	500.00	900.00	
1857O	30,000	435.00	465.00	550.00	1,600	
1857S	970,500	435.00	465.00	500.00	900.00	
1858	211,714	435.00	465.00	500.00	900.00	
1858O	35,250	435.00	425.00	700.00	2,500	
1858S	846,710	435.00	465.00	500.00	900.00	
1859	(80) 43,597	435.00	465.00	500.00	1,250	
1859O	9,100	800.00	1,200	2,000	3,500	
1859S	636,445	435.00	465.00	500.00	900.00	
1860	(59) 577,670	435.00	465.00	500.00	900.00	
1860O	6,600	800.00	1,500	2,000	3,500	
1860S	544,950	435.00	465.00	500.00	900.00	
1861	(66) 2,976,453	435.00	465.00	500.00	900.00	
1861O	17,741	500.00	900.00	1,400	3,000	
1861S	768,000	435.00	465.00	500.00	900.00	
1862	(35) 92,133	435.00	465.00	500.00	1,500	$14,500
1862S	854,173	435.00	465.00	500.00	900.00	
1863	(30) 142,790	435.00	465.00	500.00	1,200	13,000
1863S	966,570	435.00	465.00	500.00	900.00	
1864	(50) 204,285	435.00	465.00	500.00	1,100	13,000
1864S	793,660	435.00	465.00	500.00	900.00	
1865	(25) 351,200	435.00	465.00	500.00	900.00	14,500
1865S	1,042,500	435.00	465.00	500.00	900.00	
1866S		435.00	465.00	550.00	1,400	

Values of common gold coins are based on the prevailing price of gold bullion, and will vary according to current market price. See Bullion Chart.

DOUBLE EAGLES
Motto Above Eagle, Value TWENTY D. 1866-1876

	Quan. Minted	VF-20	EF-40	AU-50	MS-60	Proof-63
1866 .... (30)	698,775	$425.00	$450.00	$475.00	$700.00	$12,000
1866S	842,250	425.00	450.00	475.00	625.00	
1867 .... (50)	251,065	425.00	450.00	475.00	625.00	
1867S	920,750	425.00	450.00	475.00	625.00	
1868 .... (25)	98,600	425.00	450.00	475.00	700.00	12,000
1868S	837,500	425.00	450.00	475.00	625.00	
1869 .... (25)	175,155	425.00	450.00	475.00	625.00	12,000
1869S	686,750	425.00	450.00	475.00	625.00	
1870 .... (35)	155,185	425.00	450.00	475.00	625.00	12,000
1870CC	3,789	6,000	12,000	——	——	
1870S	982,000	425.00	450.00	475.00	575.00	
1871 .... (30)	80,150	425.00	450.00	475.00	625.00	12,000
1871CC	17,387	750.00	1,200	1,600		
1871S	928,000	425.00	450.00	475.00	800.00	
1872 .... (30)	251,880	425.00	450.00	475.00	525.00	12,000
1872CC	26,900	450.00	475.00	675.00	1,400	
1872S	780,000	425.00	450.00	475.00	525.00	
1873 .... (25)	1,709,825	475.00	525.00	625.00	725.00	12,000
1873CC	22,410	450.00	500.00	600.00	1,400	
1873S	1,040,600	425.00	450.00	475.00	525.00	
1874 .... (20)	366,800	425.00	450.00	475.00	525.00	13,000
1874CC	115,085	475.00	500.00	525.00	800.00	
1874S	1,214,000	425.00	450.00	475.00	525.00	
1875 .... (20)	295,740	425.00	450.00	475.00	525.00	——
1875CC	111,151	450.00	475.00	500.00	600.00	
1875S	1,230,000	425.00	450.00	475.00	525.00	
1876 .... (45)	583,905	425.00	450.00	475.00	525.00	12,000
1876CC	138,441	450.00	475.00	500.00	575.00	
1876S	1,597,000	425.00	450.00	475.00	525.00	

TWENTY DOLLARS 1877-1907

Values of common gold coins are based on the prevailing price of gold bullion, and will vary according to current market price. See Bullion Chart.

DOUBLE EAGLES

	Quan. Minted	VF-20	EF-40	AU-50	MS-60	Proof-63
1877 ....(20)	397,670	$425.00	$450.00	$475.00	$510.00	$12,000
1877CC	42,565	450.00	500.00	525.00	750.00	
1877S.............................	1,735,000	425.00	450.00	475.00	510.00	
1878 ....(20)	543,645	425.00	450.00	475.00	510.00	12,000
1878CC	13,180	450.00	500.00	575.00	1,100	
1878S.............................	1,739,000	425.00	450.00	475.00	510.00	
1879 ....(30)	207,630	425.00	450.00	475.00	510.00	12,000
1879CC	10,708	550.00	650.00	800.00	1,900	
1879O	2,325	1,100	1,500	2,500	5,000	
1879S.............................	1,223,800	425.00	450.00	475.00	510.00	
1880 ....(36)	51,456	425.00	450.00	475.00	550.00	12,000
1880S.............................	836,000	425.00	450.00	475.00	510.00	
1881 ....(61)	2,260	1,100	2,250	3,500	5,000	15,000
1881S.............................	727,000	425.00	450.00	475.00	510.00	
1882 ....(59)	630	1,600	4,000	7,500	14,000	
1882CC	39,140	425.00	450.00	500.00	800.00	
1882S.............................	1,125,000	425.00	450.00	475.00	510.00	
1883 Proofs only.............(92)	92					———
1883CC	59,962	425.00	450.00	500.00	700.00	
1883S.............................	1,189,000	425.00	450.00	475.00	510.00	
1884 Proofs only.............(71)	71					———
1884CC	81,139	425.00	450.00	500.00	700.00	
1884S.............................	916,000	425.00	450.00	475.00	510.00	
1885 ....(77)	828	1,200	3,000	6,000	11,000	———
1885CC	9,450	500.00	650.00	900.00	1,600	
1885S.............................	683,500	425.00	450.00	475.00	510.00	
1886 ....(106)	1,106	2,000	4,000	7,500	13,000	22,500
1887 Proofs only...........(121)	121					27,500
1887S.............................	283,000	425.00	450.00	475.00	510.00	
1888 ....(105)	226,266	425.00	450.00	475.00	510.00	9,000
1888S.............................	859,600	425.00	450.00	475.00	510.00	
1889 ....(41)	44,111	425.00	450.00	475.00	510.00	9,000
1889CC	30,945	425.00	450.00	475.00	800.00	
1889S.............................	774,700	425.00	450.00	475.00	510.00	
1890 ....(55)	75,995	425.00	450.00	475.00	510.00	9,000
1890CC	91,209	425.00	450.00	475.00	700.00	
1890S.............................	802,750	425.00	450.00	475.00	510.00	
1891 ....(52)	1,442	650.00	1,400	2,100	4,000	10,000
1891CC	5,000	600.00	1,000	1,500	2,500	
1891S.............................	1,288,125	425.00	450.00	475.00	510.00	
1892 ....(93)	4,523	500.00	650.00	900.00	2,500	9,000
1892CC	27,265	425.00	450.00	550.00	1,100	
1892S.............................	930,150	425.00	450.00	475.00	510.00	
1893 ....(59)	344,339	425.00	450.00	475.00	510.00	7,500
1893CC	18,402	425.00	450.00	650.00	1,300	
1893S.............................	996,175	425.00	450.00	475.00	510.00	
1894 ....(50)	1,368,990	425.00	450.00	475.00	510.00	7,500
1894S.............................	1,048,550	425.00	450.00	475.00	510.00	
1895 ....(51)	1,114,656	425.00	450.00	475.00	510.00	7,500
1895S.............................	1,143,500	425.00	450.00	475.00	510.00	
1896 ....(128)	792,663	425.00	450.00	475.00	510.00	7,500
1896S.............................	1,403,925	425.00	450.00	475.00	510.00	
1897 ....(86)	1,383,261	425.00	450.00	475.00	510.00	7,500
1897S.............................	1,470,250	425.00	450.00	475.00	510.00	
1898 ....(75)	170,470	425.00	450.00	475.00	510.00	7,500
1898S.............................	2,575,175	425.00	450.00	475.00	510.00	
1899 ....(84)	1,669,384	425.00	450.00	475.00	510.00	7,500
1899S.............................	2,010,300	425.00	450.00	475.00	510.00	
1900 ....(124)	1,874,584	425.00	450.00	475.00	510.00	7,500
1900S.............................	2,459,500	425.00	450.00	475.00	510.00	
1901 ....(96)	111,526	425.00	450.00	475.00	510.00	7,500

DOUBLE EAGLES

	Quan. Minted	VF-20	EF-40	AU-50	MS-60	Proof-63
1901S	1,596,000	$425.00	$450.00	$475.00	$510.00	
1902 .... (114)	31,254	425.00	450.00	475.00	510.00	$7,500
1902S	1,753,625	425.00	450.00	475.00	510.00	
1903 .... (158)	287,428	425.00	450.00	475.00	510.00	7,500
1903S	954,000	425.00	450.00	475.00	510.00	
1904 .... (98)	6,256,797	425.00	450.00	475.00	510.00	7,500
1904S	5,134,175	425.00	450.00	475.00	510.00	
1905 .... (92)	59,011	425.00	450.00	475.00	510.00	7,500
1905S	1,813,000	425.00	450.00	475.00	510.00	
1906 .... (94)	69,690	425.00	450.00	475.00	510.00	7,500
1906D	620,250	425.00	450.00	475.00	510.00	
1906S	2,065,750	425.00	450.00	475.00	510.00	
1907 .... (78)	1,451,864	425.00	450.00	475.00	510.00	7,500
1907D	842,250	425.00	450.00	475.00	510.00	
1907S	2,165,800	425.00	450.00	475.00	510.00	

SAINT-GAUDENS TYPE 1907-1933

The $20 gold piece designed by Augustus Saint-Gaudens is considered to be the most beautiful United States coin. The first coins issued were 11,250 high relief pieces struck for general circulation. The relief is much higher than later issues and the date 1907 is in Roman numerals. A few of the proof coins were made using the lettered edge collar from the extremely high relief version. These can be distinguished by a pronounced bottom left serif on the N in UNUM, and other minor differences. Flat-relief double eagles were issued later in 1907 with Arabic numerals, and continued through 1933.

The field of the rare extremely high relief experimental pieces is excessively concave and connects directly with the edge without any border, giving it a sharp knifelike appearance; Liberty's skirt shows two folds on the side of her right leg; the Capitol building in the background at left is very small; the sun, on the reverse side, has 14 rays, as opposed to the regular high relief coins that have only 13 rays extending from the sun. High relief proofs are trial or experimental pieces.

VF-20 VERY FINE—*Minor wear on legs and toes. Eagle's left wing and breast feathers worn.*

EF-40 EXTREMELY FINE—*Drapery lines on chest visible. Wear on left breast, knee and below. Eagle's feathers on breast and right wing are bold.*

AU-50 ABOUT UNCIRCULATED—*Trace of wear on nose, breast, and knee. Wear visible on eagle's wings.*

MS-60 UNCIRCULATED—*No trace of wear. Light marks or blemishes.*

	Proof
1907 Ex. high relief, plain edge (Unique)	——
1907 Ex. high relief, lettered edge	——

	Quan. Minted	VF-20	EF-40	AU-50	MS-60	Proof
1907 high relief, Roman numerals (MCMVII),	11,250	$1,700	$2,500	$3,500	$4,750	——

Values of common gold coins are based on the prevailing price of gold bullion, and will vary according to current market price. See Bullion Chart.

DOUBLE EAGLES
Arabic Numerals

No Motto

Motto IN GOD WE TRUST,
1908-1933

Mint mark location is on obverse above date.

	Quan. Minted	VF-20	EF-40	AU-50	MS-60	Matte Proof-63
1907	361,667	$425.00	$450.00	$475.00	$600.00	
1908	4,271,551	425.00	450.00	475.00	525.00	
1908D	663,750	425.00	450.00	475.00	525.00	
1908 (101)	156,359	425.00	450.00	500.00	575.00	$11,000
1908D	349,500	425.00	450.00	475.00	525.00	
1908S	22,000	425.00	500.00	750.00	2,000	

1909, 9 over 8

	Quan. Minted	VF-20	EF-40	AU-50	MS-60	Matte Proof-63
1909 (67)	161,282	425.00	450.00	475.00	525.00	11,000
1909, 9 over 8		425.00	450.00	475.00	525.00	
1909D	52,500	450.00	550.00	650.00	1,300	
1909S	2,774,925	425.00	450.00	475.00	525.00	
1910 (167)	482,167	425.00	450.00	475.00	525.00	10,000
1910D	429,000	425.00	450.00	475.00	525.00	
1910S	2,128,250	425.00	450.00	475.00	525.00	
1911 (100)	197,350	425.00	450.00	475.00	525.00	10,000
1911D	846,500	425.00	450.00	475.00	525.00	
1911S	775,750	425.00	450.00	475.00	525.00	
1912 (74)	149,824	425.00	450.00	475.00	525.00	10,000
1913 (58)	168,838	425.00	450.00	475.00	525.00	10,000
1913D	393,500	425.00	450.00	475.00	525.00	
1913S	34,000	425.00	450.00	475.00	600.00	
1914 (70)	95,320	425.00	450.00	475.00	525.00	10,000
1914D	453,000	425.00	450.00	475.00	525.00	
1914S	1,498,000	425.00	450.00	475.00	525.00	
1915 (50)	152,050	425.00	450.00	475.00	525.00	10,000
1915S	567,500	425.00	450.00	475.00	525.00	
1916S	796,000	425.00	450.00	475.00	525.00	
1920	228,250	425.00	450.00	475.00	525.00	
1920S	558,000	3,000	5,000	6,000	10,000	
1921	528,500	5,000	7,000	8,500	14,000	
1922	1,375,500	425.00	450.00	475.00	525.00	
1922S	2,658,000	425.00	475.00	500.00	600.00	
1923	566,000	425.00	450.00	475.00	525.00	
1923D	1,702,250	425.00	450.00	475.00	525.00	
1924	4,323,500	425.00	450.00	475.00	525.00	
1924D	3,049,500	450.00	475.00	525.00	1,000	
1924S	2,927,500	450.00	475.00	525.00	1,000	
1925	2,831,750	425.00	450.00	475.00	525.00	

DOUBLE EAGLES

	Quan. Minted	VF-20	EF-40	AU-50	MS-60	Matte Proof-63
1925D	2,938,500	$450.00	$550.00	$700.00	$1,100	
1925S	3,776,500	450.00	500.00	700.00	1,200	
1926	816,750	425.00	450.00	475.00	525.00	
1926D	481,000	450.00	650.00	800.00	1,500	
1926S	2,041,500	450.00	500.00	600.00	950.00	
1927	2,946,750	425.00	450.00	475.00	525.00	
1927D	180,000				——	
1927S	3,107,000	1,500	2,000	3,000	5,000	
1928	8,816,000	425.00	450.00	475.00	525.00	
1929	1,779,750	1,500	2,000	2,500	4,000	
1930S	74,000	2,500	4,500	3,500	7,500	
1931	2,938,250	2,500	4,000	5,000	6,500	
1931D	106,500	2,500	4,500	5,000	7,000	
1932	1,101,750	2,500	5,000	6,000	8,500	
1933	445,500	None placed in circulation				

COMMEMORATIVE SILVER COINS
Isabella, Alabama

In 1892, to commemorate the World's Columbian Exposition in Chicago, Congress authorized the coinage of a special half dollar and quarter dollar, thus starting a long line of United States commemorative coins. Nearly all commemorative coins have been distributed by private individuals or commissions; they paid the mint the face value of the coins and in turn sold the pieces at a premium to collectors. There are a few instances in which some of the very large issues were later released to circulation at face value.

		Quan. Available	AU-50	MS-60
1893	Isabella Quarter (Columbian Exposition)	24,214	$135.00	$375.00

HALF DOLLARS
(Listed alphabetically)

2x2 in Field

			AU-50	MS-60
1921	Alabama, "2 × 2" in field	6,006	80.00	225.00
1921	Same, no "2 × 2"	59,038	50.00	180.00

COMMEMORATIVE SILVER
Albany, Antietam, Arkansas

		Quan. Available	AU-50	MS-60
1936	Albany, New York	17,671	$160.00	$180.00

		Quan. Available	AU-50	MS-60
1937	Battle of Antietam 1862-1937	18,028	200.00	300.00

1935	Arkansas Centennial	13,012	} Set		175.00
1935D	Same	5,505			
1935S	Same	5,506			
1936	Arkansas Centennial, same as 1935 —				
	date 1936 on reverse	9,660	} Set		175.00
1936D	Same	9,660			
1936S	Same	9,662			
1937	Arkansas Centennial, same as 1935	5,505	} Set		200.00
1937D	Same	5,505			
1937S	Same	5,506			
1938	Arkansas Centennial, same as 1935	3,156	} Set		350.00
1938D	Same	3,155			
1938S	Same	3,156			
1939	Arkansas, same as 1935	2,104	} Set		625.00
1939D	Same	2,104			
1939S	Same	2,105			
	Single type coin			45.00	60.00

COMMEMORATIVE SILVER
Bay Bridge, Boone, Bridgeport

		Quan. Available	AU-50	MS-60
1936S	San Francisco-Oakland Bay Bridge	71,424	•$65.00	$130.00

1934 added on reverse

			AU-50	MS-60
1934	Daniel Boone Bicentennial	10,007	65.00	80.00
1935	Same	10,010		
1935D	Same	5,005	Set	260.00
1935S	Same	5,005		
1935	Daniel Boone Bicentennial, same as 1934 but small 1934 added on reverse.................	10,008		
1935D	Same	2,003	Set	650.00
1935S	Same	2,004		
1936	D. Boone Bicentennial, same as 1934...........	12,012		
1936D	Same	5,005	Set	260.00
1936S	Same	5,006		
1937	D. Boone Bicentennial, same as 1934...........	9,810		
1937D	Same	2,506	Set	450.00
1937S	Same	2,506		
1938	Daniel Boone, same as 1934...................	2,100		
1938D	Same	2,100	Set	900.00
1938S	Same	2,100		
	Single type coin		65.00	80.00

1936	Bridgeport, Conn., Centennial	25,015	80.00	110.00

COMMEMORATIVE SILVER
California, Cincinnati, Cleveland, Columbia, S.C.

		Quan. Available	AU-50	MS-60
1925S	California Diamond Jubilee	86,594	$60.00	$90.00

1936	Cincinnati Music Center	5,005		
1936D	Same...	5,005 } Set		600.00
1936S	Same...	5,006		
	Single type coin		180.00	220.00

1936	Cleveland, Great Lakes Exposition.................	50,030	45.00	70.00

1936	Columbia, S.C., Sesquicentennial..................	9,007		
1936D	Same...	8,009 } Set		635.00
1936S	Same...	8,007		
	Single type coin		145.00	200.00

COMMEMORATIVE SILVER
Columbian, Connecticut, Delaware, Elgin

		Quan. Available	AU-50	MS-60
1892	Columbian Exposition	950,000	$9.00	$37.00
1893	Same	1,550,405	8.00	36.00

| 1935 | Connecticut Tercentenary | 25,018 | 130.00 | 180.00 |

| 1936 | Delaware Tercentenary | 20,993 | 135.00 | 185.00 |

| 1936 | Elgin, Illinois, Centennial | 20,015 | 140.00 | 200.00 |

[154]

COMMEMORATIVE SILVER
Gettysburg, Grant, Hawaiian, Hudson

		Quan. Available	AU-50	MS-60
1936	Battle of Gettysburg 1863-1938	26,928	$130.00	$175.00

1922	Grant Memorial, small star above word "Grant" in obv. field	4,256	225.00	515.00
	(Fake stars have flattened spot on reverse.)			
1922	Same, no star in obverse field	67,405	40.00	75.00

| 1928 | Hawaiian Sesquicentennial | 10,008 | 525.00 | 635.00 |

| 1935 | Hudson N. Y. Sesquicentennial | 10,008 | 300.00 | 400.00 |

COMMEMORATIVE SILVER
Huguenot, Illinois, Iowa, Lexington

		Quan. Available	AU-50	MS-60
1924	Huguenot-Walloon Tercentenary	142,080	$37.50	$70.00

| 1918 | Illinois Centennial | 100,058 | 42.50 | 80.00 |

| 1946 | Iowa Centennial | 100,057 | 55.00 | 70.00 |

| 1925 | Lexington-Concord Sesquicentennial | 162,013 | 22.00 | 32.00 |

COMMEMORATIVE SILVER
Long Island, Lynchburg, Maine, Maryland

		Quan. Available	*AU-50*	*MS-60*
1936	Long Island Tercentenary.......................... 81,826		$45.00	$60.00

1936	Lynchburg, Va., Sesquicentennial.................. 20,013	125.00	160.00

1920	Maine Centennial. :.............................. 50,028	45.00	90.00

1934	Maryland Tercentenary.......................... 25,015	80.00	95.00

COMMEMORATIVE SILVER
Missouri, Monroe, New Rochelle, Norfolk

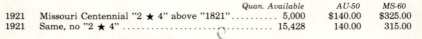

		Quan. Available	AU-50	MS-60
1921	Missouri Centennial "2 ★ 4" above "1821"	5,000	$140.00	$325.00
1921	Same, no "2 ★ 4"	15,428	140.00	315.00

1923S	Monroe Doctrine Centennial	274,077	16.00	45.00

1938	New Rochelle, N. Y. 1688-1938	15,266	250.00	325.00

1936	Norfolk, Va., Bicentennial	16,936	300.00	350.00

COMMEMORATIVE SILVER
Oregon, Panama-Pacific, Pilgrim

		Quan. Available	AU-50	MS-60
1926	Oregon Trail Memorial	47,955	$55.00	$75.00
1926S	Same	83,055	55.00	75.00
1928	Oregon Trail Memorial, same as 1926	6,028	75.00	160.00
1933D	Oregon Trail Memorial, same	5,008	100.00	200.00
1934D	Oregon Trail Memorial, same	7,006	70.00	155.00
1936	Oregon Trail Memorial, same as 1926	10,006	60.00	110.00
1936S	Same	5,006	75.00	160.00
1937D	Oregon Trail Mem., D mint, same as 1926	12,008	60.00	85.00
1938	Oregon Trail Mem., same as 1926	6,006 ⎫		
1938D	Same	6,005 ⎬ Set		420.00
1938S	Same	6,006 ⎭		
1939	Oregon Trail, same as 1926	3,004 ⎫		
1939D	Same	3,004 ⎬ Set		850.00
1939S	Same	3,005 ⎭		
	Single type coin		50.00	75.00

1915S	Panama-Pacific Exposition	27,134	125.00	275.00

1920	Pilgrim Tercentenary	152,112	25.00	37.50
1921	Same, with 1921 date added in field	20,053	55.00	90.00

		Quan. Available	AU-50	MS-60
1936	Rhode Island Tercentenary	20,013 ⎫		
1936D	Same	15,010 ⎬ Set		$225.00
1936S	Same	15,011 ⎭		
	Single type coin		$60.00	80.00

			AU-50	MS-60
1937	Roanoke Island, N. C., 1587-1937	29,030	100.00	140.00

			AU-50	MS-60
1936	Arkansas Centennial (Robinson)	25,265	60.00	80.00

			AU-50	MS-60
1935S	San Diego, California-Pacific Expo	70,132	50.00	65.00
1936D	Same	30,092	50.00	75.00

COMMEMORATIVE SILVER
Sesquicentennial, Spanish Trail, Statue of Liberty, Stone Mountain

		Quan. Available	AU-50	MS-60
1926	Sesquicentennial of American Independence.......	141,120	$20.00	$30.00

		Quan. Available	AU-50	MS-60
1935	Old Spanish Trail 1535-1935.........................	10,008	400.00	500.00

			MS-65	Proof-65
1986D	Statue of Liberty......................................	928,008	$4.50	
1986S	Same type S mint, Proof.........................	(6,925,627)		$5.00

			AU-50	MS-60
1925	Stone Mountain Memorial	1,314,709	$16.00	$30.00

COMMEMORATIVE SILVER
Texas, Vancouver, Vermont

		Quan. Available	AU-50	MS-60
1934	Texas Centennial...............................	61,463	$60.00	$80.00
1935	Texas Centennial, same as 1934	9,996 ⎱		
1935D	Same..	10,007 ⎬ Set		275.00
1935S	Same..	10,008 ⎰		
1936	Texas Centennial, same as 1934	8,911 ⎱		
1936D	Same..	9,039 ⎬ Set		275.00
1936S	Same..	9,055 ⎰		
1937	Texas Centennial, same as 1934	6,571 ⎱		
1937D	Same..	6,605 ⎬ Set		275.00
1937S	Same..	6,637 ⎰		
1938	Texas Centennial, same as 1934	3,780 ⎱		
1938D	Same..	3,775 ⎬ Set		475.00
1938S	Same..	3,814 ⎰		
	Single type coin		60.00	80.00

1925S	Fort Vancouver Centennial.........................	14,994	160.00	275.00

1927	Vermont Sesquicentennial (Bennington)............	28,162	100.00	150.00

COMMEMORATIVE SILVER
Washington, B.T., Washington-Carver, Washington, George

	Quan. Available	MS-60
1946 Booker T. Washington		
Memorial	1,000,546	
1946D	200,113	Set $25.00
1946S	500,279	
1947	100,017	
1947D	100,017	Set 40.00
1947S	100,017	
1948	8,005	
1948D	8,005	Set 60.00
1948S	8,005	

	Quan. Available	MS-60
1949	6,004	
1949D	6,004	Set $75.00
1949S	6,004	
1950	6,004	
1950D	6,004	Set 65.00
1950S	512,091	
1951	510,082	
1951D	7,004	Set 50.00
1951S	7,004	
Single type coin		7.00

1951 Washington-Carver		
	110,018	
1951D	10,004	Set 55.00
1951S	10,004	
1952	2,006,292	
1952D	8,006	Set 65.00
1952S	8,006	

1953	8,003	
1953D	8,003	Set 80.00
1953S	108,020	
1954	12,006	
1954D	12,006	Set 50.00
1954S	122,024	
Single type coin		7.00

	Quan. Issued	MS-63	Proof-65
1982D Geo. Washington-250th Anniversary	2,210,458	$6.00	
1982S Same, Proof	(4,894,044)		$5.00

COMMEMORATIVE SILVER
Wisconsin, York County, Lafayette, Los Angeles

		Quan. Available	AU-50	MS-60
1936	Wisconsin Centennial	25,015	$135.00	$175.00

| 1936 | York County, Maine Tercentenary.............. | 25,015 | 110.00 | 160.00 |

| 1900 | Lafayette Dollar................................ | 36,026 | 200.00 | 650.00 |

		Quan. Issued	MS-65	Proof-65
1983P	Discus Thrower Silver Dollar....................	294,543	$18.00	
1983D	Same type D mint.............................	174,014	30.00	
1983S	Same type S mint .... (1,577,025)	174,014	25.00	$16.00

COMMEMORATIVE SILVER

Los Angeles, Statue of Liberty, Constitution

		Quan. Issued	MS-65	Proof-65
1984P	Olympic Coliseum Silver Dollar.....................	217,954	$19.00	
1984D	Same type D mint................................	116,675	60.00	
1984S	Same type S mint	(1,801,210) 116,675	40.00	$17.00

1986P	Statue of Liberty Dollar...........................	723,635	17.00	
1986S	Same type S mint, proof	(6,414,638)		20.00

1987P	Constitution Dollar		14.00	
1987S	Same type S mint, proof			15.00

COMMEMORATIVE SILVER
Olympic

		Quan. Issued	MS-65	Proof-65
1988P	Olympic Silver Dollar...................................		$14.00	
1988S	Same type S mint, proof			$15.00

COMMEMORATIVE GOLD
Grant, Lewis & Clark.

		Quan. Available	AU-50	MS-60
1922	Grant Memorial Dollar, star above word "Grant"...	5,016	$500.00	$900.00
1922	Same, without star	5,000	500.00	900.00

1904	Lewis and Clark Exposition Dollar................	10,025	325.00	800.00
1905	Lewis and Clark Exposition Dollar................	10,041	325.00	800.00

COMMEMORATIVE GOLD

Louisiana Purchase, McKinley, Panama-Pacific, U.S. Sesquicentennial

		Quan. Available	AU-50	MS-60
1903	Louisiana Purchase Jefferson Dollar	17,500	$250.00	$475.00
1903	Louisiana Purchase McKinley Dollar	17,500	250.00	475.00

1916	McKinley Memorial Dollar	9,977	225.00	500.00
1917	McKinley Memorial Dollar	10,000	240.00	525.00

1915S	Panama-Pacific Exposition Dollar	15,000	200.00	450.00
1915S	Panama-Pacific Exposition $2.50	6,749	550.00	1,200

1915S	Panama-Pacific $50 Round	483	15,000	21,000
1915S	Panama-Pacific $50 Octagonal	645	12,000	17,500

[167]

COMMEMORATIVE GOLD
U.S. Sesquicentennial, Constitution, Statue of Liberty, Olympics

		Quan. Available	AU-50	MS-60
1926	United States Sequicentennial $2.50 46,019		$175.00	$375.00

		Quan. Issued	MS-65	Proof-65
1987W	U.S. Constitution $5.00		$110.00	$110.00

			MS-65	Proof-65
1986W	Statue of Liberty $5.00 .... (404,013) 95,248		175.00	150.00

1988W	Olympic $5.00		110.00	110.00

1984W	Olympic Gold Eagle .... (381,085)	75,886	240.00	220.00
1984P	Olympic Gold Eagle .... (33,309)			550.00
1984D	Olympic Gold Eagle .... (34,533)			340.00
1984S	Olympic Gold Eagle .... (48,551)			250.00

UNITED STATES BULLION COINS

The silver eagle is a one ounce bullion coin with a face value of one dollar. The obverse has Adolph A. Weinman's Walking Liberty design used on the half dollar coins from 1916 through 1947. His initials are on the hem of the gown. The reverse design is a rendition of a heraldic eagle by John Mercanti, a Mint Sculptor and Engraver.

Designers: Adolph A. Weinman (obverse), John Mercanti (reverse); composition 99.93% silver, .07% copper; weight 31.101 grams; diameter 40.6mm; net weight one oz. pure silver; reeded edge; mints: Philadelphia, San Francisco.

		Quan. Issued	Unc.	Proof			Quan. Issued	Unc.	Proof
$1	1986	5,393,005	$8.00		$1	1987			$19.00
$1	1986	1,446,778		$25.00	$1	1988		$7.25	
$1	1987	11,442,335	7.25		$1	1988			19.00

The gold American Eagle bullion coins are made in four denominations that contain 1 oz., ½ oz., ¼ oz. and 1/10 oz. of gold. The obverse features a modified rendition of the Augustus Saint-Gaudens design used on U.S. twenty dollar gold pieces from 1907 until 1933. The reverse displays a "family of eagles" motif designed by Mrs. Miley Busiek and engraved by Sherl J. Winter.

Designers: Augustus Saint-Gaudens (obverse), Miley Busiek (reverse); composition, 91.67% gold, 3% silver, 5.33% copper; reeded edge; mints: Philadelphia, West Point.
$50 diameter 32.7mm; weight 33.931 grams; net weight one oz. pure gold.
$25 diameter 27mm; weight 16.966 grams; net weight ½ oz. pure gold.
$10 diameter 22mm; weight 8.483 grams; net weight ¼ oz. pure gold.
$ 5 diameter 16.5mm; weight 3.393 grams; net weight 1/10 oz. pure gold.

	Quan. Issued	Unc.	Proof		Quan. Issued	Unc.	Proof
$ 5 (1986)	912,609	$50.00		$50 (1986)	1,362,650	$450.00	
$ 5 (1987)	580,266	50.00		$50 (1986)	446,290		$475.00
$ 5 (1988)		50.00		$50 (1987)	1,045,500	450.00	
$10 (1986)	726,071	115.00		$50 (1987)			475.00
$10 (1987)	269,255	115.00		$50 (1988)		450.00	
$10 (1988)		115.00		$50 (1988)			475.00
$25 (1986)	559,566	225.00					
$25 (1987)	131,255	225.00	$240.00				
$25 (1988)		225.00	240.00				

PRIVATE OR TERRITORIAL GOLD COINS

Private coins were circulated in most instances because of a shortage of regular coinage. The words "Private Gold," used with reference to coins struck outside of the United States Mint, are a general term. In the sense that no state or territory had authority to coin money, private gold simply refers to those interesting necessity pieces of various shapes, denominations and degrees of intrinsic worth which were circulated in isolated areas of our country by individuals, assayers, bankers, etc. Some will use the words "Territorial" and "State" to cover certain is- sues because they were coined and circulated in a territory or state. While the state of California properly sanctioned the ingots stamped by F. D. Kohler as state assayer, in no instance were any of the gold pieces struck by authority of any of the territorial governments.

The stamped ingots put out by Augustus Humbert, the United States assayer of gold, were not recognized at the United States Mint as an official issue of coins, but simply as ingots, though Humbert placed the value and fineness on the pieces as an official agent of the federal government.

TEMPLETON REID
Georgia 1830

The first private gold coinage under the Constitution was struck by Templeton Reid, a jeweler and gunsmith, in Milledgeville, Georgia in July, 1830. To be closer to the mines, he moved to Gainesville where most of his coins were made. Although weights were accurate, Reid's assays were not and his coins were slightly short of claimed value. Accordingly, he was severely attacked in the newspapers and soon lost the public's confidence.

		V. Fine
1830 $2.50	....	$15,000
1830 $5.00	....	40,000

		V. Good
1830 TEN DOLLARS	....	$22,000
(No date) TEN DOLLARS	....	15,000

[170]

TEMPLETON REID
"California Gold 1849"

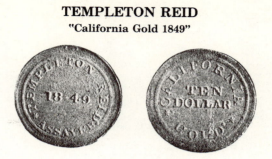

1849 TEN DOLLAR CALIFORNIA GOLD (Smithsonian Collection) .... Unique

THE BECHTLERS
Rutherford County, N. C. 1830-1852

Two skilled German metallurgists, Christopher Bechtler and his son August, and later Christopher Bechtler, Junior, a nephew of Christopher the elder, operated a "private" mint at Rutherfordton, North Carolina. Rutherford county in which Rutherfordton is located was the principal source of the nation's gold supply from 1790 to 1840.

CHRISTOPHER BECHTLER

	V. Fine	E. Fine	Unc.
ONE DOLLAR CAROLINA, 28 gr. N reversed	$450.00	$650.00	$1,600
ONE DOLLAR N. CAROLINA, 28 gr. no star	1,000	2,000	4,000

| ONE DOLLAR N. CAROLINA, 30 gr........................ | 600.00 | 1,000 | 2,000 |
| $2.50 CAROLINA, 67 gr. 21 carats .... | 750.00 | 1,200 | 2,750 |

| $2.50 CAROLINA, 70 gr. 20 carats .... | 900.00 | 1,400 | 2,800 |
| $2.50 GEORGIA, 64 gr. 22 carats........................ | 1,000 | 1,500 | 3,500 |

THE BECHTLERS

	V. Fine	E. Fine	Unc.
$2.50 NORTH CAROLINA, 75 gr. 20 carats.			
RUTHERFORD in a circle. Border of lg. beads	$2,000	$3,000	$5,000
$2.50 NORTH CAROLINA, without 75 G	2,000	3,000	4,500

5 DOLLARS CAROLINA, RUTHERFORD,			
140 gr. 20 carats. Date August 1, 1834.			
Plain edge...	1,200	1,750	4,000
Reeded edge..	1,750	2,500	4,250
BECHTLER without star and C	———		
5 DOLLARS CAROLINA, 134 gr. 21 carats, with star........	1,000	1,800	3,250

5 DOLLARS GEORGIA, RUTHERF.			
128 gr. 22 carats....................................	1,500	2,500	4,000
5 DOLLARS GEORGIA, RTHERF. 128 gr. 22 carats...........	1,300	2,200	3,750
5 DOLLARS CAROLINA, RUTHERF.			
140 gr. 20 carats. Date August 1, 1834 (illustrated)	1,300	2,200	3,750
Similar. 20 distant from carats........................	3,000	4,750	———

		Without 150 G	
5 DOLLARS NORTH CAROLINA, 150 gr. 20 carats...........	2,500	3,250	7,750
5 DOLLARS. Same as last variety without 150 G..........	2,500	3,750	7,000

THE BECHTLERS

AUGUST BECHTLER
1842-1852

	V. Fine	E. Fine	Unc.
1 DOLLAR CAROLINA, 27 gr. 21 carats..................	$400.00	$500.00	$1,100
5 DOLLARS CAROLINA, 134 gr. 21 carats................	1,000	1,700	3,500

	V. Fine	E. Fine	Unc.
5 DOLLARS CAROLINA, 128 gr. 22 carats................	1,650	2,500	4,750
5 DOLLARS CAROLINA, 141 gr. 20 carats................	1,650	2,500	4,750

NORRIS, GREGG & NORRIS
San Francisco 1849

These pieces are considered the first of the California private gold coins. A newspaper account dated May 31, 1849, described a five-dollar gold coin, struck at Benicia City, though with the imprint San Francisco, and the private stamp of Norris, Gregg and Norris.

	Fine	V. Fine	E. Fine	Unc.
1849 HALF EAGLE — Plain edge	$1,200	$1,600	$3,000	$8,000
1849 HALF EAGLE — Reeded edge	1,200	1,600	3,500	9,000
1850 HALF EAGLE with STOCKTON beneath date				(Unique)

MOFFAT & CO.
San Francisco 1849-1853

The firm of Moffat and Company was perhaps the most important of the California private coiners. The assay office they conducted was semi-official in character, and successors to this firm later established the United States Branch mint of San Francisco.

In June or July, 1849, Moffat & Co. began to issue small rectangular pieces of gold in values from $9.43 to $264. The $9.43, $14.25 and $16.00 varieties are the only types known today.

$9.43 Ingot (Unique)			——
$14.25 Ingot (Unique)			——
$16.00 Ingot		E.F.	$14,000

The dies for the $10 piece were cut by Albert Kuner. The words MOFFAT & CO. appear on the coronet of Liberty instead of the word LIBERTY as in regular United States issues.

	Fine	V. Fine	E. Fine	Unc.
1849 FIVE DOL..............................	$350.00	$600.00	$1,000	$3,500
1850 FIVE DOL..............................	350.00	600.00	1,000	3,500
1849 TEN DOL.	800.00	1,100	2,500	6,000
1849 TEN D................................	800.00	1,100	2,500	6,000

United States Assay Office
AUGUSTUS HUMBERT
U. S. Assayer 1851

When Augustus Humbert was appointed United States Assayer, he placed his name and the government stamp on the ingots of gold issued by Moffat & Co. The assay office, a Provisional Government Mint, was a temporary expedient to accommodate the Californians until the establishment of a permanent branch mint.

The fifty-dollar gold piece was accepted as legal tender on a par with standard U.S. gold coins.

MOFFAT — HUMBERT

LETTERED EDGE VARIETIES

50 on reverse

	Fine	V. Fine	E. Fine	Unc.
1851 50 D C 880 THOUS., no 50 on Reverse. Sunk in edge: AUGUSTUS HUMBERT UNITED STATES ASSAYER OF GOLD CALIFORNIA 1851	$3,600	$5,200	$10,000	——
1851 50 D C Similar to last variety, but 50 on Reverse	4,500	5,750	12,000	——
1851 Similar to last variety, but 887 THOUS	4,200	5,500	11,000	——

REEDED EDGE VARIETIES

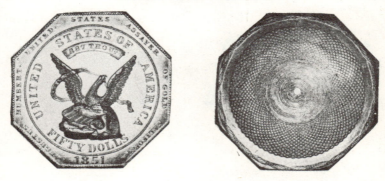

1851 FIFTY DOLLS 880 THOUS. "Target" Reverse	3,000	4,000	7,500	$ 18,000
1851 FIFTY DOLLS 887 THOUS. "Target" Reverse	3,000	4,000	7,500	18,000
1852 FIFTY DOLLS 887 THOUS.	3,200	4,250	9,000	20,000

Moffat & Co. proceeded in January, 1852 to issue a new ten-dollar piece bearing the stamp MOFFAT & CO.

MOFFAT — HUMBERT

	Fine	V. Fine	E. Fine	Unc.
1852 TEN D. MOFFAT & CO.	$900.00	$1,800	$3,250	——

1852 TWENTY DOLS. 1852, 2 over 1	1,750	3,000	4,500	——

1852 TEN DOLS. 1852, 2 over 1	700.00	1,000	2,000	——
1852 TEN DOLS.	650.00	900.00	1,800	$5,000

UNITED STATES ASSAY OFFICE OF GOLD

1852

The firm of Moffat & Co. dissolved and a new reorganized company known as the United States Assay Office of Gold, composed of Curtis, Perry and Ward took over the contract.

UNITED STATES ASSAY OFFICE

	Fine	V. Fine	E. Fine	Unc.
1852 FIFTY DOLLS. 887 THOUS.	$3,000	$5,000	$9,500	$25,000
1852 FIFTY DOLLS. 900 THOUS.	3,300	5,200	11,000	30,000

1852 TEN DOLS 884 THOUS.	600.00	1,100	1,600	5,500
1853 TEN D. 884 THOUS.	2,500	3,500	7,500	——
1853 TEN D. 900 THOUS.	1,500	2,200	3,500	——
1853 TWENTY D. 884 THOUS.	3,750	6,000	11,000	——
1853 TWENTY D. 900 THOUS.	825.00	1,300	2,200	5,000

The last Moffat issue was the 1853 twenty dollar piece which is very similar to the U.S. double eagle of that period. It was struck after the retirement of Mr. Moffat from the Assay Office.

1853 TWENTY D.	1,200	2,000	3,000	6,000

CINCINNATI MINING & TRADING CO.

The origin and location of this company are unknown.

	E. Fine	Unc.
1849 FIVE DOLLARS	—	—
1849 TEN DOLLARS	—	—

MASSACHUSETTS AND CALIFORNIA COMPANY
San Francisco 1849

This company was believed to have been organized in Northampton, Mass. in May 1849.

	V. Fine
1849 FIVE D.	$20,000

MINERS' BANK
San Francisco 1849

The institution of Wright & Co., exchange brokers located in Portsmouth Square, San Francisco, was known as the Miners' Bank.

A ten dollar piece was issued in the autumn of 1849, but the coins were not readily accepted because they were worth less than face value.

	V. Fine	E. Fine	Unc.
(1849) TEN. D.	$4,000	$7,000	$19,000

J.S. ORMSBY
Sacramento 1849

The initials J. S. O. which appear on certain issues of California privately coined gold pieces represent the firm of J. S. Ormsby & Co. They struck both five and ten dollar denominations, all undated.

J.S. ORMSBY

V. Fine

(1849) 5 DOLLS. (Unique)... ——
(1849) 10 DOLLS.. ——

PACIFIC COMPANY
San Francisco 1849

The origin of the Pacific Co. is very uncertain. All data regarding the firm is based on conjecture.

Edgar H. Adams wrote that he believed that the coins bearing the stamp of the Pacific Company were produced by the coining firm of Broderick and Kohler.

E. Fine

1849 5 DOLLARS $20,000
1849 10 DOLLARS 40,000

F. D. KOHLER
California State Assayer 1850

The State Assay Office was authorized April 12, 1850. Governor Burnett appointed F. D. Kohler that year who thereupon sold his assaying business to Baldwin & Co. He served at both San Francisco and Sacramento Offices. The State Assay Offices were discontinued at the time the U. S. Assay Office was established Feb. 1, 1851.

$36.55 Sacramento .... ——
$47.71 Sacramento .... ——
$37.31 San Francisco .... ——
$40.07 San Francisco .... ——
$41.68 San Francisco .... ——
$45.34 San Francisco .... ——
$50.00 San Francisco .... ——
$54.09 San Francisco .... ——

DUBOSQ & COMPANY
San Francisco 1850

Theodore Dubosq, a Philadelphia jeweler who took melting and coining machinery to San Francisco in 1849, produced the following pieces.

	V. Fine
1850 FIVE D..........	$25,000
1850 TEN D.	30,000

BALDWIN & COMPANY
San Francisco 1850

George C. Baldwin and Thomas S. Holman were in the jewelry business in San Francisco and were known as Baldwin & Co. They were the successors to F. D. Kohler & Co., taking over their machinery and other equipment in May, 1850.

	Fine	V. Fine	E. Fine	Unc.
1850 FIVE DOL............................	$1,500	$2,300	$4,000	$8,000
1850 TEN DOLLARS — Horseman type........	6,000	9,000	15,000	—

| 1851 TEN D................................ | 3,000 | 5,000 | 10,000 | — |

| 1851 TWENTY D. .... 35,000 | — |

SHULTZ & COMPANY
San Francisco 1851

The firm located in back of Baldwin's establishment operated a brass foundry beginning in 1851. Judge G. W. Shultz and William T. Garratt were partners in the enterprise.

	Fine	V. Fine
1851 FIVE D........	$7,000	$10,000

DUNBAR & COMPANY
San Francisco 1851

Edward E. Dunbar operated the California Bank in San Francisco. He later returned to New York and organized the famous Continental Bank Note Co.

	E. Fine
1851 FIVE D	$35,000

WASS, MOLITOR & COMPANY
San Francisco 1852-1855

The gold smelting and assaying plant of Wass, Molitor & Co. was operated by Count S. C. Wass and A. P. Molitor. They maintained an excellent laboratory and complete apparatus for analysis and coinage of gold.

	Fine	V. Fine	E. Fine	Unc.
1852 FIVE DOLLARS	$1,000	$1,750	$3,100	$8,000

Large Head			Small Head	
1852 TEN D. Large head	800.00	1,500	2,500	——
1852 TEN D. Small head	1,500	2,750	4,500	——
1855 TEN D................................	3,000	5,000	8,000	——

WASS, MOLITOR & COMPANY

		Large Head		Small Head		
			Fine	*V. Fine*	*E. Fine*	*Unc.*
1855 TWENTY DOL. Large head			—	—	—	—
1855 TWENTY DOL. Small head			$3,500	$7,000	$9,500	—

	Fine	*V. Fine*	*E. Fine*	
1855 50 DOLLARS.........................	6,000	8,000	15,000	——

KELLOGG & COMPANY
San Francisco 1854-1855

When the U.S. Assay Office ceased operations a period ensued during which no private firm was striking gold. The new San Francisco branch mint did not produce coins for some months after Curtis & Perry took the contract for the government. The lack of coin was again keenly felt by businessmen who petitioned Kellogg & Richter to "supply the vacuum" by issuing private coin. Their plea was answered on Feb. 9, 1854, when Kellogg & Co. placed their first twenty-dollar piece in circulation.

	Fine	*V. Fine*	*E. Fine*	*Unc*
1854 TWENTY D............................	$900.00	$1,300	$1,700	$5,500
1855 TWENTY D............................	900.00	1,300	1,800	6,000

KELLOGG & COMPANY

1855 FIFTY DOLLS.. —

OREGON EXCHANGE COMPANY
Oregon City, 1849
THE BEAVER COINS OF OREGON

On February 16, 1849, the legislature passed an act providing for a mint and specified five and ten dollar gold coins without alloy. Oregon City, the largest city in the territory with a population of about 1,000, was designated as the location for the mint. At the time this act was passed Oregon had been brought into the United States as a territory by act of Congress. When the new governor arrived March 2, he declared the coinage act unconstitutional.

	Fine	V. Fine	E. Fine	Unc.
1849 5 D	$3,500	$7,000	$9,000	—

| 1849 TEN D .... | 12,000 | 17,500 | 25,000 | — |

MORMON GOLD PIECES
Salt Lake City, Utah 1849-1860

Brigham Young was the instigator of this coinage system and personally supervised the mint which was housed in a little adobe building in Salt Lake City. The mint was inaugurated late in 1849 as a public convenience.

MORMON GOLD PIECES

	Fine	V. Fine	E. Fine	Unc.
1849 TWO AND HALF DO.....................	$1,400	$2,500	$3,750	——
1849 FIVE DOLLARS	1,000	1,500	2,500	$6,000

	V. Fine
1849 TEN DOLLARS.	$40,000

	Fine	V. Fine
1849 TWENTY DOLLARS.	$13,000	$18,000

1850 FIVE DOLLARS

Fine	$1,300
V. Fine..................	1,800
Ex. Fine.................	3,000
Unc.	——

1860 5D

Fine.....................	$2,750
V. Fine..................	4,500
Ex. Fine.................	7,000
Unc......................	12,000

COLORADO GOLD PIECES
Clark, Gruber & Co. — Denver 1860-1861

Clark, Gruber and Co. was a well known private minting firm in Denver, Colo. in the early sixties.

	Fine	V. Fine	E. Fine	Unc.
1860 2½ D	$350.00	$550.00	$850.00	$3,500
1860 Five D	475.00	750.00	1,400	4,500

1860 TEN D	1,300	1,800	3,500	7,000
1860 TWENTY D	5,500	8,500	15,000	——

1861 2½ D	400.00	600.00	1,000	4,000
1861 FIVE D	500.00	750.00	1,400	4,500
1861 TEN D	700.00	850.00	1,800	5,500

1861 TWENTY D	2,000	3,000	8,000	——

JOHN PARSONS & COMPANY

Tarryall Mines — Colorado 1861

Very little is known about the mint of John Parsons and Co. It probably operated in Colorado, near (the original) Tarryall, in the summer of 1861.

PIKES PEAK GOLD

			V. Fine
(1861)	Undated 2½ D		$18,000
(1861)	Undated FIVE D		30,000

J. J. CONWAY & COMPANY

Georgia Gulch, Colorado, 1861

The value of gold dust caused disagreement among the merchants and the miners in all gold mining areas. The firm of J. J. Conway & Co. solved this difficulty by bringing out its gold pieces in August, 1861.

		V. Fine
(1861)	Undated 2½ DOLL'S	$18,000
(1861)	Undated FIVE DOLLARS	35,000
(1861)	Undated FIVE DOLLARS, Similar.	
	Variety without numeral 5 on reverse	25,000

(1861)	Undated TEN DOLLARS	20,000

CALIFORNIA SMALL DENOMINATION GOLD

There was a scarcity of small coins during the California gold rush and starting in 1852, quarter, half and dollar pieces were privately minted from native gold to alleviate the shortage. The need and acceptability of these pieces declined after 1856 and they then became popular as souvenirs. Authentic pieces all have CENTS, DOLLAR, or an abbreviation thereof on the reverse. The tokens are much less valuable. Modern restrikes and replicas have no numismatic value.

Values are only for genuine coins with the denomination on the reverse expressed as: CENTS, DOL., DOLL., *or* DOLLAR.

		EF-40	AU-50	MS-60
25c Octagonal:	Liberty head	$25.00	$45.00	$85.00
	Indian head	40.00	75.00	120.00
	Washington head	150.00	275.00	350.00
25c Round:	Liberty head	30.00	50.00	85.00
	Indian head	45.00	75.00	120.00
	Washington head	250.00	350.00	450.00
50c Octagonal:	Liberty head	40.00	70.00	100.00
	Liberty head/Eagle	250.00	350.00	575.00
	Indian head	90.00	150.00	210.00
50c Round:	Liberty head	45.00	75.00	110.00
	Indian head	60.00	100.00	175.00
$1.00 Octagonal:	Liberty head	100.00	175.00	225.00
	Liberty head/Eagle	600.00	825.00	1,200
	Indian head	200.00	300.00	400.00
$1.00 Round:	Liberty head	575.00	725.00	1,100
	Indian head	650.00	825.00	1,250

CIVIL WAR TOKENS — 1861-1864

Civil War Tokens are generally divided into two groups: tradesmen's tokens, and anonymously issued pieces with political or patriotic themes. They came into existence only because of the scarcity of government coins and disappeared as soon as the bronze coins of 1864 met the public demand for small copper change.

These tokens are of great variety in composition and design. A number were more or less faithful imitations of the copper-nickel cent. A few of this type have the word "NOT" in very small letters above the words "ONE CENT."

	Fine	V. Fine	Unc.
Copper or Brass Tokens	$1.25	$2.00	$10.00
Nickel or German Silver Tokens	8.00	15.00	25.00
White Metal Tokens	8.00	15.00	25.00
Copper-Nickel Tokens	15.00	25.00	50.00
Silver Tokens	30.00	40.00	100.00

BULLION VALUE OF SILVER COINS

Common date silver coins are valued according to the price of silver bullion. In recent years the price of silver bullion has been subject to extreme fluctuation. Therefore, when you read this it is highly probable that the current bullion price may differ from the prevailing market price used in tabulating valuations of many 19th and 20th century silver coins (priced in italics) listed in this edition. The following chart will help to determine the approximate bullion value of these coins at various price levels. Or, the approximate value may be calculated by multiplying the current spot price of silver times the content for each coin as indicated below. Dealers generally purchase common silver coins at 15% below bullion value, and sell them at 15% above bullion value.

Silver Bullion	Wartime Nickel .05626 oz.	Dime .07234 oz.	Quarter .18084 oz.	Half Dollar .36169 oz.	Silver Clad Half Dollar .14792 oz.	Silver Dollar .77344 oz.
$4.00	$.23	$.29	$.72	$1.45	$.59	$3.09
4.50	.25	.33	.81	1.63	.67	3.48
5.00	.28	.36	.90	1.81	.74	3.87
5.50	.31	.40	1.00	1.99	.81	4.25
6.00	.34	.44	1.09	2.17	.89	4.64
6.50	.36	.47	1.18	2.35	.96	5.03
7.00	.40	.51	1.27	2.53	1.04	5.42
7.50	.42	.55	1.36	2.72	1.11	5.80
8.00	.45	.58	1.45	2.90	1.19	6.19
8.50	.48	.62	1.54	3.08	1.26	6.58
9.00	.50	.65	1.63	3.26	1.33	6.96
9.50	.53	.69	1.72	3.44	1.42	7.35
10.00	.56	.72	1.81	3.62	1.48	7.73
11.00	.62	.80	1.99	3.98	1.63	8.51
12.00	.68	.87	2.17	4.34	1.78	9.28
13.00	.73	.94	2.35	4.70	1.92	10.05
14.00	.79	1.01	2.53	5.06	2.07	10.83
15.00	.84	1.09	2.71	5.43	2.22	11.60

BULLION VALUE OF GOLD COINS

The value of common date gold coins listed in this book may be affected by the rise or fall in the price of gold bullion. Nearly all U.S. gold coins have an additional premium value beyond their bullion content, and thus are not subject to the minor variations described for silver coins on the preceding page. The premium amount is not necessarily tied to the bullion price of gold, but is usually determined by supply and demand levels for actual gold coins occurring in the numismatic marketplace. Because these factors can vary significantly, there is no reliable formula for calculating "percentage above bullion" prices that would remain accurate over time. For this reason the chart below lists bullion values based on gold content only. Consult your nearest coin dealer to ascertain current premium prices.

Price Per Ounce	$5.00 Liberty Head 1839-1908 Indian Head 1908-1929	$10.00 Liberty Head 1838-1907 Indian Head 1907-1933	$20.00 1849-1933
$200.00	$48.37	$96.75	$193.50
225.00	54.42	108.84	217.69
250.00	60.46	120.94	241.88
275.00	66.51	133.03	266.06
300.00	72.56	145.13	290.25
325.00	78.60	157.22	314.44
350.00	84.65	169.31	338.63
375.00	90.70	181.40	362.81
400.00	96.75	193.50	387.00
425.00	102.80	205.60	411.19
450.00	108.84	217.69	435.38
475.00	114.89	229.78	459.56
500.00	120.94	241.87	483.75
550.00	133.03	266.06	532.13
575.00	139.08	278.16	556.31
600.00	145.12	290.25	580.50